BENSENVILLE COMMUNITY PUBLIC LIBRARY
W9-AJA-882

ZA GRZECHY OJCA

Tego autora również:

ALE TO NIE WSZYSTKO
CO DO GROSZA
CÓRKA MARNOTRAWNA
CZY POWIEMY PANI PREZYDENT?
FAŁSZYWE WRAŻENIE
JEDENASTE PRZYKAZANIE
KANE I ABEL
KOŁCZAN PEŁEN STRZAŁ
KRÓTKO MÓWIĄC
NA KOCIĄ ŁAPĘ
PIERWSZY MIĘDZY RÓWNYMI
SPRAWA HONORU
STAN CZWARTY
SYNOWIE FORTUNY
ŚCIEŻKI CHWAŁY
WIĘZIEŃ URODZENIA
ZŁODZIEJSKI HONOR

CZAS POKAŻE
ZA GRZECHY OJCA
SEKRET NAJPILNIEJ STRZEŻONY
OSTROŻNIE Z MARZENIAMI
POTĘŻNIEJSZY OD MIECZA
W GODZINIE PRÓBY
TO BYŁ CZŁOWIEK!

a także:

EWANGELIA WEDŁUG JUDASZA

JEFFREY ARCHER

KRONIKI CLIFTONÓW TOM II

ZA GRZECHY OJCA

Przełożyli
Wiesław Mleczko i Danuta Sękalska

DOM WYDAWNICZY REBIS

Tytuł oryginału
The Sins of the Father

First published 2012 by Macmillan
an imprint of Pan Macmillan, a division of Macmillan Publishers Limited

Rozdziały 1-19 przełożył Wiesław Mleczko
Rozdziały 20-46 przełożyła Danuta Sękalska

Redaktor
Krzysztof Tropiło

Opracowanie graficzne serii i projekt okładki
Zbigniew Mielnik

Fotografia na okładce
© Kurt Hutton / Hulton Archive / Getty Images Poland

Wydanie I (dodruk)
Poznań 2017

ISBN 978-83-7510-667-1

9788375106671

Dom Wydawniczy REBIS Sp. z o.o.
ul. Żmigrodzka 41/49, 60-171 Poznań
tel. 61-867-47-08, 61-867-81-40; fax 61-867-37-74
e-mail: rebis@rebis.com.pl
www.rebis.com.pl

SIR TOMMY MACPHERSON
Komandor Orderu Imperium Brytyjskiego
Trzykrotnie nadany Krzyż Wojenny
Territorial Decoration
Zastępca namiestnika Korony

Kawaler Legii Honorowej, Francja
Krzyż Wojenny z dwoma palmami i gwiazdą, Francja
Srebrny Medal i Medal za Udział w Ruchu Oporu, Włochy
Rycerz Świętej Marii z Betlejem

Oto osoby, którym pragnę podziękować
za bezcenne rady i zbieranie materiałów:
Simon Bainbridge, Eleanor Dryden, dr Robert Lyman –
członek Królewskiego Towarzystwa Historycznego, Alison
Prince, Mari Roberts i Susan Watt

BARRINGTONOWIE

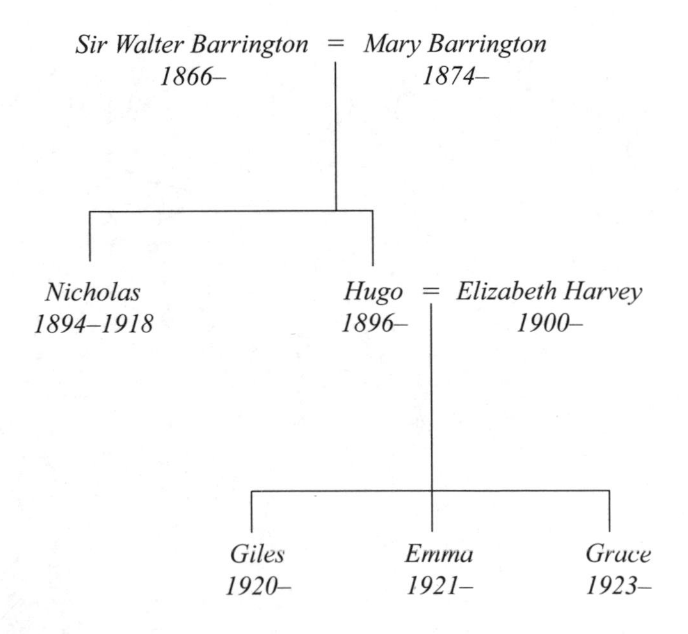

CLIFTONOWIE

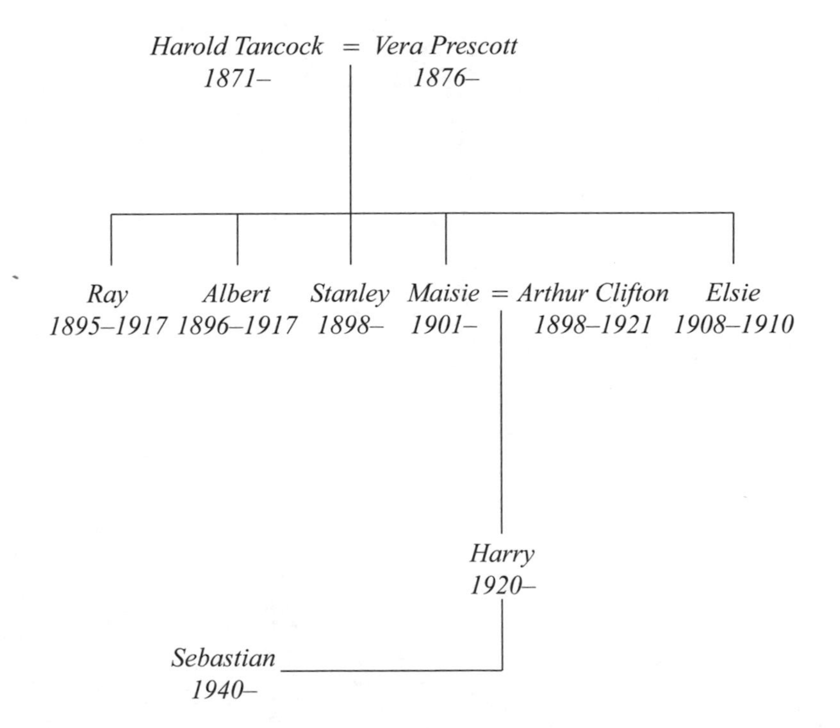

Bo Ja jestem Pan, Bóg twój, Bóg zazdrosny, karzący nieprawość ojców na synach w trzecim i w czwartym pokoleniu.

Modlitewnik powszechny

HARRY CLIFTON

1939–1941

1

– Nazywam się Harry Clifton.

– Oczywiście. A ja jestem Babe Ruth – powiedział inspektor Kolowski, zapalając papierosa.

– Nie – bronił się Harry. – Nie rozumie pan, zaszła straszna pomyłka. Nazywam się Harry Clifton, jestem Anglikiem z Bristolu. Służyłem na tym samym statku, co Tom Bradshaw.

– Zachowaj tę informację dla swojego adwokata – powiedział inspektor, wypuszczając z głębi płuc chmurę dymu, która wypełniła niewielką celę.

– Nie mam adwokata – zaprotestował Harry.

– Na twoim miejscu, chłopcze, postarałbym się mieć przy sobie Seftona Jelksa, bo w nim twoja jedyna nadzieja.

– Kto to jest Sefton Jelks?

– Może nie słyszałeś nigdy o najbardziej cwanym adwokacie w Nowym Jorku – odparł inspektor, wypuszczając nowy obłok dymu – ale ten facet złoży ci wizytę jutro rano o dziewiątej, a mecenas Jelks nie wychodzi ze swojego biura, jeśli jego rachunek nie został z góry zapłacony.

– Ale... – zaczął Harry, kiedy Kolowski zabębnił pięścią w drzwi celi.

– Zatem kiedy Jelks zjawi się tu jutro rano – ciągnął Kolowski, nie słuchając Harry'ego – to wymyśl jakąś bardziej przekonującą bajeczkę niż to, że aresztowaliśmy niewłaściwego człowieka. Powiedziałeś oficerowi imigracyjnemu, że nazywasz się Tom Bradshaw, i jeśli jemu to wystarczyło, to wystarczy i sędziemu.

Drzwi celi otworzyły się, ale przedtem inspektor zdążył wypuścić jeszcze jeden obłok dymu, przyprawiając Harry'ego o atak kaszlu. Kolowski wyszedł na korytarz, nie dodając już nic więcej, i zatrzasnął za sobą drzwi. Harry opadł ciężko na przymocowaną do ściany pryczę i oparł głowę o poduszkę, twardą jak cegła. Patrzył w sufit i myślał o tym, jak wylądował w policyjnym areszcie na drugim końcu świata, podejrzany o morderstwo.

Drzwi celi otworzyły się, zanim jeszcze światło poranka przeniknęło do środka przez zakratowane okno. Choć było wcześnie, Harry dawno już nie spał.

Do celi wszedł strażnik, niosąc na tacy posiłek, którego Armia Zbawienia nie odważyłaby się zaoferować włóczędze bez grosza. Położył tacę na drewnianym stoliku i wyszedł bez słowa.

Harry spojrzał obojętnie na jedzenie, po czym zaczął przemierzać celę tam i z powrotem. Z każdym krokiem nabierał przekonania, że jak tylko przedstawi panu Jelksowi powód, dla którego zamienił się nazwiskami z Tomem Bradshawem, sprawa zostanie szybko wyjaśniona. Z pewnością najgorszą karą, jaką mogliby mu wymierzyć, byłaby deportacja, a skoro i tak zamierzał wrócić do Anglii i wstąpić do marynarki wojennej, to wszystko pójdzie zgodnie z jego pierwotnym planem.

O ósmej pięćdziesiąt pięć Harry siedział na skraju swojej pryczy, z niecierpliwością czekając na pojawienie się pana Jelksa. Solidne żelazne drzwi otworzyły się dopiero dwanaście minut po dziewiątej. Harry poderwał się, kiedy strażnik, stając z boku, wpuścił do środka wysokiego, elegancko ubranego mężczyznę o przyprószonych siwizną włosach. Harry pomyślał, że musi być mniej więcej w wieku jego dziadka. Mecenas Jelks miał na sobie ciemnogranatowy dwurzędowy garnitur w prążki, białą koszulę i krawat w paski. Wyraz znużenia na twarzy sugerował, że niewiele rzeczy na tym świecie jest w stanie go zadziwić.

– Dzień dobry – powiedział, lekko się uśmiechając. – Nazywam się Sefton Jelks. Jestem głównym wspólnikiem w kancelarii prawnej Jelks, Myers i Albernathy, a moi klienci, państwo Bradshawowie, poprosili mnie, abym pana reprezentował w przyszłym procesie.

Harry zaoferował mu jedyne krzesło, jakie było w celi, zupełnie jakby przyjmował starego przyjaciela, który wpadł do jego gabinetu w Oksfordzie na filiżankę herbaty. Przysiadł na brzegu pryczy i przyglądał się, jak adwokat otwiera teczkę, wyjmuje żółty notatnik i kładzie go na stoliku.

Jelks wyjął pióro z wewnętrznej kieszeni i powiedział:

– Może powinien pan zacząć od powiedzenia mi, kim naprawdę pan jest, gdyż obaj wiemy, że nie jest pan porucznikiem Bradshawem.

Nawet jeśli opowieść Harry'ego zaskoczyła prawnika, to ani trochę tego nie okazał. Z opuszczoną głową robił obszerne notatki w swoim żółtym notesie, podczas gdy Harry wyjaśniał, jak doszło do tego, że ostatnią noc spędził w areszcie. Kiedy doszedł do końca opowieści, był przekonany, że na tym zakończą się jego tarapaty, skoro ma po swojej stronie tak wysokiej klasy prawnika. Tak myślał, dopóki nie usłyszał pierwszego pytania Jelksa.

– Mówi pan, że na pokładzie *Kansas Star* napisał pan do matki list, wyjaśniając, dlaczego przejął pan tożsamość Toma Bradshawa?

– Zgadza się. Nie chciałem, aby matka niepotrzebnie cierpiała, ale równocześnie pragnąłem, aby zrozumiała, dlaczego podjąłem tak drastyczną decyzję.

– Tak, potrafię zrozumieć, dlaczego mógł pan uznać, że zmiana tożsamości rozwiąże wszystkie pańskie doraźne problemy, nie zdając sobie równocześnie sprawy, że może się pan uwikłać w cały szereg nawet jeszcze bardziej skomplikowanych sytuacji – powiedział Jelks. Jego następne pytanie zaskoczyło Harry'ego jeszcze bardziej. – Czy pamięta pan treść tego listu?

– Oczywiście. Pisałem go na nowo tyle razy, że mógłbym go odtworzyć prawie słowo po słowie.

– Wobec tego pozwolę sobie poddać próbie pańską pamięć – powiedział Jelks i bez dalszych słów wydarł kartkę ze swojego notatnika i podał ją Harry'emu wraz z wiecznym piórem.

Harry potrzebował trochę czasu, aby przypomnieć sobie dokładne brzmienie listu, po czym przystąpił do jego odtworzenia.

Najdroższa mamo,

Zrobiłem wszystko, co w mojej mocy, żebyś dostała ten list, zanim ktoś Ci powie, że zginąłem na morzu.

Jak wskazuje data, nie umarłem, kiedy Devonian *został zatopiony czwartego września. Wyłowił mnie z morza marynarz z amerykańskiego statku i dzięki niemu jestem jak najbardziej żywy. Niespodziewanie nadarzyła mi się jednak okazja wcielenia się w inną osobę i skwapliwie z niej skorzystałem w nadziei, że uwolni to Emmę od wielu problemów, jakich mimowolnie przysporzyłem w ciągu lat jej i jej rodzinie.*

Ważne, żebyś wiedziała, że moja miłość do Emmy w żadnym razie nie osłabła, absolutnie nie. Nie wierzę, żebym jeszcze kiedyś przeżył tak wielką miłość. Ale nie sądzę, abym miał prawo oczekiwać, by spędziła resztę życia, łudząc się nadzieją, iż w jakimś momencie w przyszłości będę w stanie dowieść, że to Arthur Clifton, a nie Hugo Barrington był moim ojcem. Dzięki temu może przynajmniej ułoży sobie życie z kimś innym. Zazdroszczę temu mężczyźnie.

Zamierzam wrócić do Anglii pierwszym statkiem, jaki się nawinie. Gdybyś otrzymała jakąś wiadomość od Toma Bradshawa, będzie ona ode mnie.

Skontaktuję się z Tobą, jak tylko znajdę się w Bristolu, lecz tymczasem muszę Cię prosić, żebyś dochowała mojego sekretu tak wytrwale, jak strzegłaś swojego przez tyle lat.

Twój kochający syn Harry

Kiedy Jelks skończył czytać list, jeszcze raz zaskoczył Harry'ego.

– Czy wysłał pan ten list osobiście, panie Clifton – zapytał – czy też poprosił pan o to kogoś innego?

Po raz pierwszy Harry zaczął coś podejrzewać i postanowił nie wspomnieć, że poprosił doktora Wallace'a o przekazanie listu matce, kiedy za dwa tygodnie wróci do Bristolu. Obawiał się, że Jelks każe sobie przekazać list, a wtedy matka w żaden sposób nie dowie się, że on wciąż żyje.

– Nadałem list, gdy tylko zszedłem na ląd – powiedział.

Leciwy prawnik milczał przez chwilę, zanim zadał następne pytanie:

– Czy ma pan jakiś dowód na to, że jest pan Harrym Cliftonem, a nie Thomasem Bradshawem?

– Nie, nie mam – odparł Harry bez wahania, zdając sobie boleśnie sprawę, że nikt na pokładzie *Kansas Star* nie miał powodu sądzić, że nie jest Tomem Bradshawem, a jedyni ludzie, którzy mogliby potwierdzić jego słowa, znajdują się po drugiej stronie oceanu, trzy tysiące mil stąd, i wkrótce wszyscy oni zostaną powiadomieni, że Harry Clifton został pochowany na morzu.

– W takim razie być może będę mógł panu pomóc. To znaczy jeżeli nadal chce pan, aby panna Emma Barrington sądziła, że pan nie żyje. Jeśli tak jest – powiedział Jelks z nieszczerym uśmiechem na twarzy – to mogę zaproponować panu sposób na rozwiązanie pańskiego problemu.

– Rozwiązanie? – zapytał Harry, po raz pierwszy z pewną nadzieją.

– Ale pod warunkiem, że pozostanie pan przy tożsamości Thomasa Bradshawa.

Harry zamilkł.

– Prokurator okręgowy przyznaje, że oskarżenie przeciwko Bradshawowi w najlepszym razie opiera się na poszlakach, a jedyny realny dowód, jakiego kurczowo się trzymają, to fakt, że opuścił kraj następnego dnia po tym, jak popełnione zostało morderstwo. Zdając sobie sprawę, że materiał dowodowy jest słaby, zgodzili się wycofać oskarżenie o morderstwo, jeśli przyznałby się pan do popełnienia przestępstwa mniej poważnego, dezercji ze służby w siłach zbrojnych.

– Ale dlaczego miałbym się na to zgodzić? – zapytał Harry.

– Mogę panu podać trzy dobre powody – odparł Jelks. – Po pierwsze, jeśli pan tego nie zrobi, to prawdopodobnie spędzi pan w więzieniu sześć lat za przedostanie się na terytorium Stanów Zjednoczonych podstępem. Po drugie, zachowałby pan anonimowość, dzięki czemu rodzina Barringtonów nie miałaby powodu sądzić, że pan wciąż żyje. I po trzecie, Bradshawowie gotowi są zapłacić panu dziesięć tysięcy dolarów, jeśli wejdzie pan w rolę ich syna.

Harry od razu pomyślał sobie, że oto nadarza się okazja odwdzięczenia się matce za wszystkie te lata poświęceń dla niego. Tak wielka suma pieniędzy odmieniłaby jej życie, pozwoliłaby jej uciec z lichego domku na ulicy Gorzelniczej, w tym od comiesięcznej wizyty poborcy czynszu. Mogłaby nawet rzucić pracę kelnerki w Grand Hotelu i wreszcie zacząć żyć wygodniej, choć to wydało się Harry'emu raczej mało prawdopodobne. Zanim jednak zgodził się przyjąć plan Jelksa, sam też miał parę pytań.

– Ale po co Bradshawowie mieliby pójść na takie oszustwo, skoro już wiedzą, że ich syn zginął na morzu?

– Pani Bradshaw gotowa jest zrobić wszystko, aby tylko oczyścić imię Thomasa. Nigdy nie pogodzi się z myślą, że jeden z jej synów mógł zabić drugiego.

– Czy o to właśnie oskarżono Toma? O zamordowanie brata?

– Tak. Ale jak powiedziałem, materiał dowodowy jest wątły, ma charakter poszlakowy, i z pewnością nie przekonałby sądu, z którego to powodu prokurator gotów jest wycofać oskarżenie, jednak tylko wtedy, gdy nie odrzucimy mniej poważnego zarzutu dezercji.

– A jaki dostałbym wyrok, gdybym na to przystał?

– Prokurator zgodził się zasugerować sędziemu wyrok jednego roku, więc w przypadku dobrego sprawowania wyszedłby pan na wolność po sześciu miesiącach. O ile to korzystniejsze w porównaniu z sześcioma latami odsiadki, jeśli będzie się pan upierał, że jest Harrym Cliftonem.

– Ale jak tylko pojawię się na sali rozpraw, z pewnością zaraz ktoś się zorientuje, że nie jestem Tomem Bradshawem.

– Mało prawdopodobne – odparł Jelks. – Bradshawowie pochodzą z Seattle na Zachodnim Wybrzeżu i choć są zamożni, rzadko bywają w Nowym Jorku. Thomas wstąpił do marynarki wojennej w wieku siedemnastu lat i – jak przekonał się pan na własnej skórze – przez ostatnie cztery lata nie postawił nogi w Ameryce. Jeśli przyzna się pan do winy, rozprawa nie potrwa dłużej niż dwadzieścia minut.

– Ale kiedy otworzę usta, to czy nie stanie się oczywiste, że nie jestem Amerykaninem?

– Dlatego wcale nie będzie pan ich otwierał, panie Clifton.

Uprzejmy adwokat wydawał się mieć odpowiedź na każdą wątpliwość. Harry spróbował jeszcze inaczej podważyć jego argumentację.

– W Anglii sprawy o zabójstwo przyciągają zawsze tłumy reporterów, a publika ustawia się w kolejce do sali rozpraw już od rana w nadziei ujrzenia, choćby przez moment, oskarżonego.

– Proszę pana, w tej chwili w Nowym Jorku toczy się czternaście procesów o morderstwo, w tym rozprawa osławionego „zabójcy z nożyczkami". Wątpię, czy do tej sprawy oddelegowany zostanie choćby nawet jakiś początkujący reporter.

– Potrzebuję trochę czasu, żeby to przemyśleć.

Jelks spojrzał na zegarek.

– Mamy stawić się przed sędzią Atkinsem w południe, ma pan więc nieco ponad godzinę. – Przywołał strażnika, aby otworzył mu drzwi. – Jeśli postanowi pan nie skorzystać z moich usług, to życzę powodzenia, bo więcej się nie zobaczymy – dodał, wychodząc z celi.

Harry siedział na skraju pryczy i zastanawiał się nad ofertą Seftona Jelksa. Choć nie wątpił, że srebrnowłosy adwokat ma jakiś sobie tylko znany plan, to przecież sześć miesięcy brzmi o wiele lepiej niż sześć lat, i do kogo innego mógłby się zwrócić, jak nie do tego wytrawnego prawnika? Szkoda, że nie może wpaść na chwilę do biura sir Waltera Barringtona, aby się go poradzić.

Godzinę później Harry, w ciemnoniebieskim garniturze, kremowej koszuli z wykrochmalonym kołnierzykiem i krawacie w paski, został skuty, wyprowadzony z celi do więziennego furgonu i przewieziony pod strażą do budynku sądu.

– Nikt nie powinien nawet pomyśleć, że jest pan zdolny do morderstwa – oświadczył Jelks po wizycie krawca, który przyniósł Harry'emu do wyboru pół tuzina garniturów, koszule i bogaty asortyment krawatów.

– Bo nie jestem – przypomniał mu Harry.

Spotkał się ponownie z Jelksem na korytarzu. Adwokat przesłał Harry'emu znany mu już uśmieszek, pchnął wahadłowe drzwi, ruszył przejściem między rzędami ław dla publiczności i zatrzymał się dopiero przy dwóch wolnych krzesłach za stołem przeznaczonym dla obrońcy.

Kiedy Harry usadowił się już na swoim miejscu i zdjęto mu kajdanki, rozejrzał się po prawie zupełnie pustej sali. Jelks miał rację. Wyglądało na to, że niewielu obywateli, a już z pewnością nie przedstawiciele prasy, zainteresowało się tą rozprawą. Dla gazet było to najpewniej jeszcze jedno morderstwo w rodzinie, sprawa, która prawdopodobnie zakończy się uniewinnieniem; nie będzie nagłówków w rodzaju „Kain zabija Abla", gdyż w sali rozpraw numer cztery nie są rozpatrywane sprawy, które mogą prowadzić na krzesło elektryczne.

Kiedy rozległo się pierwsze uderzenie zegara zapowiadającego południe, po przeciwnej stronie sali otworzyły się drzwi i ukazał się w nich sędzia Atkins. Wolnym krokiem przeszedł przez salę, wspiął się po schodkach i zasiadł za stołem na podeście. Następnie skinął głową w kierunku prokuratora, jakby wiedział już, co ten zaraz powie.

Młody prawnik powstał z miejsca przy stole prokuratorskim i wyjaśnił, że państwo wycofa oskarżenie o zabójstwo, ale będzie ścigać Toma Bradshawa pod zarzutem dezercji z marynarki Stanów Zjednoczonych. Sędzia skinął głową i odwrócił się ku mecenasowi Jelksowi, który również powstał.

– A co do drugiego zarzutu, jaka jest odpowiedź pańskiego klienta?

– Winien – powiedział Jelks. – Mam nadzieję, że w tej kwestii Wysoki Sąd okaże pobłażliwość, gdyż nie muszę przypominać Wysokiemu Sądowi, że jest to jego pierwsze przewinienie i do momentu tego niepasującego do niego potknięcia cieszył się nieposzlakowaną opinią.

Sędzia Atkins skrzywił się.

– Panie mecenasie – powiedział – niektórzy mogą jednak uważać, że opuszczenie przez oficera posterunku w czasie służby dla kraju jest czynem równie haniebnym jak zabójstwo. Chyba nie muszę panu przypominać, że jeszcze nie tak dawno takie przestępstwo zaprowadziłoby pańskiego klienta przed pluton egzekucyjny.

Harry poczuł mdłości, wpatrując się w Jelksa, który nie odrywał oczu od sędziego.

– Mając to na uwadze, skazuję porucznika Thomasa Bradshawa na karę sześciu lat więzienia. – Sędzia uderzył młotkiem w stół i ogłosił: – Następna sprawa – zanim Harry miał szansę zaprotestować.

– Powiedział mi pan... – zaczął Harry, ale Jelks już się odwrócił plecami i oddalał od swojego byłego klienta. Harry chciał się za nim rzucić, ale dwóch strażników złapało go za ramiona, wykręciło je do tyłu i sprawnie skuło kajdankami, po czym poprowadziło skazanego już przestępcę przez salę sądową ku drzwiom, których Harry wcześniej nie zauważył.

Obejrzał się za siebie i zobaczył, że Sefton Jelks wymienia uścisk dłoni z mężczyzną w średnim wieku, który najwyraźniej gratulował mu dobrze wykonanej pracy. Zastanawiał się, czy już widział gdzieś tę twarz. I nagle zrozumiał – to musiał być ojciec Toma Bradshawa.

2

Bezceremonialnie poprowadzono Harry'ego długim, słabo oświetlonym korytarzem, a następnie wyprowadzono przez nieoznakowane drzwi na pusty dziedziniec.

Na środku placu stał żółty autobus bez numeru rejestracyjnego czy określonego choćby w przybliżeniu miejsca przeznaczenia. Przy drzwiach stał muskularny konduktor z karabinem w ręku, który ruchem głowy dał Harry'emu znak, aby wsiadał. Strażnicy przyszli mu z pomocą, na wypadek gdyby się wahał.

Harry zajął miejsce i posępnie przyglądał się przez okno sznurowi skazańców doprowadzanych do autobusu. Jedni szli ze spuszczonymi głowami, a inni, niewątpliwie odbywający tę podróż nie po raz pierwszy, raźnym krokiem. Zakładał, że autobus niedługo ruszy do miejsca przeznaczenia, wszystko jedno jakiego, ale wnet miał przyswoić sobie jako więzień pierwszą naukę: kiedy już masz wyrok, nikomu z niczym nie będzie się śpieszyło.

Harry pomyślał, że mógłby zapytać jednego ze strażników, dokąd jadą, ale żaden nie wyglądał na gotowego do pomocy przewodnika wycieczki. Odwrócił się nerwowo, kiedy ktoś opadł ciężko na siedzenie obok. Nie zamierzał zwracać uwagi na nowego towarzysza podróży, ale kiedy ten natychmiast się przedstawił, Harry przyjrzał mu się dokładniej.

– Nazywam się Pat Quinn – oznajmił mężczyzna z lekko irlandzkim akcentem.

– Tom Bradshaw – powiedział Harry, który podałby rękę nowemu towarzyszowi niedoli, gdyby nie to, że obaj byli zakuci w kajdanki.

Quinn nie wyglądał na przestępcę. Jego stopy ledwie sięgały podłogi, nie mógł więc mieć więcej niż pięć stóp wzrostu, a ponieważ większość więźniów w autobusie była mięśniakami albo po prostu facetami z nadwagą, Quinn wydawał się przy nich piórkiem, które może zdmuchnąć lada wietrzyk. Jego rzednące rude włosy zaczynały już siwieć, choć nie mógł mieć więcej niż czterdzieści lat.

– Jesteś świeżakiem? – zapytał poufale Quinn.

– Czy to tak od razu widać?

– Masz to wypisane na twarzy.

– Co mam wypisane?

– Nie masz bladego pojęcia, co będzie dalej.

– Ty oczywiście nie jesteś świeżakiem, no nie?

– Jadę tym autobusem jedenasty, a może nawet dwunasty raz.

Po raz pierwszy od wielu dni Harry roześmiał się.

– Za co cię wsadzili? – zapytał Quinn.

– Porzucenie – odparł Harry, nie wchodząc w szczegóły.

– Pierwszy raz słyszę o takim przypadku – powiedział Quinn. – Sam rzuciłem trzy żony, ale nigdy nie wsadzili mnie za to do mamra.

– Nie chodzi o porzucenie żony – odparł Harry, myśląc o Emmie – ale służby wojskowej. Zdezerterowałem z Królewskiej... chciałem powiedzieć z marynarki wojennej.

– Ile dostałeś?

– Sześć lat.

Quinn gwizdnął przez dwa zęby, jakie mu pozostały.

– Chyba trochę przesadzili. Kto cię sądził?

– Sędzia Atkins – powiedział ponuro Harry.

– Arnie Atkins? Trafiłeś na niewłaściwego sędziego. Następnym razem postaraj się wybrać właściwego.

– Nie wiedziałem, że można sobie wybrać sędziego.

– Nie można – powiedział Quinn – ale są sposoby na uniknięcie tych najgorszych. – Harry przyjrzał się uważniej swojemu towarzyszowi, ale nie przerwał mu. – W okręgu działa siedmiu sędziów objazdowych i dwóch z nich należy unikać za wszelką cenę. Jednym z nich jest Arnie Atkins. Nie ma poczucia humoru i lubi dawać długie wyroki.

– Ale jak mogłem go uniknąć? – zapytał Harry.

– Atkins przewodniczy rozprawom odbywającym się w sali numer cztery od jedenastu lat, więc jak widzę, że prowadzą mnie w tym kierunku, dostaję ataku epilepsji i strażnicy odstawiają mnie do sądowego lekarza.

– Jesteś epileptykiem?

– Nie – odparł Quinn – nie słuchasz uważnie – żachnął się i Harry zamilkł. – Zanim odegram szczęśliwy powrót do zdrowia, moja sprawa zostanie przekazana do innego sądu.

Harry znowu się roześmiał.

– I udaje ci się to za każdym razem?

– Nie, nie za każdym, ale jeśli trafię na strażników-nowicjuszy, mam szansę, choć stosowanie wciąż tej samej sztuczki jest coraz trudniejsze. Tym razem nie musiałem się trudzić, bo zaprowadzili mnie prosto do sali rozpraw numer dwa, gdzie rządzi sędzia Regan. Jest Irlandczykiem – jak ja, gdybyś jeszcze nie zauważył – więc jest bardziej prawdopodobne, że swojemu ziomkowi wyznaczy karę w minimalnym wymiarze.

– Jakie popełniłeś przestępstwo? – zapytał Harry.

– Jestem kieszonkowcem – oznajmił Quinn, zupełnie jakby był architektem lub lekarzem. – Moja specjalność to wyścigi konne w lecie i halowe mecze bokserskie w zimie. Zawsze łatwiej się pracuje, kiedy frajer stoi – wyjaśnił. – Ale ostatnio szczęście mi nie dopisuje, bo zbyt wielu porządkowych już mnie rozpoznaje, więc musiałem przerzucić się na metro i dworce autobusowe, gdzie połowy są mniej obfite i prędzej można zostać przyłapanym.

Harry chciał zapytać swojego nowego mentora o wiele rzeczy i jak pełen zapału uczeń skupił się na pytaniach, które pomogłyby mu zdać egzamin wstępny, rad przy tym, że jego własny akcent nie wzbudził podejrzeń Quinna.

– Wiesz, dokąd nas wiozą? – zapytał.

– Lavenham lub Pierpoint – powiedział Quinn. – Zależnie od tego, czy odbijemy z autostrady zjazdem numer 12 czy 14.

– Siedziałeś już w którymś z nich?

– W obu, po parę razy – stwierdził rzeczowo Quinn. –

I zanim zapytasz, powiem ci: gdyby istniał przewodnik po więzieniach, Lavenham dostałoby jedną gwiazdkę, a Pierpoint zostałoby zamknięte.

– Dlaczego nie mielibyśmy zapytać strażnika, do którego nas wiozą? – zasugerował Harry, który chciał, aby skrócono mu mękę niepewności.

– Bo wymieniłby nie ten, co trzeba, żebyśmy się odwalili. Jeśli Lavenham, to ważne będzie dla ciebie, do którego bloku cię skierują. Ponieważ siedzisz pierwszy raz, prawdopodobnie wylądujesz w bloku A, gdzie życie jest o wiele łatwiejsze. Starzy bywalcy, jak ja, przeważnie odsyłani są do bloku D, gdzie nie ma ludzi poniżej trzydziestki i skazanych za przemoc, więc jest to układ idealny dla kogoś, kto chce pokornie odsiedzieć swój wyrok. Staraj się trzymać z daleka od bloków B i C – pełno w nich ćpunów i psycholi.

– Ale co mam zrobić, żeby trafić do bloku A?

– Powiedz funkcjonariuszowi przy rejestracji, że jesteś gorliwym chrześcijaninem, nie palisz i nie pijesz.

– Nie wiedziałem, że w więzieniu wolno pić – zdziwił się Harry.

– Nie wolno, cholerny głupku – powiedział Quinn – ale jeśli możesz wspomóc ich dolcami – dodał, pocierając kciukiem o palec wskazujący – strażnicy nagle przemieniają się w barmanów. Nawet prohibicja ich nie przystopowała.

– Co jest dla mnie najważniejsze, na co mam uważać tego pierwszego dnia?

– Postaraj się, żebyś dostał odpowiednią robotę.

– Co jest do wyboru?

– Sprzątanie, kuchnia, szpital, pralnia, biblioteka, ogród i kaplica.

– Co zrobić, żeby trafić do biblioteki?

– Powiedz, że umiesz czytać.

– A ty co powiesz? – zapytał Harry.

– Że szkoliłem się na mistrza kucharskiego.

– To musiało być ciekawe.

– Wciąż nic nie kapujesz, no nie? – powiedział Quinn. – Nigdy się nie uczyłem na kucharza, ale dzięki temu przydzielą mnie do kuchni, czyli do najlepszej roboty w każdym więzieniu.

– Dlaczego najlepszej?

– Wypuszczają cię z celi przed śniadaniem i wracasz dopiero po kolacji. Jest ciepło i masz możliwość wybierania sobie najlepszego żarcia. O! Jedziemy do Lavenham – powiedział Quinn, kiedy autobus skręcił z autostrady w zjazd numer 12. – To dobrze, bo teraz nie będę musiał odpowiadać na głupie pytania o Pierpoint.

– Czy coś jeszcze powinienem wiedzieć o Lavenham? – spytał Harry, niezrażony sarkazmem Quinna, gdyż podejrzewał, że stary więzienny wyga znajduje przyjemność w udzielaniu lekcji chętnemu uczniowi.

– Dużo by trzeba gadać – westchnął. – Po prostu trzymaj się blisko mnie, jak już nas zarejestrują.

– Ale czy nie odeślą cię automatycznie do bloku D?

– Nie, jeśli dyżur mieć będzie pan Mason – odparł Quinn bez dalszych wyjaśnień.

Zanim autobus zatrzymał się w końcu przed bramą więzienia, Harry zdążył zadać jeszcze parę pytań. W istocie czuł, że w ciągu tych paru godzin dowiedział się od Quinna więcej niż w czasie kilkunastu godzin indywidualnych konsultacji z tutorem w Oksfordzie.

– Trzymaj się mnie – powtórzył Quinn, kiedy potężne wrota się otwarły.

Autobus wolno przejechał przez kolejne bramy i wtoczył się na posępny, zarośnięty niskimi drzewami i krzakami teren, który nigdy nie widział ogrodnika. Zatrzymał się przed obszernym budynkiem z cegły z rzędami małych brudnych okienek, z których tu i ówdzie obserwowały ich pary oczu.

Harry przyglądał się, jak kilkunastu strażników formuje szpaler prowadzący aż do samego wejścia do więzienia. Dwaj uzbrojeni w karabiny strażnicy stanęli po obu stronach drzwi autobusu.

– Wychodzić dwójkami – rozkazał jeden z nich szorstko – w pięciominutowych odstępach między jedną parą a następną. Nikt niech się nie rusza, dopóki nie powiem.

Harry i Quinn pozostawali w autobusie jeszcze przez godzinę. Kiedy w końcu zostali wypuszczeni, Harry spojrzał w górę na wysokie mury zwieńczone kolczastym drutem, otaczające cały teren więzienia, i pomyślał, że nawet rekordzista świata w skoku o tyczce nie zdołałby uciec z Lavenham.

Pomaszerował za Quinnem do budynku, gdzie zatrzymali się przed usadowionym za stołem funkcjonariuszem, ubranym w mocno sfatygowany, wyświechtany niebieski mundur z guzikami, które wcale nie błyszczały. Mężczyzna studiujący listę z nazwiskami na podkładce z klipsem wyglądał tak, jakby sam odsiedział już dożywotni wyrok. Uśmiechnął się, kiedy zobaczył następnego więźnia.

– Witam ponownie, Quinn – powiedział. – Zobaczysz, że niewiele się tu zmieniło od twojego ostatniego pobytu.

Quinn uśmiechnął się szeroko.

– Mnie również miło znów pana widzieć, panie Mason. Może byłby pan uprzejmy polecić jednemu z boyów hotelowych, żeby zaniósł mój bagaż do pokoju, który zazwyczaj zajmuję.

– Nie przeciągaj struny, Quinn – powiedział Mason – bo mógłbym powiedzieć naszemu nowemu medykowi, że nie jesteś epileptykiem.

– Ależ proszę pana, mam na to świadectwo lekarskie.

– Z pewnością z tego samego źródła, co dyplom mistrza kucharskiego – powiedział Mason, kierując swoją uwagę ku Harry'emu. – A ty jak się nazywasz?

– To mój kumpel, Tom Bradshaw. Nie pali, nie pije, nie klnie i nie pluje – wtrącił Quinn, zanim Harry zdążył się odezwać.

– Witam w Lavenham, Bradshaw – powiedział Mason.

– Właściwie kapitanie Bradshaw – dorzucił Quinn.

– Byłem porucznikiem – powiedział Harry. – Nigdy nie byłem kapitanem.

Quinn wyglądał na rozczarowanego swoim protegowanym.

– Pierwszy raz? – spytał Mason, przyglądając się dokładniej Harry'emu.

– Tak jest.

– Ulokuję cię w bloku A. Jak weźmiesz prysznic i odbierzesz z magazynu odzież więzienną, strażnik Hessler zaprowadzi cię do celi numer 327. – Mason spojrzał na kartkę na podkładce, po czym odwrócił się do stojącego za nim młodego funkcjonariusza, z którego prawej dłoni zwisała pałka.

– Jest jakaś szansa na to, żebym dołączył do przyjaciela? – zapytał Quinn, kiedy Harry podpisał się już w rejestrze. – W końcu porucznikowi Bradshawowi przydałby się może ordynans.

– Jesteś ostatnią osobą, jakiej mógłby potrzebować – odparł Mason.

Harry chciał coś powiedzieć, ale kieszonkowiec właśnie schylił się, wyjął z boku skarpetki złożony banknot pięciodolarowy i błyskawicznym ruchem wsunął go do górnej kieszonki bluzy Masona.

– Quinn również idzie do celi 327 – zwrócił się Mason do młodszego rangą funkcjonariusza.

Nawet jeśli Hessler zauważył tę wymianę, nie skomentował tego.

– Wy dwaj za mną – powiedział tylko.

Quinn ruszył szybko za Harrym, zanim Mason mógłby się rozmyślić.

Dwaj nowi więźniowie zostali poprowadzeni długim korytarzem o pomalowanych na zielono ścianach z cegły. Hassler zatrzymał się przed małym pomieszczeniem z natryskiem, wyposażonym w dwie wąskie przymocowane do ściany drewniane ławki, zasłane porzuconymi ręcznikami.

– Rozbierać się i pod prysznic – polecił.

Harry powoli zdjął dopasowany garnitur, elegancką kremową koszulę, sztywny kołnierzyk i krawat w paski, na których włożenie mecenas Jelks tak bardzo nalegał, aby wywrzeć dobre wrażenie na sędzim. Sęk w tym, że wybrał niewłaściwego sędziego.

Quinn stanął pod prysznicem, zanim Harry zdążył choćby rozsznurować trzewiki. Odkręcił kurek i słaby strumyk wody zaczął niechętnie sączyć się na jego łysiejącą głowę. Potem podniósł z podłogi kawałek mydła i zaczął się myć. Harry wszedł pod zimną wodę wypływającą z drugiego z dwóch znajdujących się tam pryszniców, a Quinn po chwili podał mu to, co zostało z kawałeczka mydła.

– Przypomnij mi, żeby porozmawiał z kierownictwem o urządzeniach sanitarnych – powiedział Quinn, biorąc do ręki wilgotny ręcznik, niewiele większy od ściereczki do naczyń, i próbując się nim osuszyć.

Wargi Hesslera pozostawały cały czas zaciśnięte.

– Ubierać się i za mną – powiedział, zanim Harry skończył się namydlać.

Strażnik znowu pomaszerował korytarzem raźnym krokiem, a mokry jeszcze Harry pośpieszył za nim. Zatrzymali się dopiero przed podwójnymi drzwiami z napisem MAGAZYN. Hessler zastukał energicznie i chwilę potem drzwi odsunęły się, ukazując oblicze zmęczonego życiem funkcjonariusza, który z łokciami opartymi na kontuarze palił skręconego przez siebie papierosa. Uśmiechnął się na widok Quinna.

– Nie jestem pewien, czy twoje rzeczy zdążyły już wrócić z pralni, Quinn – powiedział.

– Wobec tego będzie mi potrzebny nowy pełny komplet, panie Newbold – stwierdził Quinn, który schylił się i wyjął zza drugiej skarpetki coś, co znowu zniknęło bez śladu. – Moje wymagania są skromne – dodał. – Jeden koc, dwa bawełniane prześcieradła, jedna poduszka, jedna poszewka na poduszkę…

Funkcjonariusz dobierał kolejne rzeczy ze stojących za nim półek i układał wszystko w zgrabny stos na kontuarze.

– …dwie koszule, trzy pary skarpetek, sześć par bokserek, dwa ręczniki, jedna miska, jeden talerz, jeden nóż, widelec i łyżka, jedna maszynka do golenia, jedna szczoteczka do zębów i jedna tubka pasty do zębów, najlepiej Colgate.

Newbold nie robił żadnych uwag na temat rosnącego stosu rzeczy Quinna.

– Czy jeszcze czymś mogę służyć? – spytał na koniec, jakby Quinn był cenionym klientem, który prawdopodobnie jeszcze wróci.

– Owszem, mój przyjaciel, porucznik Bradshaw, pragnie złożyć takie samo zamówienie, a ponieważ jest dżentelmenem i oficerem, proszę postarać się, aby otrzymał wszystko w najlepszym gatunku.

Ku zdziwieniu Harry'ego Newbold zaczął układać drugi stos, starannie wybierając dla niego poszczególne pozycje, a wszystko dzięki więźniowi, który usiadł koło niego w autobusie.

– Za mną – powiedział Hessler, kiedy Newbold wykonał swoje zadanie.

Harry i Pat pochwycili swoje stosy odzieży i ruszyli pospiesznie dalej korytarzem. Kilka razy zatrzymywali się, gdyż funkcjonariusz musiał otwierać i zamykać na klucz okratowane furty, w miarę jak zbliżali się do cel. Kiedy w końcu weszli na oddział, powitał ich hałas wytwarzany przez tysiąc więźniów.

– Widzę, że jesteśmy na ostatnim piętrze, panie Hessler, ale ja nie będę korzystał z windy, bo muszę zażywać ruchu – zażartował Quinn.

Funkcjonariusz zignorował jego odzywkę i szedł dalej, mijając rozkrzyczanych więźniów.

– Mówiłeś chyba, że to spokojny oddział – powiedział Harry.

– Najwyraźniej pan Hessler nie należy do najbardziej lubianych nadzorców – szepnął Quinn tuż przedtem, zanim cała trójka dotarła pod celę numer 327.

Hessler otworzył kluczem ciężkie stalowe drzwi i pchnął je, aby wpuścić więźnia-nowicjusza i więźnia-weterana do celi, której Harry miał być lokatorem przez najbliższych sześć lat.

Harry usłyszał, jak drzwi się za nim zatrzaskują, i zauważył, że nie mają klamki od środka. Rozejrzał się po celi. Dwie prycze, jedna nad drugą, przytwierdzona do ściany stalowa umywalka, drewniany stół, również przymocowany do ściany, i drewniany stołek. W końcu jego wzrok zatrzymał się na stalowej misce pod dolną pryczą. Wydawało mu się, że zaraz zwymiotuje.

– Zajmujesz górną pryczę – powiedział Quinn, przerywając jego myśli – z racji tego, że jesteś świeżakiem. Jeśli wyjdę przed tobą, przeniesiesz się na dolną, a twój nowy kolega dostanie górną. To taka więzienna etykieta – wyjaśnił.

Harry stanął na dolnej pryczy, nieśpiesznie pościelił swoje łóżko, po czym wspiął się na górę, położył się i oparł głowę na cienkiej, twardej poduszce, boleśnie świadom tego, że upłynie trochę czasu, zanim zdoła tu dobrze przespać noc.

– Czy mogę cię jeszcze o coś zapytać? – zwrócił się do Quinna.

– Dobrze, ale nie odzywaj się już, dopóki rano nie zapalą światła.

Harry'emu przypomniała się pierwsza noc w Szkole Świętego Bedy, kiedy Fisher wypowiedział prawie dokładnie te same słowa.

– To jasne, że udało ci się przemycić sporą ilość gotówki, ale dlaczego strażnicy nie skonfiskowali ci jej, kiedy wysiadłeś z autobusu?

– Bo gdyby to zrobili – odparł Quinn – żaden więzień nie zabrałby więcej ze sobą forsy i cały system by się zawalił.

3

Harry leżał na górnej pryczy i wpatrywał się w pomalowany jedną warstwą farby sufit, którego mógłby dotknąć palcami wyciągniętej ręki. Materac był nierówny, a poduszka tak twarda, że co parę minut budził się na nowo.

Myślami wracał wciąż do Seftona Jelksa i tego, jak łatwo się dał nabrać temu staremu adwokatowi. Uwolnij mojego syna od zarzutu morderstwa, na tym tylko mi zależy, powiedział zapewne Jelksowi ojciec Toma Bradshawa. Harry starał się nie myśleć o tych najbliższych sześciu latach, które nie obchodziły pana Bradshawa. Czy było to warte dziesięć tysięcy dolarów?

Dał sobie spokój z adwokatem i rozmyślał o Emmie. Tak bardzo za nią tęsknił, chciałby napisać do niej i dać znać, że żyje, lecz wiedział, że to niemożliwe. Zastanawiał się, co Emma może robić w jesienny dzień w Oksfordzie. Jak się jej wiedzie na pierwszym roku studiów? Czy zaleca się do niej jakiś mężczyzna?

I co się dzieje z jej bratem, Gilesem, jego najbliższym przyjacielem? Czy teraz, kiedy wybuchła wojna, Giles opuścił Oksford i zaciągnął się do wojska, żeby walczyć z Niemcami? Jeśli tak, to Harry modlił się, aby jego przyjaciel był wciąż wśród żywych. Uderzał zaciśniętą pięścią w bok pryczy, zły na los, że nie pozwala mu odegrać swojej roli. Quinn nic nie mówił, zakładał pewnie, że Harry przeżywa męki „syndromu pierwszej nocy".

A co z Hugonem Barringtonem? Czy ktokolwiek widział go od owego dnia, kiedy Harry miał poślubić jego córkę? Czy zdoła wkraść się z powrotem w łaski najbliższych, kiedy wszyscy uznają, że Harry nie żyje? Odpędził myśli o Barringtonie, wciąż niegotowy do zaakceptowania możliwości, że ten człowiek mógłby być jego ojcem.

Kiedy jego myśli skierowały się ku matce, Harry uśmiechnął się, licząc na to, że dobrze wykorzysta te dziesięć tysięcy dolarów, jakie Jelks przyrzekł przesłać jej, kiedy tylko Harry zgodził się wcielić w Toma Bradshawa. Miał nadzieję, że mając w banku ponad dwa tysiące funtów, matka rzuci pracę kelnerki w Grand Hotelu i kupi ten domek na wsi, o którym stale mówiła; to będzie jedyna dobra rzecz, jaka wyniknie z całej tej szarady.

A jak zachowa się sir Walter Barrington, który zawsze traktował go jak swojego wnuka? Jeśli Hugo jest ojcem Harry'ego, to sir Walter jest jego dziadkiem. Gdyby się okazało, że to prawda, Harry miałby szanse odziedziczyć majątek Barringtonów oraz rodzinny tytuł i z czasem zostałby sir Harrym Barringtonem. Ale Harry nie tylko pragnął, aby to jego przyjaciel Giles, prawowity syn Hugona Barringtona, odziedziczył tytuł, przede wszystkim rozpaczliwie chciał udowodnić, że jego prawdziwym ojcem był Arthur Clifton. Dałoby mu to niewielką szansę poślubienia ukochanej Emmy. Harry próbował zapomnieć o tym, gdzie spędzi następnych sześć lat.

O godzinie siódmej zawyła syrena, aby obudzić tych spośród więźniów, którzy siedzieli już wystarczająco długo, żeby nauczyć się porządnie wysypiać. Kiedy śpisz, nie jesteś w więzieniu, wymamrotał Quinn, zanim zapadł w głęboki sen i zaczął chrapać. Harry'emu to nie przeszkadzało. Jeśli idzie o chrapanie, jego wuj Stan był nie do prześcignięcia.

Podczas tej długiej, bezsennej nocy Harry powziął kilka postanowień. Aby łatwiej znieść dręczące poczucie marnowania czasu, „Tom" będzie wzorowym więźniem, w nadziei, że wyrok zostanie mu skrócony za dobre sprawowanie. Postara się o pracę w bibliotece, będzie pisał dziennik o tym, co się wydarzyło, zanim został skazany, i o wszystkim, co się dzieje w czasie jego pobytu za kratami. Będzie dbał o kondycję, tak żeby – jeśli wojna w Europie będzie nadal trwać – być gotowym do zaciągnięcia się do wojska, jak tylko wyjdzie na wolność.

Kiedy zszedł z górnej pryczy, Quinn był już ubrany.

– Co teraz? – spytał Harry niczym nowy uczeń pierwszego dnia w szkole.

– Śniadanie – odparł Quinn. – Ubierz się, weź talerz i kubek i bądź gotowy, kiedy klawisz otworzy drzwi. Jeśli spóźnisz się o kilka sekund, niektórzy funkcjonariusze z radością zatrzasną ci drzwi przed nosem.

Harry zacząć wciągać spodnie.

– I nie rozmawiaj, schodząc do stołówki – dodał Quinn. – Zwracasz w ten sposób na siebie uwagę, co wkurza stare więzienne wygi. Przez pierwszy rok lepiej się nie odzywaj do ludzi, których nie znasz.

Harry miał ochotę się roześmiać, ale nie był pewien, czy Quinn żartuje. Usłyszał zgrzyt klucza i drzwi do celi otworzyły się szeroko. Quinn wystrzelił przez drzwi jak chart gończy spuszczony ze smyczy, a jego towarzysz z celi sunął tylko o krok za nim. Dołączyli do długiej kolejki więźniów, którzy przesuwali się w milczeniu wzdłuż podestu, mijając otwarte drzwi pustych cel, aby następnie zejść krętymi schodami na parter i dołączyć do towarzyszy na śniadanie.

Sznur skazańców zatrzymał się, zanim dotarł do stołówki. Harry przyglądał się dyżurnym w krótkich białych kitlach, stojącym za płytą grzejną. Strażnik z pałką w ręku, ubrany w długi biały kitel, pilnował, aby żaden więzień nie dostał dokładki.

– Jak miło znów pana widzieć, panie Siddell – powiedział Pat cicho do strażnika, kiedy doszedł do początku kolejki.

Obaj mężczyźni wymienili uścisk dłoni, jakby byli starymi znajomymi. Tym razem Harry nie dostrzegł, aby jakieś pieniądze powędrowały z rąk do rąk, ale zdawkowe skinięcie głowy ze strony pana Siddella wskazywało, że zawarta została jakaś umowa.

Quinn posuwał się wraz z kolejką do przodu i na jego cynowym talerzu znalazło się jajko sadzone ze ściętym żółtkiem, kupka ziemniaków, bardziej czarnych niż białych, oraz regulaminowe dwie kromki czerstwego chleba. Harry dogonił go w momencie, kiedy kubek Quinna został napełniony do połowy kawą.

Dyżurni byli zaskoczeni, kiedy Harry podziękował każdemu z nich, zupełnie jakby był gościem na podwieczorku na plebanii.

– Cholera – zaklął, kiedy ostatni z dyżurnych chciał nalać mu kawy. – Zostawiłem kubek w celi.

Dyżurny dopełnił kubek Quinna po brzegi.

– Następnym razem nie zapomnij – pouczył Harry'ego towarzysz z celi.

– Nie gadać w kolejce! – wrzasnął Hessler, uderzając pałką w odzianą w rękawiczkę dłoń.

Quinn zaprowadził Harry'ego na koniec długiego stołu i usiadł na ławie naprzeciw niego. Harry był tak głodny, że zmiótł wszystko z talerza, łącznie z najtłustszym jajkiem sadzonym, jakie jadł w życiu. Miał nawet ochotę wylizać talerz, ale przypomniała mu się reakcja jego przyjaciela Gilesa innego pierwszego dnia.

Kiedy Harry i Pat skończyli jeść śniadanie, na co przeznaczono im pięć minut, poprowadzono ich z powrotem krętymi schodami na górne piętro. Gdy zatrzasnęły się za nimi drzwi do celi, Quinn umył swój talerz i kubek i ustawił je pieczołowicie pod swoją pryczą.

– Kiedy latami mieszkasz w celi trzy na dwa, starasz się wykorzystać każdy centymetr powierzchni – wyjaśnił.

Harry poszedł za jego przykładem, zastanawiał się tylko, ile czasu upłynie, zanim sam będzie mógł nauczyć czegoś Quinna.

– Co dalej? – spytał Harry.

– Przydział roboty – powiedział Quinn. – Ja idę do Siddella, do kuchni, ale musimy jeszcze postarać się, żeby cię przydzielili do biblioteki. A to będzie zależeć od tego, który funkcjonariusz ma dyżur. Problem w tym, że kończy mi się gotówka.

Ledwie Quinn wypowiedział te słowa, otwarły się drzwi i ukazała się w nich sylwetka Hesslera, uderzającego pałką w dłoń w rękawiczce.

– Quinn, zamelduj się natychmiast w kuchni – powiedział. – Bradshaw, idziesz na stanowisko dziewiąte i dołączasz do grupy sprzątaczy skrzydła.

– Miałem nadzieję, że będę pracował w bibliotece, panie...
– Gówno mnie obchodzi twoja nadzieja, Bradshaw – oświadczył Hessler. – Jako funkcjonariusz oddziałowy ja tu ustanawiam reguły. Możesz sobie chodzić do biblioteki we wtorki, czwartki i niedziele między szóstą a siódmą, jak każdy inny więzień. Czy wyraziłem się jasno? – Harry skinął głową. – Nie jesteś już oficerem, Bradshaw, tylko zwykłym więźniem. I nie spodziewaj się, że możesz mnie przekupić – dodał, po czym odszedł do następnej celi.

– Hessler jest jednym z niewielu klawiszy, którzy nie dają się skorumpować – szepnął Quinn. – Twoją jedyną nadzieją jest teraz Swanson, naczelnik więzienia. Uważa się trochę za intelektualistę, co prawdopodobnie znaczy, że opanował sztukę kaligrafii. Jest też fundamentalistycznym baptystą. Alleluja!

– Kiedy będę miał szansę porozmawiać z nim? – spytał Harry.

– Może to być w każdej chwili. Tylko pamiętaj, żebyś zdążył mu powiedzieć, że chcesz pracować w bibliotece, bo każdy nowy więzień ma u niego tylko pięć minut.

Harry opadł ciężko na drewniany stołek i oparł głowę na dłoniach. Gdyby nie dziesięć tysięcy dolarów, które Jelks przyrzekł przesłać matce, wykorzystałby te pięć minut, aby opowiedzieć naczelnikowi, jak to się naprawdę stało, że wylądował w Lavenham.

– Tymczasem postaram się ulokować cię w kuchni – dodał Quinn. – Może to nie to, na co miałeś nadzieję, ale z pewnością lepsze niż sprzątanie skrzydła.

– Dzięki – powiedział Harry.

Quinn popędził do kuchni, nie musiał pytać o drogę. Harry zszedł z powrotem schodami na parter i zaczął szukać stanowiska numer dziewięć.

Dwunastu mężczyzn, sami nowicjusze, stało w grupce, czekając na instrukcje. Wykazywanie inicjatywy nie było mile widziane w Lavenham – zakrawało na bunt albo mogło sugerować, że więzień jest bardziej rozgarnięty niż funkcjonariusz.

– Weź kubeł, napełnij go wodą i złap się za mopa – polecił Hessler. Uśmiechnął się do Harry'ego, odfajkowując jego nazwisko na kartce na podkładce z klipsem. – Ponieważ zszedłeś na dół jako ostatni, Bradshaw, przez cały następny miesiąc będziesz sprzątać sracze.

– Ale ja nie zszedłem ostatni – zaprotestował Harry.

– Myślę, że zszedłeś – powiedział Hessler, nie przestając się uśmiechać.

Harry napełnił kubeł zimną wodą i chwycił mop. Nikt nie musiał mu mówić, w jakim kierunku powinien się udać. Latryny czuć było z daleka. Poczuł mdłości, zanim jeszcze wszedł do dużego kwadratowego pomieszczenia z trzydziestoma otworami w podłodze. Zatykał nos, ale wciąż musiał wychodzić na zewnątrz, żeby zaczerpnąć powietrza. Hessler stał w pewnym oddaleniu, śmiejąc się.

– Z czasem się przyzwyczaisz, Bradshaw – powiedział.

Harry żałował, że zjadł tak dużo na śniadanie, bo zwrócił je już po paru minutach pracy. Po jakiejś godzinie usłyszał, jak inny funkcjonariusz wywrzaskuje jego nazwisko:

– Bradshaw!

Blady jak prześcieradło Harry wyszedł z latryny, zataczając się.

– To ja – wykrztusił.

– Naczelnik chce cię widzieć, więc ruszajmy.

Z każdym krokiem Harry był w stanie oddychać już swobodniej i kiedy znaleźli się przed biurem naczelnika, czuł się prawie człowiekiem.

– Czekaj tu, aż zostaniesz wywołany – powiedział funkcjonariusz.

Harry usiadł na wolnym krześle pomiędzy dwoma innymi więźniami, którzy szybko się od niego odwrócili. Nie mógł mieć o to pretensji. Starał się zebrać myśli, podczas gdy kolejni więźniowie wchodzili i wychodzili z biura naczelnika. Quinn miał rację, rozmowy trwały około pięciu minut, niektóre nawet krócej. Harry nie mógł sobie pozwolić na zmarnowanie nawet jednej sekundy z przydzielonego czasu.

– Bradshaw – powiedział funkcjonariusz i otworzył drzwi. Stanął z boku, wpuszczając Harry'ego do środka.

Harry postanowił nie zbliżać się za bardzo do pana Swansona, zatrzymał się kilka kroków od dużego biurka z obitym skórą blatem. Chociaż naczelnik siedział, Harry zauważył, że jego sportowa marynarka nie dawała się zapiąć na środkowy guzik. Włosy miał przyczernione, co miało go odmłodzić, ale przez to wyglądał trochę komicznie. Co powiedział Brutus o próżności Cezara? Ubierzcie go w girlandy i chwalcie, jakby był bogiem, a będzie to jego koniec.

Swanson otworzył akta Bradshawa i studiował je przez chwilę, zanim podniósł wzrok na Harry'ego.

– Widzę tu, że skazano cię na sześć lat za dezercję. Z czymś takim jeszcze się nie spotkałem – przyznał.

– Tak, proszę pana – powiedział Harry, nie chcąc zmarnować nawet sekundy cennego czasu.

– Tylko nie próbuj przekonywać mnie, że jesteś niewinny – ciągnął Swanson – bo zdarza się to raz na tysiąc przypadków, więc statystyka przemawia przeciw tobie.

Harry musiał się w tym miejscu uśmiechnąć.

– Ale jeśli nie będziesz się angażował tutaj w jakieś śmierdzące interesy...

Harry'emu od razu przyszły na myśl latryny.

– ...i będziesz się dobrze sprawował, to nie widzę powodu, dla którego musiałbyś odsiedzieć pełnych sześć lat.

– Dziękuję, panie naczelniku.

– Czy masz jakieś szczególne zainteresowania? – zapytał Swanson, nie wyglądając wcale na kogoś, kogo mogłoby to choć trochę obchodzić.

– Literatura, sztuka i śpiewanie w chórze, proszę pana.

Naczelnik spojrzał na Harry'ego z niedowierzaniem, jakby nie był pewien, czy ten sobie z niego nie żartuje. Wskazał ręką na wiszącą za jego plecami na ścianie makatkę z wyhaftowanymi słowami i spytał:

– Czy możesz mi powiedzieć, jak brzmi następny wiersz, Bradshaw?

Harry przyglądał się przez chwilę popisowej robótce: „Oczy moje wznoszę ku górom…". W duchu podziękował pannie Eleonorze E. Monday za te liczne godziny spędzone na próbach jej kościelnego chóru.

– „Skądże przyjdzie mi pomoc?"*. Psalm sto dwudziesty pierwszy.

Naczelnik uśmiechnął się.

– Powiedz mi, Bradshaw, jacy są twoi ulubieni pisarze.

– Szekspir, Dickens, Austen, Trollope i Thomas Hardy.

– Żaden z naszych rodaków nie jest dla ciebie dosyć dobry?

Harry miał ochotę głośno zakląć. Jak mógł popełnić taki głupi błąd? Spojrzał na zapełnioną w połowie półkę z książkami.

– Ależ tak – powiedział. – Uważam, że F. Scott Fitzgerald, Hemingway i O. Henry są równie dobrzy, i myślę, że Steinbeck jest najlepszym współczesnym pisarzem amerykańskim.

Miał nadzieje, że wymówił to ostatnie nazwisko poprawnie. Musi koniecznie przeczytać *Myszy i ludzie*, zanim znów stanie przed naczelnikiem.

Na oblicze Swansona powrócił uśmiech.

– Do jakiej pracy przydzielił cię pan Hessler?

– Do sprzątania skrzydła, choć wolałbym pracować w bibliotece, panie naczelniku.

– Doprawdy? – zapytał Swanson. – Wobec tego muszę sprawdzić, czy jest tam wolne miejsce. – Zrobił notatkę w leżącym przed nim bloku.

– Dziękuję panu.

– Jeśli jest, zostaniesz poinformowany jeszcze dzisiaj – powiedział naczelnik, zamykając akta.

– Dziękuję panu – powtórzył Harry.

---

* *Pismo Święte. Stary i Nowy Testament*, Księgarnia św. Wojciecha, Poznań 2003, s. 802 (przyp. red.).

Wyszedł szybko, zdając sobie sprawę, że wykorzystał więcej niż przysługujące mu pięć minut.

Kiedy znalazł się na korytarzu, dyżurny funkcjonariusz zaprowadził go z powrotem na oddział. Harry cieszył się, że Hesslera nie było w pobliżu i że zanim dołączył do sprzątaczy, ci przenieśli się już na drugie piętro.

Poczuł się wyczerpany, zanim rozległ się dźwięk syreny wzywającej na lunch. Stanął w kolejce i stwierdził, że Quinn zdążył się już ulokować za kontuarem i obsługiwał współwięźniów. Na talerzu Harry'ego wylądowała duża porcja ziemniaków i rozgotowanego mięsa. Siedział sam przy długim stole i dziobał widelcem jedzenie. Bał się, że jeśli po południu Hessler znów się pojawi, wyśle go z powrotem do latryn, razem z tym lunchem.

Hesslera nie było, kiedy Harry stawił się z powrotem do pracy, a inny funkcjonariusz skierował do latryn innego świeżaka. Harry spędził popołudnie na zamiataniu korytarzy i opróżnianiu pojemników na śmieci. Myślał tylko o tym, czy naczelnik wydał polecenie przeniesienia go do biblioteki. Jeśli nie, to pozostaje mu jeszcze tylko nadzieja na pracę w kuchni.

Kiedy Quinn wrócił po kolacji do celi, Harry odgadł po wyrazie jego twarzy, że nie dołączy do kolegi w kuchni.

– Było jedno wolne miejsce, na zmywaku.

– Biorę.

– Ale kiedy pan Siddell wymienił twoje nazwisko, Hessler się sprzeciwił. Powiedział, że musisz popracować co najmniej trzy miesiące jako sprzątacz, zanim rozważy możliwość przeniesienia cię do kuchni.

– O co temu facetowi chodzi? – zapytał Harry udręczonym głosem.

– Podobno chciał zostać oficerem marynarki, ale oblał egzamin przed komisją i musiał zadowolić się służbą więzienną. Dlatego porucznik Bradshaw musi teraz ponieść konsekwencje tej porażki.

4

Następnych dwadzieścia dziewięć dni upłynęło Harry'emu na czyszczeniu latryn w bloku A i dopiero pojawienie się kolejnego nowego więźnia sprawiło, że Hessler zwolnił go z tego obowiązku i zamieniał w piekło życie kogoś innego.

– Ten cholerny facet jest psycholem – powiedział Quinn. – Siddell nadal gotów jest dać ci robotę w kuchni, ale Hessler się sprzeciwia.

Harry nie skomentował tego.

– Ale nie jest tak źle – ciągnął Quinn – bo właśnie słyszałem, że Andy Savatori, zastępca kierownika biblioteki, zostaje warunkowo zwolniony. Wychodzi w przyszłym miesiącu i co lepsze, chyba nikt nic chce tej roboty.

– Deakins by chciał – mruknął Harry pod nosem. – Co więc mam zrobić, aby ją na pewno dostać?

– Nic. Raczej staraj się sprawiać wrażenie, że nie jesteś zainteresowany, i trzymaj się z daleka od Hesslera, bo wiemy, że naczelnik jest po twojej stronie.

Następny miesiąc wlókł się niemożliwie, a każdy dzień wydawał się dłuższy od poprzedniego. Harry chodził do biblioteki w każdy wtorek, czwartek i niedzielę między szóstą a siódmą, ale Max Lloyd, kierownik biblioteki, nie dawał powodu do przypuszczeń, że jest on brany pod uwagę jako kandydat na stanowisko. Jego zastępca Savatori nabrał wody w usta, choć musiał coś wiedzieć.

– Nie sądzę, żeby Lloyd chciał mnie na swojego zastępcę – powiedział Harry pewnego wieczoru, kiedy zgaszono światła na czas ciszy nocnej.

– Lloyd nie będzie mieć nic do gadania – odparł Quinn. – Decyzja należy do naczelnika.

Ale Harry nie był wcale przekonany.

– Podejrzewam, że Hessler i Lloyd zmówili się, żeby nie dać mi tej roboty.

– Chyba cierpisz już na para... Jak to się nazywa?

– Paranoję.

– Taa... właśnie to chciałem powiedzieć, choć nie wiem, co to dokładnie znaczy.

– Zaburzenia psychiczne z powodu nieuzasadnionych podejrzeń – wyjaśnił Harry.

– Sam bym tego lepiej nie ujął!

Harry nie był wcale przekonany, że jego podejrzenia są nieuzasadnione, a tydzień później Savatori odciągnął go na bok i potwierdził jego najgorsze obawy.

– Na liście przedłożonej naczelnikowi do rozpatrzenia Hessler umieścił trzech więźniów, i nie ma na niej twojego nazwiska.

– Więc tak to wygląda – powiedział Harry, uderzając się pięścią w udo. – Przez resztę odsiadki będę sprzątał skrzydło.

– Niekoniecznie – odrzekł Savatori. – Przyjdź do mnie w dniu poprzedzającym moje zwolnienie.

– Ale wtedy będzie już za późno.

– Nie sądzę – odparł Savatori, nie wdając się w wyjaśnienia. – Tymczasem przestudiuj dokładnie każdą stronę tej książki.

Wręczył Harry'emu ciężki, oprawiony w skórę tom, który rzadko opuszczał biblioteczną półkę.

Harry usiadł na górnej pryczy i otworzył liczący 273 strony więzienny informator. Kiedy doszedł do strony szóstej, zaczął robić notatki. Na długo zanim zabrał się do ponownej lektury książki, w jego głowie zaczął rodzić się pewien plan.

Wiedział, że wybór odpowiedniego momentu będzie mieć kluczowe znaczenie, i obie scenki, które musi odegrać, będą wymagać prób, zwłaszcza że znajdzie się na scenie, kiedy kurtyna poszła już w górę. Przyjął, że nie może przystąpić do realizacji swojego planu, dopóki Savatori nie wyjdzie na wolność, chociaż nowy bibliotekarz został już wyznaczony.

Kiedy Harry przeprowadził generalną próbę w zaciszu swojej celi, Quinn oznajmił mu, że jest nie tylko paranoikiem, ale i wariatem, ponieważ, zapewnił go, jego drugie przedstawienie odbędzie się w izolatce.

Naczelnik dokonywał comiesięcznego obchodu wszystkich bloków w poniedziałki rano, tak więc Harry wiedział, że będzie musiał czekać trzy tygodnie po zwolnieniu Savatoriego, zanim Swanson pojawi się znów w bloku A. Naczelnik przemieszczał się zawsze tą samą trasą i więźniowie wiedzieli, że jeśli cenią sobie własną skórę, powinni zniknąć z jego pola widzenia, jak tylko się pokaże.

Kiedy tego ranka Swanson wszedł na najwyższe piętro bloku A, Harry czekał na niego z mopem w ręku. Hessler wśliznął się na górę tuż za naczelnikiem i machając pałką, dawał do zrozumienia, że jeśli Bradshaw ceni sobie życie, powinien usunąć się na bok. Harry ani drgnął i naczelnik nie miał wyboru, musiał się nagle zatrzymać.

– Dzień dobry, panie naczelniku – powiedział Harry, jakby natykali się w ten sposób na siebie regularnie.

Swanson był zaskoczony, że oto stoi twarzą w twarz z więźniem podczas swego obchodu, a jeszcze bardziej tym, że więzień do niego przemówił. Przyjrzał się dokładniej Harry'emu.

– Bradshaw, zgadza się?

– Ma pan dobrą pamięć, panie naczelniku.

– Pamiętam też, że interesujesz się literaturą. Byłem zaskoczony, że odrzuciłeś propozycję objęcia funkcji zastępcy kierownika biblioteki.

– Nigdy mi tego nie zaproponowano – powiedział Harry. – Gdyby tak było, przyjąłbym tę ofertę z wielką ochotą – dodał, co najwyraźniej zaskoczyło naczelnika.

Odwracając się do Hesslera, Swanson rzekł:

– Poinformował mnie pan, że Bradshaw nie chce tej pracy.

Harry wtrącił się, zanim Hessler zdążył odpowiedzieć.

– To chyba moja wina, panie naczelniku. Nie wiedziałem, że powinienem był złożyć wniosek o przydzielenie mi tej funkcji.

– Rozumiem – odparł naczelnik. – No cóż, to by wyjaśniało wszystko. I muszę ci powiedzieć, Bradshaw, że ten nowy nie odróżnia Platona od psa Pluto.

Harry roześmiał się. Hessler stał z zaciśniętymi wciąż ustami.

– Trafna analogia, panie naczelniku – powiedział Harry, kiedy Swanson już chciał iść dalej. Ale Harry jeszcze nie skończył. Myślał, że Hessler zaraz wybuchnie, kiedy wyjął z kieszeni kopertę i wręczył naczelnikowi.

– Co to jest? – zapytał podejrzliwie Swanson.

– Oficjalna prośba o umożliwienie mi zwrócenia się do komisji nadzoru więziennictwa podczas jej kwartalnej wizyty w najbliższy wtorek, do czego mam prawo zgodnie z paragrafem 32 kodeksu karnego. Kopię przesłałem swojemu adwokatowi, mecenasowi Seftonowi Jelksowi.

Po raz pierwszy naczelnik zaczął zdradzać pewien niepokój. Hessler z trudem panował nad sobą.

– Czy zamierzasz złożyć skargę? – zapytał ostrożnie naczelnik.

Harry spojrzał w oczy Hesslerowi, zanim odpowiedział.

– Jak pan z pewnością dobrze się orientuje, panie naczelniku, zgodnie z paragrafem 116 regulaminu mam prawo odmówić członkowi personelu więziennego ujawnienia powodu, dla którego pragnę zwrócić się do komisji.

– Tak, oczywiście, Bradshaw – powiedział naczelnik głosem zdradzającym podenerwowanie.

– Ale między innymi mam zamiar poinformować komisję o tym, jak wielką wagę przywiązuje pan do tego, aby literatura i religia stały się częścią naszego codziennego życia. – Harry usunął się na bok, aby przepuścić naczelnika.

– Dziękuję, Bradshaw. To uprzejme z twojej strony.

– Zobaczymy się później, Bradshaw – zasyczał Hessler pod nosem.

– Będzie mi bardzo miło – powiedział Harry wystarczająco głośno, aby słyszał go pan Swanson.

Spotkanie Harry'ego z naczelnikiem było głównym tematem rozmów między więźniami w kolejce po kolację i kiedy

Quinn wrócił z kuchni tego wieczoru, ostrzegł Harry'ego, że po bloku krążą pogłoski, że jak tylko zgasną światła, Hessler może chcieć mu dołożyć.

– Nie sądzę – odparł Harry spokojnie. – Widzisz, problem z facetami znęcającymi się nad słabszymi jest taki, że w istocie okazują się oni tchórzami.

Quinn nie był o tym przekonany.

Harry nie musiał czekać długo na potwierdzenie słuszności swojej opinii, ponieważ po wyłączeniu świateł drzwi celi otwarły się nagle i do środka wkroczył Hessler, wymachując pałką.

– Quinn, wyłaź – rozkazał, nie spuszczając wzroku z Harry'ego. Gdy tylko Irlandczyk pierzchnął na podest, Hessler zamknął drzwi i powiedział: – Czekałem na tę chwilę cały dzień, Bradshaw. Zaraz porachuję ci kości.

– Nie sądzę, panie Hessler – odrzekł Harry pewnym tonem.

– A co twoim zdaniem mogłoby cię uratować? – zapytał Hessler, zbliżając się do Harry'ego. – Tym razem nie ma tu naczelnika, który mógłby przyjść ci z pomocą.

– Naczelnik nie jest mi do tego potrzebny – powiedział Harry. – Nie, dopóki rozpatrywany jest pański ewentualny awans – dodał, wytrzymując wzrok Hesslera. – Mam wiarygodne informacje, że we wtorek o drugiej po południu staje pan przed komisją.

– I co z tego? – powiedział Hessler, już tylko o krok od Harry'ego.

– Zapomniał pan najwidoczniej, że tego dnia o dziesiątej będę miał możliwość zwrócenia się do komisji z moją sprawą. Niektórzy jej członkowie mogą chcieć się dowiedzieć, jak to się stało, że mam tyle połamanych kości po tym, jak ośmieliłem się porozmawiać z naczelnikiem.

Hessler walnął pałką w ramę pryczy, zaledwie parę centymetrów od twarzy Harry'ego, ale ten nawet nie drgnął.

– Oczywiście – kontynuował Harry – jest możliwe, że chce pan pozostać funkcjonariuszem oddziałowym przez resztę życia, choć trochę w to wątpię, bo nawet pan nie może być tak głupi, żeby zrujnować sobie szansę na awans.

Hessler jeszcze raz uniósł pałkę, ale zawahał się, kiedy Harry wyjął spod poduszki gruby zeszyt.

– Sporządziłem wyczerpującą listę przepisów, jakie naruszył pan w ciągu ostatniego miesiąca, niektóre kilkakrotnie. Myślę, że komisja przeczyta ją z zainteresowaniem. Dzisiejszego wieczoru dodam dwa kolejne uchybienia: przebywanie z więźniem w celi przy zamkniętych drzwiach, paragraf 419, i groźba użycia siły fizycznej w sytuacji, kiedy więzień nie ma możliwości obrony, paragraf 512.

Hessler cofnął się o krok.

– Ale sądzę, że przy rozpatrywaniu pańskiego awansu największy wpływ może mieć na komisję powód, dla którego musiał pan odejść z marynarki wojennej w tak nagłym trybie.

Z twarzy Hesslera odpłynęła cała krew.

– Z pewnością nie chodziło o oblanie egzaminu na stopień oficerski – dodał Harry.

– Kto mnie zakapował? – spytał Hessler ledwie słyszalnym szeptem.

– Jeden z pańskich byłych kolegów z marynarki, który niestety wylądował tutaj. Zapewnił pan sobie jego milczenie, przydzielając mu funkcję zastępcy kierownika biblioteki. Ja oczekuję co najmniej tego samego.

Harry podał Hesslerowi efekt miesięcznej pracy, odczekawszy najpierw, aby ta ostatnia informacja do niego dotarła, po czym dodał:

– Będę milczał do końca pobytu tutaj – chyba że da mi pan powód, abym zaczął mówić. I jeśli mnie pan kiedykolwiek dotknie choćby jednym palcem, postaram się o to, żeby wyleciał pan ze służby jeszcze szybciej, niż wylano pana z marynarki wojennej. Czy wyrażam się jasno?

Hessler skinął głową, ale nic nie powiedział.

– I jeszcze jedno, jeśli spróbuje się pan odgrywać na innych świeżakach, cała umowa staje się nieważna. A teraz wynoś się pan z mojej celi.

5

Kiedy Lloyd podniósł się zza biurka, aby przywitać go o dziewiątej rano pierwszego dnia jego pracy na stanowisku zastępcy kierownika biblioteki, Harry uprzytomnił sobie, że zawsze widywał go tylko siedzącego. Lloyd był wyższy, niż Harry się spodziewał, miał dobrze ponad metr osiemdziesiąt. Mimo niezdrowego więziennego jedzenia zachował szczupłą sylwetkę i był jednym z niewielu więźniów, którzy golili się codziennie. Z kruczoczarnymi, zaczesanymi do tyłu włosami, przypominał podstarzałego amanta, a nie człowieka odsiadującego wyrok pięciu lat za oszustwo. Quinn nie znał szczegółów popełnionego przez niego przestępstwa, co oznaczało, że pełną wiedzę na ten temat posiada jedynie naczelnik. A obowiązująca w więzieniu zasada była prosta: jeśli skazany nie ujawnił dobrowolnie, za co siedzi, nie pytasz.

Lloyd zapoznał Harry'ego z rozkładem codziennych obowiązków, który jego nowy zastępca przyswoił sobie, zanim jeszcze zeszli tego wieczoru na dół na kolację. W ciągu paru następnych dni Harry zasypywał Lloyda pytaniami o takie sprawy jak odzyskiwanie niezwróconych w terminie książek, kary i zachęcanie więźniów do przekazania bibliotece własnych książek z chwilą wyjścia na wolność, o czym Lloyd wcześniej nawet nie pomyślał. Lloyd odpowiadał zazwyczaj monosylabami, więc Harry pozwolił mu w końcu wrócić za biurko i ukryć się za płachtą „New York Timesa".

Chociaż w Lavenham siedziało ponad tysiąc więźniów, jeden na kilkunastu umiał czytać i pisać, a nie wszyscy z tych, którzy umieli, gotowi byli zadać sobie trud pójścia do biblioteki we wtorek, czwartek lub niedzielę.

Harry bardzo szybko odkrył, że Max Lloyd jest nie tylko leniwy, lecz także przebiegły. Nie miał nic przeciwko inicjatywom podejmowanym przez Harry'ego, dopóki nie oznaczały dla niego dodatkowego wysiłku.

Wyglądało na to, że główne zadanie Lloyda polega na utrzymywaniu w odpowiedniej temperaturze dzbanka z gorącą kawą, na wypadek gdyby do biblioteki zajrzał jakiś funkcjonariusz. Jak tylko egzemplarz „New York Timesa" z poprzedniego dnia zostawał doręczony do biblioteki, Lloyd zasiadał przy swoim biurku na resztę przedpołudnia. Najpierw zaglądał do działu recenzji książek, a po ich przejrzeniu kierował uwagę ku ogłoszeniom drobnym, następnie wiadomościom i na koniec sportowi. Po lunchu zabierał się do krzyżówki, którą Harry kończył rozwiązywać następnego ranka.

Zanim gazeta trafiała do rąk Harry'ego, upływały dwa dni. Zawsze zaczynał lekturę od stron poświęconych wiadomościom ze świata, gdyż chciał wiedzieć, jak przebiega wojna w Europie. Tak dowiedział się o upadku Francji, a parę miesięcy później o rezygnacji Neville'a Chamberlaina z funkcji premiera i objęcia jej przez Winstona Churchilla. Nie dla wszystkich był to upragniony wybór, choć Harry nie zapomniał nigdy mowy, jaką Churchill wygłosił na uroczystości wręczenia nagród w Liceum Bristolskim. Nie miał najmniejszych wątpliwości, że przywódcą Wielkiej Brytanii został właściwy człowiek. Przeklinał los, że zamiast służyć w Królewskiej Marynarce Wojennej, pełni funkcję zastępcy kierownika biblioteki w amerykańskim więzieniu.

Ostatnią godzinę dnia, kiedy nawet on nie potrafił już znaleźć niczego nowego do zrobienia, przeznaczał na uzupełnianie swojego dziennika.

Nieco ponad miesiąc zajęło Harry'emu sklasyfikowanie i poukładanie wszystkich książek na półkach według odpowiednich działów: najpierw beletrystyki, potem literatury faktu. W ciągu drugiego miesiąca podzielił je na jeszcze mniejsze sekcje, tak aby więźniowie nie musieli tracić czasu na odszukanie któregoś z trzech podręczników stolarki, jakie były na półkach.

Wyjaśnił Lloydowi, że jeśli chodzi o literaturę faktu, dział jest ważniejszy niż nazwisko autora. Lloyd wzruszył ramionami.

W niedzielne poranki Harry robił rundę ze swoim bibliotecznym wózkiem po wszystkich czterech blokach, odzyskując przetrzymywane książki, niektóre z terminami zwrotu przekroczonymi nawet o ponad rok. Spodziewał się, że niektórzy recydywiści w bloku D będą sarkać, a nawet poczują się urażeni tym, że ich nachodzi, ale wszyscy chcieli poznać faceta, który spowodował przeniesienie Hesslera do Pierpoint.

Po przesłuchaniu przez komisję zaproponowano Hesslerowi wyższe stanowisko w Pierpoint, a on przyjął je, ponieważ więzienie to znajdowało się bliżej jego rodzinnego miasta. Podczas gdy Harry nigdy nie dawał do zrozumienia, że miał coś wspólnego z przeniesieniem Hesslera, Quinn dyskretnie rozpowszechniał taką właśnie wersję wydarzeń, aż stała się ona legendą.

Podczas swoich wędrówek po blokach w poszukiwaniu zaginionych książek Harry wysłuchiwał często historyjek, które wieczorem odnotowywał w swoim dzienniku.

Co pewien czas zaglądał do biblioteki naczelnik i z pewnością niemały wpływ miał na to fakt, że przed komisją Harry określił stosunek pana Swansona do kwestii edukacji więźniów jako śmiały, pełen wyobraźni i dalekowzroczny. Harry nie mógł uwierzyć, jak wiele niezasłużonych pochlebstw naczelnik gotów był bezkrytycznie przyjąć pod swoim adresem.

Po trzech miesiącach liczba wypożyczanych książek zwiększyła się o 14 procent. Kiedy Harry zapytał naczelnika, czy pozwoliłby mu zainicjować wieczorowy kurs nauki czytania, Swanson przez chwilę się wahał, ale ustąpił, kiedy Harry raz jeszcze użył takich słów jak „śmiały, pełen wyobraźni i dalekowzroczny".

Na pierwszą lekcję przyszło tylko trzech więźniów, a jednym z nich był Pat Quinn, który umiał już czytać i pisać. Ale pod koniec następnego miesiąca liczba uczniów wzrosła do szesnastu, nawet jeśli paru z nich zrobiłoby wszystko, aby tylko móc wieczorem spędzić godzinę poza celą. Jednak wśród młodszych więźniów Harry mógł odnotować jeden lub dwa znaczące sukcesy i wciąż pamiętał o tym, że fakt, iż ktoś nie chodził do „porządnej" szkoły albo wcale nie chodził do szkoły, nie oznacza, że jest głupi. I odwrotnie, przypominał mu Quinn.

Pomimo całej tej zainicjowanej przez siebie dodatkowej działalności Harry stwierdził, że wciąż ma sporo wolnego czasu, postanowił więc, że co tydzień przeczyta dwie nowe książki. Kiedy już zapoznał się z nielicznymi w bibliotece dziełami amerykańskich klasyków, zainteresował się kryminałami, zdecydowanie najpopularniejszą kategorią wśród współwięźniów, które zajmowały siedem spośród dziewiętnastu półek.

Harry zawsze lubił Conan Doyle'a i cieszył się na myśl, że poczyta sobie jego amerykańskich konkurentów. Zaczął od *The Bigger They Come* Erle'a Stanleya Gardnera, następnie przeczytał *Wielki sen* Raymonda Chandlera. Miał lekkie poczucie winy, że lektura ta sprawia mu przyjemność. Co pomyślałby sobie pan Holcombe?

Ostatnią godzinę przed zamknięciem biblioteki przeznaczał na odnotowywanie w dzienniku bieżących wydarzeń. Był zaskoczony, kiedy pewnego wieczoru, skończywszy lekturę gazety, Lloyd zapytał, czy mógłby go poczytać. Harry wiedział, że na wolności Lloyd był agentem literackim w Nowym Jorku, dzięki czemu zresztą zatrudniono go w więziennej bibliotece. Czasem wymieniał mimochodem nazwiska autorów, których reprezentował, w większości zupełnie Harry'emu nieznane. Tylko jeden jedyny raz wspomniał o tym, w jaki sposób trafił do Lavenham, i spoglądał przy tym na drzwi, by mieć pewność, że nikt inny nie słucha.

– Miałem pecha – wyjaśnił Lloyd. – W dobrej wierze zainwestowałem na giełdzie trochę pieniędzy swoich klientów, a kiedy sprawy przybrały zły obrót, wziąłem całą winę na siebie.

Kiedy wieczorem Harry powtórzył tę historię Quinnowi, ten wzniósł oczy do nieba.

– Bardziej prawdopodobne jest to, że stracił tę forsę na wyścigach konnych i w burdelach.

– To po co wdawałby się w szczegóły – zdziwił się Harry – skoro dotąd nikomu innemu o tym nie mówił?

– Czasem jesteś taki naiwny – odparł Quinn. – Mając ciebie za posłańca, Lloyd wie, że inni prędzej uwierzą w tę bajeczkę. Nie wchodź nigdy w żadne układy z tym człowiekiem, bo on ma sześć palców u każdej ręki.

Tego wieczoru Harry odnotował w dzienniku to popularne wśród kieszonkowców powiedzenie. Ale nie wziął sobie do serca rady Quinna, po części dlatego, że nie przychodziły mu na myśl żadne okoliczności, w których mógłby zawrzeć z Maksem Lloydem jakiś układ, chyba że w kwestii tego, kto ma nalać kawy, kiedy do biblioteki wpadnie naczelnik.

Do końca pierwszego roku pobytu w Lavenham Harry zapełnił swoimi obserwacjami na temat więziennego życia trzy bruliony i czasem zastanawiał się tylko, ile jeszcze stronic zdąży zapisać, zanim odsiedzi wyrok.

Zaskakiwał go zapał, z jakim Lloyd zabierał się zawsze do lektury kolejnego zeszytu. Zasugerował nawet, żeby Harry pozwolił mu pokazać dziennik jakiemuś wydawcy. Harry roześmiał się.

– Nie sądzę, aby kogokolwiek mogła zainteresować moja chaotyczna pisanina.

– Byłbyś zaskoczony – odparł Lloyd.

EMMA BARRINGTON

1939–1941

6

– Sebastian Arthur Clifton – powiedziała Emma, podając śpiącego synka jego babci.

Maisie promieniała, biorąc po raz pierwszy w ramiona wnuka.

– Nie pozwolili mi odwiedzić pani, zanim wyekspediowano mnie do Szkocji – powiedziała Emma, nie próbując ukryć rozżalenia. – Dlatego zadzwoniłam, kiedy tylko wróciłam do Bristolu.

– To miło z twojej strony – odparła Maisie, wpatrując się intensywnie w chłopczyka i usiłując przekonać samą siebie, że po jej mężu ma jasne włosy i niebieskie oczy.

Emma siedziała przy kuchennym stole, uśmiechając się i sącząc herbatę: earl grey, to charakterystyczne dla Maisie, że pamiętała. A kanapki z ogórkiem i łososiem, ulubiona przekąska Harry'ego, z pewnością mocno uszczupliły jej kartki żywnościowe. Kiedy Emma rozglądała się po pokoju, jej wzrok zatrzymał się na gzymsie kominka, na którym zauważyła sepiową fotografię przedstawiającą szeregowca z czasów pierwszej wojny. Jaka szkoda, że nie może zobaczyć koloru jego włosów, ukrytych pod hełmem, albo chociaż koloru oczu. Czy były niebieskie jak u Harry'ego, czy brązowe jak u niej? Arthur Clifton wyglądał dziarsko i szykownie w wojskowym mundurze. Kwadratowa szczęka i stanowcze spojrzenie mówiły Emmie, że był dumny ze swojej służby ojczyźnie. Jej wzrok przeniósł się na świeższej daty fotografię Harry'ego jako członka chóru Szkoły Świętego Bedy, tuż przed mutacją. A obok niej, oparta o ścianę, stała koperta zaadresowana niewątpliwie ręką Harry'ego. Musiał to być ostatni list, który napisał do matki, zanim zginął. Zastanawiała się, czy Maisie pozwoliłaby jej przeczytać list. Wstała i podeszła do kominka. Ze zdziwieniem stwierdziła, że koperta jest nieotwarta.

– Zmartwiłam się, kiedy usłyszałam, że musiałaś rzucić studia w Oksfordzie – odezwała się niepewnie Maisie, gdy zobaczyła, że Emma wpatruje się w kopertę.

– Mogłam albo kontynuować studia, albo urodzić dziecko Harry'ego, więc z góry wiadomo było, co wybiorę – powiedziała Emma z oczyma wciąż utkwionymi w liście.

– A sir Walter powiedział mi, że twój brat Giles zaciągnął się do Pułku z Wessex, ale niestety został...

– Widzę, że dostała pani list od Harry'ego – przerwała jej Emma, nie mogąc się powstrzymać.

– Nie, to nie od Harry'ego – wyjaśniła jej Maisie. – Od jakiegoś porucznika Thomasa Bradshawa, który służył z nim na statku *Devonian*.

– A co pisze porucznik Bradshaw? – zapytała Emma, świadoma faktu, że list nie został otwarty.

– Nie mam pojęcia – odparła Maisie. – Przekazał mi go jakiś doktor Wallace i powiedział, że to list kondolencyjny. Pomyślałam sobie, że nie potrzebuję, aby mi przypominano raz jeszcze, że Harry nie żyje, więc nawet go nie otworzyłam.

– Ale może ten list rzuciłby jakieś światło na to, co wydarzyło się na *Devonian*?

– Wątpię – odparła Maisie. – Zresztą znali się tylko kilka dni.

– Może chciałaby pani, żebym przeczytała pani ten list? – spytała Emma, zdając sobie sprawę, że Maisie może czuć się zakłopotana tym, że nie potrafi go sama przeczytać.

– Nie, dziękuję ci, moja droga – odrzekła Maisie. – Zresztą to i tak nie przywróciłoby Harry'emu życia.

– To prawda – zgodziła się Emma – ale może pozwoliłaby mi pani go przeczytać dla mojego własnego spokoju – nalegała.

– Niemcy bombardują w nocy doki – zmieniła temat Maisie. – Mam nadzieję, że zakłady Barringtonów nie ucierpiały zbyt mocno.

– Uniknęliśmy bezpośredniego trafienia – odparła Emma, niechętnie godząc się z tym, że nie będzie jej dane przeczytać listu. – Wie pani, wątpię, czy nawet Niemcy odważyliby się zrzucić bombę na dziadka.

Maisie roześmiała się i przez moment Emma rozważała możliwość pochwycenia listu znad kominka i otwarcia go, zanim Maisie zdoła ją powstrzymać. Ale Harry nie pochwaliłby tego. Gdyby Maisie wyszła z pokoju, choć na moment, Emma szybko otworzyłaby list nad parą z czajnika, sprawdziłaby podpis i odłożyła list, zanim Maisie by wróciła.

Ale chyba Maisie czytała jej w myślach, bo stała nadal przy kominku i ani drgnęła.

– Dziadek powiedział mi, że należą się pani gratulacje – powiedziała Emma, wciąż się nie poddając.

Maisie zarumieniła się i zaczęła opowiadać o swojej nowej posadzie w Grand Hotelu. Emma nie spuszczała oka z koperty. Skoncentrowała całą uwagę na literach M, C, S, H i L w adresie, wiedząc, że musi zatrzymać w głowie ich obraz, jak fotografię, do czasu powrotu do Manor House. Kiedy Maisie podała jej z powrotem małego Sebastiana, wyrażając żal, że musi wracać do pracy, Emma wstała z ociąganiem, spojrzawszy przedtem jednak jeszcze raz na kopertę.

W drodze powrotnej do Manor House starała się cały czas zachować w pamięci charakter pisma z koperty, zadowolona, że Sebastian zapadł w głęboki sen. Gdy tylko samochód zatrzymał się na podjeździe przed frontowymi schodami, Hudson otworzył tylne drzwi auta, aby Emma mogła wysiąść i wnieść synka do domu. Zaniosła go prosto do pokoju dziecinnego, gdzie czekała na nich niania. Ku zaskoczeniu niani, Emma pocałowała synka w czoło i wyszła bez słowa.

Gdy znalazła się w swoim pokoju, otworzyła kluczykiem środkową szufladę biurka i wyjęła stos listów, które napisał do niej Harry.

Najpierw sprawdziła dużą literę H w podpisie Harry'ego, tak prosto i śmiało nakreśloną, zupełnie taką samą jak H w Still House Lane, przy ulicy Gorzelniczej, na nieotwartej kopercie u Maisie. To dodało jej wiary w sens tych poszukiwań. Następnie zaczęła szukać dużej litery C i w końcu znalazła ją na kartce z życzeniami bożonarodzeniowymi, w słowach *Merry Christmas*, gdzie dodatkowo było też duże M: takie samo M i takie samo C jak w „M. Clifton" na kopercie. Harry na pewno żyje, powtarzała wciąż na głos. Znalezienie słowa „Bristol" było łatwe, ale „Anglia" o wiele trudniejsze, dopóki nie natrafiła na list, jaki Harry wysłał do niej z Włoch, kiedy oboje byli jeszcze w szkole. Ponad godzinę zajęło jej wycięcie 39 liter i dwóch cyfr, aż w końcu mogła odtworzyć cały adres, jaki był na kopercie.

Pani M. Clifton
ul. Gorzelnicza 27
Bristol
Anglia

Emma opadła wyczerpana na łóżko. Nie miała pojęcia, kim jest Thomas Bradshaw, ale jedno było pewne: nieotwarty list stojący na gzymsie kominka w mieszkaniu Maisie został napisany przez Harry'ego i z jakiegoś powodu, znanego tylko jemu, Harry nie chciał, aby Emma wiedziała, że on żyje. Zastanawiała się, czy postąpiłby inaczej, gdyby wiedział, że była z nim w ciąży, zanim wyruszył w ten fatalny rejs.

Emma rozpaczliwie pragnęła podzielić się wiadomością, że Harry być może nie umarł, ze swoją matką, dziadkiem, Grace i oczywiście z Maisie, ale zdawała sobie sprawę, że musi milczeć, dopóki nie zdobędzie bardziej solidnego dowodu niż nieotwarty list. W jej głowie zaczął zarysowywać się pewien plan.

Emma nie zeszła na kolację, lecz została w swoim pokoju i wciąż próbowała zrozumieć, dlaczego Harry mógł chcieć, aby wszyscy oprócz jego matki byli przekonani, że umarł tamtej nocy.

Kiedy tuż przed północą położyła się do łóżka, mogła jedynie przyjąć, że dla niego była to kwestia honoru. Być może wyobrażał sobie, biedny, niemądry, pozbawiony złudzeń mężczyzna, że w ten sposób uwolni ją od wszelkich zobowiązań, jakie mogłaby mieć wobec niego. Czyż nie rozumiał, że od kiedy w wieku zaledwie dziesięciu lat ujrzała go na przyjęciu urodzinowym brata, pojęła, że nie będzie w jej życiu innego mężczyzny?

Rodzina Emmy była zachwycona, kiedy osiem lat później ona i Harry się zaręczyli, z wyjątkiem jej ojca, który od wielu lat żył w kłamstwie – kłamstwie, które zostało zdemaskowane dopiero w dniu ich ślubu. Stali oboje przed ołtarzem, za moment mieli złożyć małżeńską przysięgę, kiedy Old Jack doprowadził do niespodziewanego, niećwiczonego podczas prób przerwania ceremonii. Ujawnienie, że ojciec Emmy mógł być również ojcem Harry'ego, nie sprawiło, że przestała kochać Harry'ego – bo nigdy nie przestanie. Nikogo nie zdziwiło, że Harry zachował się jak dżentelmen, natomiast ojciec Emmy potwierdził tylko panującą o nim opinię i zachował się jak łajdak. Podczas gdy jeden dzielnie poniósł konsekwencje, drugi wymknął się tylnymi drzwiami przez zakrystię i od tej pory go nie widziano.

Harry wyraźnie zapowiedział, na długo zanim oświadczył się Emmie, że jeśli wybuchnie wojna, nie zawaha się rzucić studiów w Oksfordzie i wstąpi do Królewskiej Marynarki Wojennej. Był upartym mężczyzną w dobrych czasach, a teraz nadeszły złe. Emma zdawała sobie sprawę, że nie ma sensu odwodzić go od tego, bo i tak nie zmieni zdania. Zapowiedział też, że nie wróci do Oksfordu, dopóki Niemcy się nie poddadzą.

Emma również przerwała studia, ale w odróżnieniu od Harry'ego nie miała wyboru. Ona nie będzie miała szansy wrócić do Oksfordu, gdyż w Kolegium Somerville z dezaprobatą podchodzono do studentek w ciąży, tym bardziej kiedy przyszła matka nie miała ślubu z ojcem dziecka. Decyzja Emmy z pewnością bardzo zmartwiła jej matkę. Elizabeth Barrington bardzo pragnęła, żeby jej córka odnosiła sukcesy na akademickiej niwie, do których jej samej odmawiano prawa wyłącznie z powodu płci. W jej serce wstąpiła znowu otucha rok później, kiedy młodsza siostra Emmy, Grace, uzyskała otwarte stypendium do Kolegium Girton w Cambridge i od dnia, w którym przybyła do tego przybytku nauki, zaczęła przyćmiewać najbystrzejszych nawet kolegów.

Kiedy stało się oczywiste, że Emma jest w ciąży, błyskawicznie odesłano ją do posiadłości dziadka w Szkocji, aby tam urodziła dziecko Harry'ego. Barringtonowie nie wydają na świat dzieci z nieprawego łoża, w każdym razie nie w Bristolu. Sebastian raczkował już po zamku, kiedy pozwolono córce marnotrawnej wrócić do rezydencji Manor House. Elizabeth chciała, aby pozostali w Mulgelrie, dopóki nie skończy się wojna, ale Emma miała już dość ukrywania jej w szkockim zamku na odludziu.

Jedną z pierwszych osób, które odwiedziła po powrocie do West Country, był jej dziadek, sir Walter Barrington. To od niego dowiedziała się, że Harry dołączył do załogi S/S *Devonian* i planował wrócić do Bristolu przed upływem miesiąca, ponieważ zamierzał zaciągnąć się jako prosty marynarz na HMS *Resolution*. Harry nie wrócił i dopiero po sześciu tygodniach dowiedziała się, że jej ukochany zginął na morzu.

Sir Walter podjął się trudu odwiedzenia po kolei wszystkich członków rodziny, aby przekazać im tę tragiczną wiadomość. Zaczął od pani Clifton, choć wiedział, że ona już ją poznała od doktora Wallace'a, który przekazał jej list od Thomasa Bradshawa. Następnie pojechał do Szkocji, aby powiadomić Emmę. Sir Walter był zaskoczony, że wnuczka nie uroniła nawet jednej łzy, ale Emma po prostu odmówiła przyjęcia do wiadomości śmierci Harry'ego.

Zaraz po powrocie do Bristolu sir Walter odwiedził Gilesa i przekazał mu tę smutną nowinę. Najbliższy przyjaciel Harry'ego przyjął ją w posępnym milczeniu i nikt w rodzinie w żaden sposób nie umiał go pocieszyć. Kiedy lord i lady Harvey dowiedzieli się o śmierci Harry'ego, zachowali stoicki spokój. Tydzień później, kiedy rodzina uczestniczyła w nabożeństwie za duszę kapitana Jacka Tarranta w kaplicy Liceum Bristolskiego, lord Harvey powiedział, że cieszy się, iż Old

Jack nigdy się nie dowiedział, jaki los spotkał jego protegowanego.

Jedyną osobą, której sir Walter nie odwiedził, był syn Hugo. Tłumaczył się, że nie wie, jak się z nim skontaktować, ale kiedy Emma wróciła do Bristolu, przyznał się, że nawet gdyby wiedział, nie zadałby sobie trudu, i dodał, że jej ojciec jest prawdopodobnie jedyną osobą, która cieszy się, że Harry nie żyje. Emma nie skomentowała tego, ale nie miała wątpliwości, że dziadek ma rację.

Przez kilka dni po wizycie u Maisie na ulicy Gorzelniczej Emma przesiadywała całymi godzinami sama w swoim pokoju, zastanawiając się, co zrobić z tym, czego się dowiedziała. Doszła do wniosku, że nie może liczyć na to, że uda się jej poznać treść stojącego od ponad roku na gzymsie kominka listu bez zaszkodzenia stosunkom z Maisie. Była jednak zdecydowana nie tylko udowodnić całemu światu, że Harry żyje, ale również odszukać go, gdziekolwiek by był. Z tą myślą umówiła się jeszcze raz na rozmowę z dziadkiem. W końcu poza Maisie sir Walter Barrington był jedyną osobą, która poznała doktora Wallace'a, tak więc to on może być jej największą szansą na rozwikłanie zagadki i odkrycie, kim naprawdę jest Thomas Bradshaw.

7

Jedną z rzeczy, jakie dziadek Emmy wpajał jej od dziecka, była zasada, że nigdy nie wolno spóźniać się na umówione spotkanie. Robi to złe wrażenie, pouczał ją; to znaczy, jeśli chcesz być traktowana poważnie.

Pamiętając o tym, Emma wyjechała tego ranka z rezydencji Manor House dwadzieścia pięć minut po dziewiątej i wiozący ją samochód przejechał przez bramę stoczni Barringtonów dokładnie za osiem dziesiąta. Zatrzymał się przed Domem Barringtona sześć minut przed dziesiątą. Kiedy wyszła z windy na piątym piętrze i skierowała się korytarzem do biura prezesa, była za dwie dziesiąta.

Sekretarka sir Waltera, panna Beale, otworzyła drzwi do jego gabinetu w chwili, gdy zegar nad kominkiem zaczął wybijać dziesiątą. Prezes uśmiechnął się, wstał zza biurka i ruszył ku Emmie, aby ją przywitać pocałunkiem w oba policzki.

– Jak się miewa moja ulubiona wnuczka? – spytał, prowadząc ją ku wygodnemu fotelowi koło kominka.

– Grace ma się doskonale – powiedziała Emma. – Spisuje się świetnie w Cambridge, jak słyszę, i serdecznie dziadka pozdrawia.

– Nie bądź taka przekorna, młoda damo – rzekł, odwzajemniając uśmiech. – A Sebastian, mój ulubiony prawnuk, jakże on się miewa?

– Twój jedyny prawnuk – przypomniała mu Emma, sadowiąc się w głębokim, skórzanym fotelu.

– Nie zabrałaś go ze sobą, z czego wnoszę, że chcesz porozmawiać o czymś ważnym.

Wstępną rozmowę towarzyską mieli już za sobą. Emma wiedziała, że sir Walter z pewnością przeznaczył na to spotkanie tylko określoną ilość czasu. Panna Beale powiedziała jej kiedyś, że w zależności od tego, jak ważna jest dla niego przychodząca z wizytą osoba, ma do dyspozycji piętnaście, trzydzieści lub sześćdziesiąt minut. Ta sama reguła ma zastosowanie do członków rodziny, z wyjątkiem niedziel. Emma chciała zadać dziadkowi wiele pytań, więc miała nadzieję, że ma dla niej co najmniej pół godziny.

Rozsiadła się wygodnie w fotelu, starając się odprężyć, nie chciała bowiem, aby dziadek domyślił się, jaki jest prawdziwy powód jej wizyty.

– Pamiętasz, dziadku – zaczęła – jak z dobroci swego serca odbyłeś podróż do Szkocji, aby zawiadomić mnie, że Harry zginął na morzu? Byłam wtedy tak wstrząśnięta, że mój umysł nie przyjął tego do wiadomości, ale teraz być może mógłbyś powiedzieć mi nieco więcej o ostatnich dniach jego życia?

– Oczywiście, drogie dziecko – powiedział sir Walter ze współczuciem. – Mam nadzieję, że moja pamięć sprosta temu zadaniu. Co konkretnie chciałabyś wiedzieć?

– Powiedziałeś mi, że po przyjeździe z Oksfordu Harry zamustrował się na *Devonian* jako czwarty oficer.

– Zgadza się. Umożliwił mu to mój przyjaciel, kapitan Havens, który jako jeden z nielicznych ocalał z tej katastrofy. Kiedy niedawno go odwiedziłem, nadzwyczaj ciepło wyrażał się o Harrym. Wspominał go jako młodego, odważnego mężczyznę, który nie tylko uratował mu życie, kiedy statek został trafiony przez torpedę, ale poświęcił własne, próbując uratować pierwszego mechanika.

– Czy kapitan Havens również został wyłowiony z morza przez *Kansas Star*?

– Nie, przez inny statek, który był w pobliżu, tak więc, niestety, nie zobaczył już więcej Harry'ego.

– Nie był więc świadkiem pogrzebu Harry'ego na morzu?

– Nie. Jedynym oficerem z *Devonian*, który był z Harrym w momencie jego śmierci, był pewien Amerykanin, porucznik Thomas Bradshaw.

– Powiedziałeś mi, dziadku, że niejaki doktor Wallace przekazał pani Clifton list od porucznika Bradshawa.

– Zgadza się. Doktor Wallace był naczelnym lekarzem na *Kansas Star*. Zapewnił mnie, że on i jego personel robili wszystko, co tylko było w ich mocy, ażeby uratować Harry'emu życie.

– Czy Bradshaw napisał także do ciebie?

– Nie. Tylko do najbliższego członka rodziny, jeśli dobrze pamiętam słowa doktora Wallace'a.

– Czy to nie dziwne wobec tego, że nie napisał do mnie?

Sir Walter milczał przez chwilę.

– Wiesz, prawdę mówiąc, nie pomyślałem o tym. Może Harry nigdy nie wspomniał o tobie porucznikowi Bradshawowi. Wiesz, jaki potrafił być skryty.

Emma nieraz o tym myślała, ale szybko podjęła wątek na nowo:

– Czy czytał dziadek list wysłany do pani Clifton?

– Nie. Ale dostrzegłem go na gzymsie kominka, kiedy odwiedziłem ją następnego dnia.

– Czy myślisz, dziadku, że doktor Wallace zdawał sobie sprawę, co Bradshaw napisał w tym liście?

– Tak. Powiedział mi, że jest to list kondolencyjny od kolegi ze statku, oficera, który służył z Harrym na *Devonian*.

– Jakże chciałabym poznać porucznika Bradshawa – powiedziała Emma, zarzucając przynętę.

– Nie wiem, czy by ci się to udało, moja droga – powiedział sir Walter. – Chyba że doktor Wallace pozostaje z nim w kontakcie.

– Czy zna dziadek adres doktora Wallace'a?

– Tylko na *Kansas Star*.

– Ale z pewnością przestali pływać do Bristolu, kiedy wypowiedziana została wojna.

– Nie przestaną, dopóki Amerykanie, którzy utknęli w Anglii, będę gotowi zapłacić majątek, aby tylko móc wrócić do kraju.

– Czy to nie jest niepotrzebne ryzyko, kiedy tak wiele U-bootów patroluje Atlantyk?

– Nie, dopóki Ameryka zachowa neutralność – odparł

sir Walter. – Hitler na pewno nie chciałby rozpocząć wojny z Jankesami tylko z tego powodu, że jego U-boty zatopiły jakiś amerykański statek pasażerski.

– Nie wie dziadek, czy *Kansas Star* może wrócić jeszcze do Bristolu w najbliższej przyszłości?

– Nie, ale łatwo mogę to sprawdzić.

Staruszek podźwignął się z fotela i wolno podszedł do biurka. Zaczął wertować strony miesięcznego harmonogramu dokowań.

– O, jest – powiedział w końcu. – Wypływa z Nowego Jorku za cztery tygodnie i spodziewany jest w Bristolu piętnastego listopada. Jeśli chcesz spotkać się z kimś, kto na nim pływa, to pamiętaj, że nie zabawią tu długo, gdyż port to jedyne miejsce, gdzie statek narażony będzie na atak.

– Czy wpuszczą mnie na pokład?

– Nie, chyba że zostaniesz członkiem załogi albo będziesz chciała się zatrudnić, ale szczerze mówiąc, nie widzę cię w roli majtka ani kelnerki w barze koktajlowym.

– Więc co mam zrobić, żeby zobaczyć się z doktorem Wallace'em?

– Będziesz musiała czatować na nabrzeżu, licząc, że zejdzie na ląd. Prawie każdy schodzi, po całotygodniowej podróży. Jeśli będzie na pokładzie statku, to z pewnością go złapiesz. Ale nie zapominaj, Emmo, że od śmierci Harry'ego minął ponad rok, więc Wallace może już nie być lekarzem na tym statku.

Emma przygryzła wargi.

– Ale jeśli chcesz, abym załatwił ci spotkanie z kapitanem, to proszę bardzo…

– Nie, nie – powiedziała Emma szybko – to nie jest aż tak ważne.

– Gdybyś zmieniła zdanie… – zaczął sir Walter, nagle zdając sobie sprawę, jak bardzo musi to jednak być dla Emmy ważne.

– Nie, dziękuję, dziadku – rzekła, wstając z fotela. – Dziękuję, że poświęciłeś mi tyle czasu.

– Nie dość wiele – powiedział staruszek. – Szkoda tylko, że

nie zaglądasz do mnie częściej. I następnym razem nie zapomnij zabrać ze sobą Sebastiana – dodał, odprowadzając ją do drzwi.

Sir Walter nie miał już żadnych wątpliwości, dlaczego wnuczka złożyła mu wizytę.

W pamięci Emmy wracającej autem do Manor House utkwiło jedno szczególne zdanie. W kółko odtwarzała te same słowa jak igła gramofonu przeskakująca wciąż do tego samego rowka.

Gdy tylko wróciła do domu, skierowała się do pokoju dziecinnego Sebastiana. Trzeba było nakłonić go, aby rozstał się z konikiem na biegunach, co nie obyło się bez paru łez. Po lunchu zwinął się jak zadowolony z życia kotek i głęboko zasnął. Niania położyła go do łóżka, a Emma zatelefonowała po szofera.

– Proszę zawieźć mnie z powrotem do Bristolu, Hudson.

– Jakieś konkretne miejsce, proszę pani?

– Grand Hotel.

– Co mogę dla ciebie zrobić? – spytała Maisie.

– Niech pani przyjmie mnie na kelnerkę.

– Ale w jakim celu?

– Wolałabym nie mówić.

– Czy zdajesz sobie sprawę, jaka to ciężka praca?

– Nie – przyznała Emma. – Ale nie sprawię pani zawodu.

– A kiedy chcesz zacząć?

– Jutro.

– Jutro?

– Tak.

– Na jak długo?

– Miesiąc.

– Chwileczkę, wyjaśnijmy to sobie – powiedziała Maisie. – Chcesz, żebym szkoliła cię na kelnerkę od jutra i po miesiącu odejdziesz, ale nie powiesz mi dlaczego?

– Mniej więcej tak.

– Oczekujesz wynagrodzenia?

– Nie – odparła Emma.

– To przynajmniej pocieszające.
– Więc kiedy zaczynam?
– Jutro o szóstej rano.
– O szóstej? – powtórzyła Emma z niedowierzaniem.
– Może cię to dziwić, Emmo, ale mam klientów, którzy muszą zjeść śniadanie przed siódmą i zdążyć do pracy na ósmą, więc musisz być na stanowisku każdego ranka o szóstej.
– Na stanowisku?
– Wyjaśnię ci, jeśli zjawisz się przed szóstą.

W ciągu następnych dwudziestu ośmiu dni Emma nie spóźniła się do pracy ani razu, być może dzięki temu, że Jenkins stukał do jej drzwi o wpół do piątej rano, a Hudson podwoził ją i zostawiał w pobliżu wejścia dla personelu Grand Hotelu za kwadrans szósta.

Panna Dickens, bo pod tym nazwiskiem znała ją reszta personelu, wykorzystywała swoje aktorskie umiejętności, dbając o to, aby nikt się nie zorientował, że jest przedstawicielką rodu Barringtonów.

Pani Clifton nie potraktowała Emmy ulgowo, kiedy ta oblała zupą stałego klienta, a jeszcze mniej względów okazała jej, kiedy Emma upuściła stos talerzy, które roztrzaskały się na środku sali. Normalnie potrącono by jej koszt straty z pensji, gdyby takową otrzymywała. I dopiero po pewnym czasie Emma opanowała sztukę otwierania zręcznym pchnięciem ramienia drzwi wahadłowych prowadzących do i z kuchni, unikając przy tym zderzenia z inną kelnerką zmierzającą w odwrotnym kierunku.

Mimo tego Maisie szybko zauważyła, że jeśli raz powiedziała coś Emmie, to nie musiała więcej tego powtarzać. Podziwiała ją za to, że tak sprawnie potrafi nakryć do stołu, choć wcześniej nigdy w życiu tego nie robiła. I podczas gdy większość praktykantów potrzebowała kilku tygodni na opanowanie sztuki serwowania potraw z półmisków bezpośrednio na talerz konsumenta, a niektórzy nigdy tego poziomu nie osiągali, Emma pod koniec drugiego tygodnia nie wymagała już nadzoru.

Pod koniec trzeciego Maisie żałowała, że Emma odejdzie, a pod koniec czwartego jej żal podzielało kilku stałych gości, którzy zawsze życzyli sobie, aby obsługiwała ich tylko panna Dickens.

Maisie martwiła się, jak wytłumaczy dyrektorowi hotelu, dlaczego panna Dickens złożyła wymówienie zaledwie po miesiącu pracy.

– Może pani powiedzieć panu Hurstowi, że zaproponowano mi lepszą pracę, z wyższą pensją – powiedziała Emma, składając strój kelnerki.

– Nie będzie zadowolony – stwierdziła Maisie. – Byłoby mi łatwiej, gdybyś okazała się do niczego albo chociaż spóźniła się parę razy.

Emma roześmiała się, po raz ostatni układając starannie biały czepek na służbowej odzieży.

– Czy to już wszystko, panno Dickens? – zapytała Maisie.

– Nie. Prosiłabym bardzo o referencje – odparła Emma.

– Starasz się o kolejną posadę bez wynagrodzenia, tak?

– Coś w tym rodzaju – odpowiedziała Emma, czując się trochę winna, że nie może podzielić się z matką Harry'ego swoim sekretem.

– Wobec tego podyktuję ci referencje, ty je zapiszesz, a ja podpiszę – powiedziała, podając Emmie kartkę firmowego papieru Grand Hotelu.

– „Do wiadomości osób zainteresowanych – zaczęła Maisie. – Przez cały okres krótkiego zatrudnienia..."

– Czy mogłabym opuścić „krótkiego"? – spytała Emma.

Maisie uśmiechnęła się.

– „Przez cały okres zatrudnienia u nas w Grand Hotelu panna Dickens..."

Emma napisała „panna Barrington", ale nie powiedziała o tym Maisie.

– „...dała się poznać jako osoba pracowita, kompetentna i lubiana, zarówno przez gości, jak i personel. Jej kwalifikacje jako kelnerki są imponujące, a zdolność uczenia się w trakcie wykonywania pracy przekonuje mnie, że każdy zakład byłby rad, mogąc zaliczyć ją do grona swoich pracowników. Z żalem rozstajemy się z nią, ale gdyby kiedykolwiek zapragnęła wrócić do nas, z przyjemnością przyjmiemy ją z powrotem".

Emma uśmiechnęła się, oddając szefowej zapisaną kartkę. Maisie nagryzmoliła podpis nad słowami „Kierowniczka restauracji".

– Dziękuję – powiedziała Emma, obejmując ją.

– Nie mam pojęcia, co ty kombinujesz, moja droga – powiedziała Maisie, kiedy Emma uwolniła ją z objęć – niemniej życzę ci powodzenia.

Emma chętnie by jej powiedziała: Wyruszam na poszukiwanie twojego syna i nie wrócę, dopóki go nie odnajdę.

8

Emma stała na nabrzeżu już od ponad godziny, kiedy ujrzała jak *Kansas Star* wpływa powoli do portu, ale dopiero po kolejnej godzinie statek w końcu zacumował.

Czekając tak, rozmyślała cały czas o podjętej decyzji, i zaczęła się zastanawiać, czy starczy jej odwagi, aby zrealizować swój plan. Starała się nie myśleć o zatopieniu *Athenii* przed paroma miesiącami i o tym, że może w ogóle nigdy nie dotrzeć do Nowego Jorku.

Napisała do matki długi list, starając się wyjaśnić, dlaczego nie będzie jej przez parę tygodni – najwyżej trzy – i miała tylko nadzieję, że matka ją zrozumie. Ale nie mogła napisać do Sebastiana, aby powiedzieć mu, że wyrusza na poszukiwanie jego ojca i że już teraz za nim tęskni. Cały czas usiłowała przekonać samą siebie, że robi to w równej mierze dla swojego syna, jak i dla siebie.

Sir Walter jeszcze raz wyraził gotowość przedstawienia jej kapitanowi *Kansas Star*, ale Emma grzecznie podziękowała, gdyż nie pasowało to do jej planu zachowania anonimowości. Opisał jej też z grubsza, jak wygląda doktor Wallace, i z całą pewnością nikt odpowiadający choćby w przybliżeniu temu opisowi nie zszedł tego ranka ze statku. Sir Walter był jednak w stanie przekazać jej dwie istotne informacje. *Kansas Star* miał wypłynąć w morze z ostatnim przypływem jeszcze tego wieczoru. A ochmistrza można zazwyczaj zastać w jego biurze między drugą a piątą po południu, kiedy zajęty jest wypełnianiem formularzy dotyczących zaokrętowania. Co ważniejsze, to on odpowiada za zatrudnianie personelu niewchodzącego w skład załogi.

Emma napisała do dziadka poprzedniego dnia, aby podziękować mu za pomoc, ale nie zdradziła mu swojego planu, choć miała wrażenie, że się go domyślał.

Kiedy zegar na Domu Barringtona wybił godzinę drugą, a doktor Wallace wciąż się nie pojawił na horyzoncie, Emma podniosła walizeczkę i zdecydowała, że czas skierować się ku trapowi. Kiedy cała spięta weszła na pokład, zapytała pierwszą napotkaną osobę w mundurze o biuro ochmistrza i usłyszała: dolny pokład, rufa.

Dostrzegła pasażerkę znikającą w czeluści szerokich schodów i podążając za nią, zeszła na poziom, który musiał być owym dolnym pokładem, ale ponieważ nie miała pojęcia, gdzie jest rufa, stanęła w kolejce do stanowiska informacyjnego.

Za kontuarem stały dwie dziewczyny w granatowych mundurach i białych bluzkach. Starały się odpowiedzieć każdemu pasażerowi na jego pytanie, nie przestając się przy tym ani przez chwilę uśmiechać.

– W czym mogę pani pomóc? – zapytała jedna z nich, kiedy Emma dotarła w końcu do czoła kolejki.

Dziewczyna najwyraźniej założyła, że Emma jest pasażerką, i w rzeczy samej Emma brała pod uwagę możliwość zapłacenia za swoją podróż do Nowego Jorku, ale była przekonana, że łatwiej dowie się tego, na czym jej tak zależy, jeśli zamustruje się jako członek załogi.

– Gdzie znajdę biuro ochmistrza? – zapytała.

– Drugie drzwi na prawo, tym zejściem pod pokład – odpowiedziała dziewczyna. – Łatwo pani trafi.

Emma poszła we wskazanym jej kierunku i kiedy stanęła przed drzwiami z napisem „Ochmistrz", odetchnęła głęboko i zapukała.

– Proszę.

Otworzyła drzwi i weszła do środka. Za zasłanym formularzami biurkiem siedział elegancko ubrany oficer. Miał na sobie świeżą, rozpiętą pod szyją białą koszulę z dwoma złotymi epoletami na każdym ramieniu.

– W czym mogę pani pomóc? – zapytał z akcentem, którego nigdy dotąd nie słyszała i który ledwie mogła zrozumieć.

– Chciałabym się nająć za kelnerkę, proszę pana – powiedziała Emma, mając nadzieję, że tak zabrzmiałoby to w ustach pokojówki z Manor House.

– Przykro mi – odrzekł, spoglądając w dół na papiery – ale nie potrzebujemy kelnerek. Jedyny wakat, jaki mamy, to praca na stanowisku informacyjnym.

– Chętnie wzięłabym tę pracę – powiedziała Emma, wracając do swojego normalnego sposobu wyrażania się.

Ochmistrz przyjrzał się jej uważniej.

– Płaca nie jest najlepsza – uprzedził ją – a godziny pracy jeszcze gorsze.

– Do tego jestem przyzwyczajona – odparła Emma.

– I nie mogę zaproponować pani stałego zatrudnienia – ciągnął ochmistrz – ponieważ jedna z naszych dziewczyn jest na przepustce w Nowym Jorku i wraca na statek po tym rejsie.

– To mi nie przeszkadza – powiedziała Emma, nie wdając się w szczegóły.

Ochmistrz wciąż nie wyglądał na przekonanego.

– Czy umie pani czytać i pisać?

Emma chętnie pochwaliłaby się, że uzyskała stypendium do Oksfordu, ale powiedziała tylko:

– Tak, proszę pana.

Bez dalszych słów otworzył szufladę, wyjął długi formularz i podał jej pióro.

– Proszę to wypełnić.

A kiedy Emma zabrała się do wpisywania odpowiedzi na zawarte tam pytania, dodał:

– Chciałbym też zobaczyć jakieś referencje.

Kiedy skończyła wypełniać formularz, Emma otworzyła torebkę i podała mu referencje od Maisie.

– Imponujące – orzekł. – Ale jest pani pewna, że nadaje się pani na recepcjonistkę?

– To miało być moje następne stanowisko w Grand Hotelu – powiedziała Emma. – Jako kolejny etap mojego szkolenia na zarządzającą.

– Czy warto rezygnować z takiej szansy dla pracy na statku?

– W Nowym Jorku mam babkę stryjeczną i moja mama chce, żebym została u niej, dopóki nie skończy się wojna.

Tym razem ochmistrz wydawał się przekonany, gdyż nie po raz pierwszy ktoś chciał odpracować podróż statkiem, aby wydostać się z Anglii.

– W takim razie do roboty – powiedział, podrywając się z krzesła.

Poprowadził Emmę z powrotem drogą, którą już znała, do stanowiska informacyjnego.

– Peggy, znalazłem kogoś na miejsce Dany na ten rejs, więc wprowadź panią w jej obowiązki.

– Dzięki Bogu! – ucieszyła się Peggy, podnosząc klapę, aby Emma mogła stanąć obok niej za kontuarem. – Jak się nazywasz? – zapytała z tym samym, ledwie zrozumiałym dla Emmy akcentem.

Po raz pierwszy Emma zrozumiała, co miał na myśli Bernard Shaw, kiedy napomknął, żc Anglików i Amerykanów dzieli wspólny język.

– Emma Barrington.

– A więc, Emmo, to jest moja asystentka, Trudy. Ponieważ jesteśmy teraz bardzo zajęte, może na razie przyglądaj się tylko, a my będziemy równocześnie starać się wprowadzić cię w tę pracę.

Emma stanęła o krok z tyłu i przyglądała się, jak obie dziewczyny dzielnie sobie radzą z każdą sprawą, z jaką się do nich zwracano, nawet się przy tym uśmiechając.

Nim minęła godzina, Emma wiedziała już, kiedy i gdzie pasażerowie powinni się zgłaszać do ćwiczeń szalupowych, na którym pokładzie jest bar serwujący dania z grilla, jak daleko w morze musi wypłynąć statek, zanim pasażerowie będą mogli zamawiać drinki, gdzie znajdą partnera do partyjki poobiedniego brydża i jak wydostać się na górny pokład, aby móc obejrzeć zachód słońca.

Przez następną godzinę Emma przysłuchiwała się odpowiedziom na powtarzające się na ogół pytania pasażerów, a w trzeciej godzinie stanęła już bliżej kontuaru i zaczęła sama na nie odpowiadać, tylko czasami zwracając się o pomoc do koleżanek.

Peggy była pod wrażeniem, a kiedy kolejka stopniała do kilku już tylko spóźnialskich, powiedziała do Emmy:

– Pora pokazać ci, gdzie twoja koja, i przetrącić coś na kolację, skoro pasażerowie sączą swoje aperitify.

Odwróciła się ku Trudy i dodała:

– Wrócę koło siódmej, żeby cię zluzować.

Następnie podniosła klapę i wyszła zza kontuaru. Trudy skinęła jej głową, kiedy do kontuaru podszedł kolejny pasażer.

– Proszę mi powiedzieć, czy do dzisiejszej kolacji obowiązuje strój wieczorowy?

– Pierwszego wieczoru nie, proszę pana – usłyszał zdecydowaną odpowiedź – ale każdego następnego, owszem.

Peggy nie przestawała mówić, prowadząc Emmę długim korytarzem, aż znalazły się na szczycie odgrodzonych sznurem schodów, nad którymi widniał napis: WSTĘP TYLKO DLA ZAŁOGI.

– Tędy idzie się do naszych kabin – wyjaśniła, odczepiając zagradzający przejście sznur. – Będziesz musiała mieszkać ze mną – dodała, ruszając w dół – ponieważ w tej chwili wolna jest tylko koja Dany.

– W porządku – powiedziała Emma.

Wędrówka w dół wydawała się nie mieć końca, a z każdym pokładem schody stawały się coraz węższe. Peggy przestawała mówić tylko wtedy, gdy kolejny członek załogi usuwał się na bok, aby je przepuścić. Niektórych nagradzała ciepłym uśmiechem. Emma nigdy dotąd nie spotkała osoby tak szalenie niezależnej, która przy tym nie przestawała być kobieca, z tymi swoimi przyciętymi na pazia włosami, w ledwie zakrywającej kolana spódniczce i obcisłym kostiumiku, niepozostawiającym wątpliwości co do tego, jak świetną ma figurę.

– To nasza kabina – powiedziała w końcu. – Tu będziesz spać przez najbliższy tydzień. Mam nadzieję, że nie spodziewałaś się jakichś luksusów.

Emma weszła do kabiny mniejszej od najmniejszego pomieszczenia w Manor House, łącznie ze schowkiem na przybory do sprzątania.

– Koszmarna, prawda? – zapytała Peggy. – W istocie ta stara balia ma tylko jeden plus.

Emma nie musiała pytać, co ma na myśli, gdyż Peggy z równą ochotą odpowiadała na jej pytania, jak i na swoje własne.

– Stosunek męskiej populacji do żeńskiej jest tutaj korzystniejszy niż gdziekolwiek na świecie – powiedziała ze śmiechem Peggy, po czym dodała: – To jest koja Dany, a to moja. Jak widzisz, nie ma tu miejsca dla dwóch osób naraz, o ile jedna nie leży w łóżku. Zostawię cię teraz, żebyś się mogła rozpakować, i wrócę za pół godziny, żeby zaprowadzić cię na dół na kolację do stołówki dla personelu.

Emma zdziwiła się, że można zejść jeszcze niżej, ale Peggy zniknęła, zanim zdążyła ją o to zapytać. Usiadła na swojej koi, otumaniona. Jak zmusić Peggy, żeby odpowiedziała na wszystkie jej pytania, skoro ona nigdy nie przestaje mówić? A może to i dobrze? Może z czasem sama ujawni jej to wszystko, czego Emma musi się dowiedzieć? Ma cały tydzień, aby się o tym przekonać, więc chyba może pozwolić sobie na cierpliwość. Zaczęła upychać skromny dobytek do szuflady, której Dana nie zadała sobie trudu opróżnić.

Dwukrotnie rozległ się dźwięk syreny i chwilę potem Emma poczuła lekkie szarpnięcie. Chociaż w kajucie nie było iluminatora, wiedziała, że statek ruszył. Usiadła na koi i starała się przekonać samą siebie, że podjęła słuszną decyzję. Chociaż planowała wrócić do Bristolu przed upływem miesiąca, już teraz tęskniła za Sebastianem.

Zaczęła rozglądać się po pomieszczeniu, które przez następny tydzień miało być jej mieszkaniem. Po obu stronach kajuty do ścian przymocowane były wąskie koje, których wymiary wskazywały na to, że przeznaczone są dla osób wzrostu mniej niż średniego. Położyła się, aby sprawdzić materac, który nie ugiął się, gdyż nie miał wcale sprężyn, i oparła głowę na poduszce wypełnionej gumą piankową zamiast pierzem. Była tam także umywalka z dwoma kurkami, z obu sączyła się cienką strużką równie ciepława woda.

Emma włożyła na siebie służbowy strój Dany – i miała ochotę się roześmiać. Kiedy wróciła Peggy, śmiały się obie. Dana musiała być o co najmniej dziesięć centymetrów niższa i z pewnością nieporównanie tęższa od Emmy.

– Ciesz się, że to tylko na tydzień – pocieszała ją Peggy, prowadząc koleżankę na kolację.

Zeszły jeszcze głębiej w trzewia statku i dołączyły do innych członków załogi. Kilku młodych i jeden lub dwóch starszych marynarzy zapraszało Peggy do swojego stołu. Zaszczyciła wysokiego młodego mężczyznę, mechanika, jak poinformowała Emmę. Emma zastanawiała się, czy nie wyjaśnia to, dlaczego nie tylko włosy miał umazane olejem. Stanęli w kolejce do kontuaru z płytą grzejną. Mechanik nałożył sobie na talerz prawie wszystkiego po trochu. Peggy zadowoliła się mniej więcej połową tego samego, natomiast Emma, która odczuwała lekkie mdłości, poprzestała na sucharku i jabłku.

Po kolacji Peggy i Emma wróciły do stanowiska informacyjnego, aby zluzować Trudy. Ponieważ kolację dla pasażerów serwowano o ósmej, niewiele osób podchodziło do kontuaru, jeśli nie liczyć pytających, jak trafić do sali restauracyjnej.

W ciągu następnej godziny Emma dowiedziała się o Peggy wiele więcej niż o S/S *Kansas Star*. Kiedy o dziesiątej ich zmiana dobiegła końca, opuściły kratę i Peggy poprowadziła nową koleżankę z powrotem ku schodom prowadzącym na dolny pokład.

– Chcesz przyłączyć się do nas na drinka w stołówce? – zapytała.

– Nie, dziękuję – odparła Emma. – Jestem wykończona.

– Myślisz, że trafisz sama do kajuty?

– Dolny pokład, sektor siódmy, kajuta sto trzynaście. Jeśli nie będę w łóżku, kiedy wrócisz, wyślij ekipę poszukiwawczą.

Jak tylko weszła do kabiny, szybko się rozebrała, umyła i wsunęła pod prześcieradło i koc. Leżąc w koi z kolanami podciągniętymi pod samą prawie brodę, próbowała ułożyć się w miarę wygodnie, ale nierówne kołysanie statku nie pozwalało na utrzymanie się w tej samej pozycji przez dłuższą chwilę. Ostatnie jej myśli, zanim zapadła w niespokojny sen, krążyły wokół Sebastiana.

Emma przebudziła się gwałtownie. Było tak ciemno, że nie mogła sprawdzić na zegarku, która jest godzina. Początkowo sądziła, że chwianie się koi powodowane jest przez ruch statku, ale gdy jej wzrok dostosował się do ciemności, była w stanie odróżnić w koi po drugiej stronie kajuty dwa ciała, poruszające się rytmicznie w górę i w dół. Nogi jednego z nich wystawały daleko poza koniec koi i zapierały się o ścianę; musiały należeć do mechanika. Miała ochotę się roześmiać, ale leżała, nie ruszając się, aż Peggy wydała z siebie długie westchnienie, a podrygi ustały. Chwilę potem stopy należące do długonogiego osobnika dosięgły podłogi i zaczęły wciskać się chyba w jakiś stary kombinezon roboczy. Po chwili drzwi kabiny cicho otworzyły się i zamknęły. Emma zapadła w głęboki sen.

9

Kiedy następnego ranka Emma obudziła się, Peggy była już ubrana.

– Idę na śniadanie – oznajmiła. – Do zobaczenia na stanowisku. À propos, dyżur zaczynamy o ósmej.

Jak tylko drzwi się zamknęły, Emma wyskoczyła z łóżka i po nieśpiesznym umyciu się i szybkim ubraniu stwierdziła, że jeśli ma stanąć za kontuarem stanowiska informacyjnego punktualnie, to nie ma już mowy o śniadaniu.

Szybko odkryła, że Peggy traktuje swoją pracę bardzo poważnie i robi wszystko, aby pomóc zgłaszającym się do niej pasażerom. Podczas porannej przerwy na kawę Emma powiedziała:

– Jeden z pasażerów pytał o godziny przyjęć gabinetu lekarskiego.

– Od siódmej do jedenastej rano – odpowiedziała Peggy – i od czwartej do szóstej po południu. W nagłych przypadkach należy dzwonić z najbliższego aparatu na sto jedenaście.

– A jak się nazywa lekarz?

– Parkinson. Doktor Parkinson. To jedyny mężczyzna na pokładzie, na którego lecą wszystkie dziewczyny.

– Tak? Jeden z pasażerów myślał, że nazywa się Wallace.

– Nie, Wally odszedł na emeryturę jakieś pół roku temu. Kochany staruszek.

Do końca przerwy Emma nie zadawała więcej pytań, piła już tylko swoją kawę.

– Może powinnaś poświęcić resztę ranka na rozejrzenie się po statku, będziesz wtedy wiedziała, dokąd kierujesz ludzi – zasugerowała Peggy, kiedy znalazły się z powrotem za kontuarem. Wręczyła Emmie przewodnik po statku. – Do zobaczenia na lunchu.

Z otwartą książeczką w ręku Emma rozpoczęła zwiedzanie

górnego pokładu: sale restauracyjne, bary, sala brydżowa, biblioteka, a nawet sala balowa z własną orkiestrą jazzową. Zatrzymała się na dokładniejszą inspekcję, kiedy na dolnym pokładzie w sektorze drugim natrafiła na ambulatorium. Ostrożnie uchyliła podwójne drzwi i wsunęła głowę do środka. Pod ścianą po drugiej stronie pomieszczenia stały dwa, starannie zasłane, niezajęte łóżka. Czy Harry spał na jednym, a porucznik Bradshaw na drugim?

– Czym mogę służyć? – odezwał się czyjś głos.

Emma odwróciła się i zobaczyła wysokiego mężczyznę w długim białym kitlu. Od razu zrozumiała, dlaczego Peggy się w nim podkochiwała.

– Zostałam właśnie zatrudniona na stanowisku informacyjnym – wyrzuciła z siebie – i polecono mi się zorientować, gdzie co jest.

– Simon Parkinson – powiedział, przyjaźnie się uśmiechając. – Skoro już pani wie, gdzie ja jestem, proszę wpadać, kiedy tylko będzie pani miała ochotę.

– Dziękuję – odparła Emma.

Szybko wycofała się na korytarz, zamknęła za sobą drzwi i pośpiesznie odeszła. Nie pamiętała, kiedy ostatni raz ktoś z nią flirtował, ale żałowała, że tym razem nie był to doktor Wallace. Resztę ranka spędziła na zwiedzaniu po kolei wszystkich pokładów, aż stwierdziła, że zna już cały rozkład statku i z większą pewnością siebie będzie umiała informować pasażerów, jak gdzieś trafić.

Cieszyła się, że tego popołudnia sprawdzi swoje nowe umiejętności, ale Peggy poprosiła ją, aby przejrzała ewidencję pasażerów, podobnie jak badała statek. Emma zasiadła samotnie na zapleczu biura, żeby dowiedzieć się różnych rzeczy o ludziach, których nigdy więcej w życiu nie spotka.

Wieczorem spróbowała zjeść kolację, złożoną z fasolki po bretońsku na grzance i szklanki lemoniady, ale zaraz potem popędziła do kajuty, aby zdążyć trochę się przespać, w razie gdyby mechanik znowu wrócił.

Kiedy drzwi kabiny się otworzyły, światło z korytarza obudziło Emmę. Nie potrafiła rozróżnić, kto wszedł do środka, ale na pewno nie był to mechanik, bo tym razem stopy nie sięgały ściany. Nie zmrużyła oka przez czterdzieści minut i zasnęła dopiero wtedy, kiedy drzwi znowu otworzyły się i zamknęły.

Emma szybko przyzwyczaiła się do ustalonego rozkładu dnia pracy, wieńczonego nocną wizytą. Te odwiedziny niewiele się różniły, zmieniali się tylko mężczyźni, choć jednej nocy kochliwy gość obrał kurs na koję Emmy zamiast Peggy.

– Nie ta dziewczyna – ostrzegła Emma zdecydowanym tonem.

– Przepraszam – odezwał się mężczyzna, zanim zwrócił się we właściwym kierunku.

Peggy widocznie była pewna, że koleżanka zasnęła, gdyż po miłosnym akcie para zaczęła szeptem prowadzić rozmowę, którą Emma wyraźnie słyszała.

– Myślisz, że twoja przyjaciółka jest do wzięcia?

– O, czyżby wpadła ci w oko? – zachichotała Peggy.

– Nie mnie, ale jeden mój znajomy chciałby zostać tym pierwszym, który porozpina mundurek Dany.

– Nie ma szans. Ona ma chłopaka w Bristolu i słyszałam, że nawet doktor Parkinson nie zrobił na niej wrażenia.

– Szkoda – odezwał się głos.

Peggy i Trudy często rozmawiały o dniu, w którym, o poranku, przed śniadaniem, pochowano w morzu dziewięciu marynarzy ze statku *Devonian*. Za pomocą paru subtelnych uwag Emma zdołała uzyskać informacje, które nie mogły być znane ani jej dziadkowi, ani Maisie. Ale na trzy dni przed zawinięciem statku do Nowego Jorku nie była ani trochę bliższa odkrycia, czy osobą, która przeżyła, był Harry czy porucznik Bradshaw.

Piątego dnia podróży Emma po raz pierwszy objęła kierownictwo na stanowisku informacyjnym i nie było żadnych niespodzianek. Niespodzianka zdarzyła się piątej nocy.

Kiedy drzwi do kajuty otworzyły się, nie wiadomo, o której godzinie, jakiś mężczyzna skierował się znowu ku koi Emmy, ale tym razem, kiedy zdecydowanie ostrzegła: – Nie ta dziewczyna – mężczyzna natychmiast wyszedł. Emma leżała z otwartymi oczyma, zastanawiając się, kto to mógł być.

Szóstego dnia Emma nie dowiedziała się niczego nowego o Harrym czy o Tomie Bradshawie i obawiała się, że dopłynie do Nowego Jorku, wciąż nie wiedząc, jakim dalej pójść tropem. Tego wieczoru, jedząc kolację z Peggy, postanowiła zapytać ją o „tego, który przeżył".

– Spotkałam Toma Bradshawa tylko raz – powiedziała Peggy – kiedy włóczył się po pokładzie ze swoją pielęgniarką. Choć nie, powinnam raczej powiedzieć: powłóczył nogami, bo biedak chodził o kulach.

– Rozmawiałaś z nim? – spytała Emma.

– Nie, wydawał się bardzo nieśmiały. Poza tym Kristin nie spuszczała go z oka.

– Kristin?

– Była tu wtedy pielęgniarką, pracowała z doktorem Wallace'em. Do spółki niewątpliwie uratowali Tomowi Bradshawowi życie.

– Potem już go więcej nie widziałaś?

– Dopiero kiedy zacumowaliśmy w Nowym Jorku, widziałam, jak schodzi ze statku razem z Kristin.

– Zszedł ze statku z Kristin? – powiedziała zaniepokojona Emma. – Czy doktor Wallace był z nimi?

– Nie, tylko Kristin i jej chłopak Richard.

– Richard? – zapytała Emma z ulgą.

– Richard jakiś-tam. Nie pamiętam nazwiska. Był trzecim oficerem. Niedługo potem ożenił się z Kristin i potem już ich więcej nie widzieliśmy.

– Był przystojny?

– Tom czy Richard? – zapytała Peggy.

– Mogę postawić ci drinka, Peg? – zapytał młody mężczyzna, którego Emma nigdy przedtem nie widziała, ale przeczuwała, że zobaczy go z profilu jeszcze tej nocy.

Emma miała rację i nie spała przed, w trakcie ani po tej wizycie, gdyż jej umysł zaprzątało coś zupełnie innego.

Następnego ranka, po raz pierwszy w czasie tej podróży, Emma stała za kontuarem, zanim przyszła Peggy.

– Czy mam przygotować listę pasażerów schodzących na ląd? – zapytała, kiedy Peggy w końcu się zjawiła i podniósłszy klapę, weszła za kontuar.

– Jesteś pierwszą znaną mi osobą, która na ochotnika zgłasza się do tej roboty – powiedziała Peggy – ale proszę bardzo. Ktoś musi sprawdzić, czy lista jest aktualna, na wypadek gdyby urzędnicy imigracyjni chcieli dokładniej zweryfikować dane personalne pasażerów, kiedy zacumujemy w Nowym Jorku.

Emma przeszła od razu na zaplecze. Odkładając na bok aktualną listę, skierowała uwagę ku kartotekom byłych członków załogi, które znalazła w osobnej szafce, najwyraźniej nieotwieranej od jakiegoś czasu.

Rozpoczęła powolne, skrupulatne poszukiwanie imion Kristin i Richard. Odnalezienie Kristin okazało się łatwe, gdyż była tylko jedna osoba o tym imieniu, i pracowała jako starsza pielęgniarka na *Kansas Star* od 1936 do 1939 roku. Natomiast Richardów, Dicków i Dickiech było kilku, ale adres jednego z nich, porucznika Richarda Tibbeta, był taki sam jak adres mieszkania panny Kristin Craven na Manhattanie.

Emma zanotowała go sobie.

10

– Witam w Stanach Zjednoczonych, panno Barrington.

– Dziękuję – powiedziała Emma.

– Jak długo zamierza pani pozostać w Stanach Zjednoczonych? – zapytał funkcjonariusz urzędu granicznego, zaglądając w paszport.

– Tydzień, najwyżej dwa – odpowiedziała Emma. – Przyjeżdżam w odwiedziny do mojej stryjecznej babki, po czym wracam do Anglii.

Rzeczywiście miała stryjeczną babkę, która mieszkała w Nowym Jorku, była siostrą lorda Harveya, ale Emma nie zamierzała jej odwiedzić, choćby tylko dlatego, że nie chciała, aby reszta rodziny dowiedziała się, co kombinuje.

– Jaki jest jej adres?

– Mieszka na rogu Sześćdziesiątej Czwartej Ulicy i Park Avenue.

Funkcjonariusz zanotował coś, ostemplował paszport i oddał go Emmie.

– Miłego pobytu w Wielkim Jabłku, panno Barrington.

Po przejściu przez stanowisko kontroli paszportów Emma dołączyła do długiej kolejki uformowanej przez pasażerów z *Kansas Star*. Minęło jeszcze kolejnych dwadzieścia minut, zanim wsiadła do żółtej taksówki.

– Będzie pan łaskaw zawieźć mnie do jakiegoś małego, niedrogiego hotelu, usytuowanego w pobliżu Merton Street na Manhattanie – poleciła kierowcy.

– Może pani zapodać jeszcze raz, bo nie kapuję? – powiedział taksówkarz, z niedopałkiem cygara zwisającym z kącika ust.

Ponieważ Emma nie zrozumiała prawie ani słowa z tego, co do niej powiedział, założyła, że on musi mieć ten sam problem z jej akcentem.

– Szukam jakiegoś małego niedrogiego hotelu niedaleko Merton Street na wyspie Manhattan – powiedziała, wymawiając wolno każde słowo.

– Merton Street – powtórzył kierowca, jakby to były jedyne słowa, jakie zrozumiał.

– Zgadza się – potwierdziła Emma.

– Dlaczego nie powiedziała pani tego od razu?

Kierowca ruszył i odezwał się znowu dopiero, kiedy wysadził swoją pasażerkę przed budynkiem z czerwonej cegły, nad którym powiewała flaga z napisem „The Mayflower Hotel".

– Należy się czterdzieści centów – powiedział taksówkarz, z cygarem wciąż dyndającym u warg.

Emma zapłaciła za kurs pieniędzmi zarobionymi na statku. Po zameldowaniu się w recepcji pojechała windą na czwarte piętro i poszła prosto do swojego pokoju. Od razu się rozebrała i wzięła gorącą kąpiel.

Kiedy niechętnie wyszła z wanny, wytarła się w duży puszysty ręcznik, włożyła sukienkę, którą uważała za skromną, i zjechała z powrotem windą na parter, poczuła się prawie człowiekiem.

Znalazła ustronny stolik w rogu hotelowej kawiarni i zamówiła filiżankę herbaty – o earl greyu tam nie słyszeli – i sandwicz klubowy, o którym ona nigdy nie słyszała. Podczas oczekiwania zaczęła spisywać na serwetce długą listę pytań, mając nadzieję, że w domu przy Merton Street 46 znajdzie kogoś, kto będzie skłonny jej na nie odpowiedzieć.

Podpisawszy kelnerowi rachunek, Emma zapytała recepcjonistę, jak dotrzeć na Merton Street. Trzy przecznice na północ, dwie na zachód, usłyszała w odpowiedzi. Nie wiedziała dotąd, że każdy nowojorczyk ma wbudowany w głowie kompas.

Z przyjemnością szła piechotą, zatrzymując się kilka razy, aby podziwiać wystawy sklepowe pełne towarów, których nigdy nie widywała w Bristolu. Pod mieszkalny wieżowiec dotarła tuż po południu, niepewna, co zrobi, jeśli nie zastanie pani Tibbet w domu.

Elegancko ubrany portier zasalutował i otworzył jej drzwi.

– W czym mogę pani pomóc?

– Do pani Tibbet – powiedziała Emma, jakby była umówiona na spotkanie.

– Mieszkanie trzydzieści jeden na trzecim piętrze – powiedział, przytykając dłoń do daszka czapki.

To jednak prawda, angielski akcent rzeczywiście otwiera drzwi.

Podczas gdy winda powoli wiozła ją na trzecie piętro, Emma powtarzała sobie w myśli zdania, które, miała nadzieję, otworzą przed nią kolejne drzwi. Kiedy winda się zatrzymała, odsunęła kratę, wyszła na korytarz i zaczęła szukać numeru 31. W samym środku drzwi do mieszkania Tibbetów było maleńkie okrągłe szkiełko, które przywiodło Emmie na myśl oko cyklopa. Nie mogła zajrzeć przez nie do środka, ale zapewne mieszkańcy mogli przez nie widzieć, co jest na zewnątrz. Na ścianie koło drzwi znajdował się bardziej swojski przycisk dzwonka. Nacisnęła go i czekała. Trwało trochę, zanim drzwi w końcu się otworzyły, ale tylko na kilkanaście centymetrów, ukazując mosiężny łańcuszek. Przez szparę przyglądała się jej para oczu.

– O co chodzi? – odezwał się głos, który przynajmniej mogła zrozumieć.

– Przepraszam, że zawracam pani głowę, pani Tibbet – powiedziała Emma – ale być może jest pani moją ostatnią szansą.

Oczy patrzyły na nią podejrzliwie.

– Widzi pani, rozpaczliwie usiłuję odnaleźć Toma.

– Toma? – powtórzył głos.

– Toma Bradshawa. Jest ojcem mojego dziecka – powiedziała Emma, zagrywając ostatnią kartą, która mogłaby otworzyć przed nią te drzwi.

Drzwi się zamknęły, łańcuszek został odczepiony, po czym otworzyły się znowu i ukazała się w nich młoda kobieta z dzieckiem na ręku.

– Przepraszam za łańcuch, ale Richard nie lubi, kiedy otwieram drzwi nieznajomym. Proszę wejść. – Poprowadziła

Emmę do salonu. – Proszę, niech pani usiądzie, a ja położę Jacka z powrotem do łóżeczka.

Emma usiadła i rozejrzała się po pokoju. Było tam kilka fotografii Kristin z młodym oficerem marynarki, który zapewne był jej mężem, Richardem.

Kristin wróciła po paru minutach, niosąc tacę z kawą.

– Z mlekiem czy bez?

– Z mlekiem, jeśli można – powiedziała Emma, która w Anglii nigdy nie piła kawy, ale szybko się przekonała, że Amerykanie nie piją herbaty, nawet rano.

– Cukier? – zapytała Kristin, kiedy napełniła dwie filiżanki.

– Nie, dziękuję.

– A więc Tom jest pani mężem? – zapytała Kristin, siadając naprzeciwko Emmy.

– Nie, jestem jego narzeczoną. Szczerze mówiąc, nie miał pojęcia, że jestem w ciąży.

– Jak pani mnie znalazła? – spytała Kristin, wciąż trochę nieufna.

– Ochmistrz na *Kansas Star* powiedział mi, że pani i Richard byliście ostatnimi ludźmi, którzy widzieli Toma.

– To prawda. Byliśmy z nim do momentu, kiedy został aresztowany od razu po zejściu na ląd.

– Aresztowany? – powiedziała Emma z niedowierzaniem. – Co takiego mógł zrobić, że go aresztowano?

– Został oskarżony o zamordowanie brata – powiedziała Kristin. – Ale pani z pewnością o tym wiedziała?

Emma rozpłakała się, jej nadzieje w jednej chwili się rozwiały, gdyż zrozumiała, że tym, który przeżył, musiał być Bradshaw, a nie Harry. Gdyby Harry został oskarżony o zamordowanie brata Bradshawa, z łatwością udowodniłby, że aresztowali niewłaściwego człowieka.

Jaka szkoda, że nie rozerwała koperty stojącej na gzymsie kominka w domu Maisie. Poznałaby prawdę i nie przeżywałaby teraz tej gehenny. Łkała, przyjmując po raz pierwszy do wiadomości, że Harry nie żyje.

GILES BARRINGTON

1939–1941

11

Kiedy sir Walter Barrington odwiedził swojego wnuka, aby przekazać mu straszną wiadomość o śmierci Harry'ego Cliftona na morzu, Giles wpadł w odrętwienie, poczuł się tak, jak gdyby amputowano mu kończynę. W istocie gotów byłby ją utracić, gdyby tylko przywróciło to Harry'emu życie. Od dziecięcych lat byli nierozłączni i Giles zawsze zakładał, że każdy z nich zaliczy w swoim życiu, jak w krykiecie, największą możliwą do zdobycia liczbę punktów. Bezsensowna, niepotrzebna śmierć Harry'ego sprawiła, że Giles tym mocniej postanowił, że nie popełni tego samego błędu, co przyjaciel.

Siedział w bawialni i słuchał przemówienia pana Churchilla w radio, kiedy Emma zapytała:

– Czy planujesz wstąpić do wojska?

– Tak. Nie wracam do Oksfordu. Zamierzam natychmiast się zaciągnąć.

Matka była wyraźnie zaskoczona, ale powiedziała mu, że go rozumie.

Emma uścisnęła brata i rzekła:

– Harry byłby z ciebie dumny.

Grace, która rzadko okazywała uczucia, rozpłakała się.

Następnego dnia rano Giles pojechał do Bristolu i ostentacyjnie zaparkował swoje żółte mg przed wejściem do biura werbunkowego. Wkroczył do środka, przybrawszy minę, jak mu się wydawało, człowieka, który wie, czego chce. Starszy sierżant sztabowy z Pułku z Gloucesteru, w którym służył kiedyś kapitan Jack Tarrant, stanął na baczność, kiedy ujrzał młodego pana Barringtona. Giles otrzymał od niego formularz, który posłusznie wypełnił, i godzinę później został poproszony za parawan, gdzie zbadał go wojskowy lekarz.

Doktor postawił haczyk w każdej rubryce po dokładnym

zbadaniu tego ostatniego już rekruta – uszy, nos, gardło, klatkę piersiową i kończyny – a następnie przystąpił do badania jego wzroku. Giles stanął za białą linią i odczytywał po kolei wskazywane mu litery i cyfry. W końcu potrafił odesłać lecącą prosto na niego z szybkością stu czterdziestu kilometrów na godzinę skórzaną piłkę do najdalszej linii boiska. Był pewien, że zda ten egzamin celująco, aż lekarz zapytał go, czy wie o jakichkolwiek dziedzicznych chorobach w rodzinie. Giles odpowiedział zgodnie z prawdą:

– Zarówno mój ojciec, jak i dziadek są daltonistami.

Lekarz wykonał jeszcze jedną serię badań i Giles zauważył, że ochy i achy przeszły w cmoknięcia wyrażające niezadowolenie.

– Z przykrością muszę pana poinformować – oznajmił lekarz, skończywszy go badać – że ze względu na medyczną historię pańskiej rodziny nie będę mógł zakwalifikować pana jako zdolnego do czynnej służby. Ale oczywiście nic nie stoi na przeszkodzie, aby zaciągnął się pan i pracował dla wojska za biurkiem.

– Panie doktorze, czy nie mógłby pan postawić haczyka w odpowiedniej rubryce i zapomnieć, że napomknąłem cokolwiek w tej kwestii? – zapytał Giles, starając się nadać swym słowom ton rozpaczy.

Lekarz zignorował jego protest i w ostatniej rubryce formularza wpisał „C3": niezdolny do czynnej służby.

Giles wrócił do Manor House w sam raz na lunch. Matka pominęła milczeniem fakt, że wypił prawie całą butelkę wina. Oznajmił wszystkim, którzy pytali, i kilku tym, którzy nie pytali, że nie przyjęto go do Pułku z Gloucesteru z powodu daltonizmu.

– Dziadkowi nie przeszkodziło to walczyć z Burami – przypomniała bratu Grace, kiedy podano mu drugą porcję puddingu.

– Prawdopodobnie w tamtych czasach nie mieli pojęcia, że taka wada w ogóle istnieje – odparł Giles, próbując zbagatelizować jej kąśliwą uwagę.

Emma włączyła się do rozmowy, zadając cios poniżej pasa.

– Przyznaj, że wcale nie miałeś zamiaru się zaciągnąć – powiedziała, patrząc mu prosto w oczy.

Giles gapił się w swoje buty, kiedy zadała nokautujący cios.

– Szkoda, że nie ma tu twojego przyjaciela z doków, bo przypomniałby ci, że też był daltonistą.

Kiedy matka Gilesa usłyszała tę nowinę, było widać, że odczuła ulgę, ale nie skomentowała wydarzenia. Do czasu wyjazdu do Cambridge Grace nie odezwała się więcej do brata.

Następnego dnia Giles pojechał autem do Oksfordu, starając się przekonać siebie samego, że każdy przyjmie ze zrozumieniem powód, dla którego nie mógł się zaciągnąć, i zamierzając dalej prowadzić życie studenta. Kiedy przekroczył bramę kolegium, stwierdził, że dziedziniec bardziej przypomina punkt werbunkowy niż uniwersytet, gdyż więcej było tam młodych mężczyzn w mundurach niż w przepisowych oksfordzkich strojach w kolorze przyćmionej czerni. Zdaniem Gilesa jedyną dobrą rzeczą, jaka wynikała z tego wszystkiego, było to, że po raz pierwszy w historii studiowało na uniwersytecie tyle samo kobiet, co mężczyzn. Niestety, większość z nich gotowa była chodzić pod rękę tylko z facetami w mundurze.

Deakins, przyjaciel Gilesa jeszcze ze szkoły, był jednym z nielicznych studentów, którzy nie czuli się nieswojo z tego powodu, że nie zaciągnęli się do wojska. Ale też w przypadku Deakinsa zgłoszenie się na komisję lekarską nie miałoby najmniejszego sensu. Byłby to jeden z tych niewielu w jego życiu egzaminów, kiedy nie uzyskałby nawet jednego punktu. Ale potem Deakins nagle zniknął, wyjechał do miejsca zwanego Bletchley Park. Nikt nie potrafił powiedzieć Gilesowi, co oni tam kombinowali, poza tym, że to „ściśle tajne", i Deakins ostrzegł Gilesa, że w żadnym wypadku nie będzie mógł go odwiedzać.

Mijały miesiące, Giles coraz więcej czasu spędzał w pubie niż w przepełnionej sali wykładowej, a Oksford zaczął zaludniać się powracającymi z frontu żołnierzami Niektórzy nie mieli ręki, inni nogi, paru było ociemniałych, i to akurat w jego kolegium. Usiłował tego nie zauważać, ale prawda była taka, że pod koniec semestru czuł się tam coraz bardziej nie na miejscu.

Kiedy skończył się trymestr, Giles pojechał samochodem do Szkocji na chrzest Sebastiana Arthura Cliftona. Na uroczystość, która odbyła się w kaplicy Zamku Mulgelrie, zaproszona została tylko najbliższa rodzina i paru przyjaciół. Nie było wśród nich ojca Emmy i Gilesa.

Giles był zaskoczony i zachwycony, kiedy Emma poprosiła go, aby został ojcem chrzestnym, choć trochę się zdziwił, kiedy przyznała, że jedynym powodem, dla którego w ogóle brała go pod uwagę, było to, że – mimo wszystko – nie wątpiła, iż Harry wybrałby właśnie jego.

Schodząc następnego dnia rano na śniadanie, Giles zauważył, że w gabinecie dziadka pali się światło. Przechodząc koło drzwi po drodze do jadalni, usłyszał swoje imię padające w toczącej się rozmowie. Stanął jak wryty i podszedł bliżej do na wpół uchylonych drzwi. Zamarł ze zgrozy, kiedy usłyszał słowa sir Waltera:

– Z bólem serca muszę powiedzieć: jaki ojciec, taki syn.

– Zgadzam się – odrzekł lord Harvey. – Miałem zawsze wysokie mniemanie o tym chłopcu, co sprawia, że to jego zachowanie budzi we mnie tym większy niesmak.

– Nikt nie mógł być bardziej dumny niż ja, jako prezes zarządu szkoły, kiedy Giles został przewodniczącym samorządu szkolnego Liceum Bristolskiego – powiedział sir Walter.

– Zakładałem – powiedział lord Harvey – że te swoje przywódcze talenty, jakie objawiał tak często na boisku, spożytkuje teraz na polu walki.

– Jedyna dobra rzecz, jaka z tego wynika – zasugerował sir Walter – to to, że nie uważam już, że Harry Clifton mógł być synem Hugona.

Giles zdecydowanym krokiem ruszył przez hol, mijając

drzwi do pokoju śniadaniowego, i wyszedł na zewnątrz drzwiami frontowymi. Wsiadł do samochodu i ruszył w długą drogę powrotną do West Country.

Następnego dnia rano zaparkował auto przed biurem werbunkowym. Jeszcze raz stanął w kolejce, ale tym razem nie do biura Królewskiego Pułku z Gloucesteru, lecz innego, po drugiej stronie rzeki Avon, gdzie nowi rekruci zaciągali się do Pułku z Wessex.

Kiedy wypełnił formularz, raz jeszcze został poddany skrupulatnemu badaniu lekarskiemu. Tym razem na pytanie lekarza: – Czy wiadomo panu o jakichkolwiek dziedzicznych chorobach w rodzinie, które mogłyby uniemożliwić panu wykonywanie czynnej służby? – jego odpowiedź brzmiała: – Nie, panie doktorze.

12

Następnego dnia w południe Giles opuścił jeden świat i wkroczył w inny.

Trzydziestu sześciu rekrutów, których nie łączyło nic poza tym, że przeszli na żołd króla, wgramoliło się do wagonu razem ze swoim kapralem, który był im odtąd niańką. Kiedy pociąg opuścił stację, Giles wyglądał przez brudne okno wagonu trzeciej klasy i miał pewność tylko co do jednego: kierują się na południe. Ale dopiero kiedy cztery godziny później pociąg wtoczył się na peron w Lympstone, przekonał się, jak daleko na południe.

Przez całą drogę Giles siedział w milczeniu i uważnie przysłuchiwał się rozmowom mężczyzn, którzy mieli być jego kompanami przez najbliższych dwanaście tygodni. Kierowca autobusu z Filton, policjant z Long Ashton, rzeźnik z Broad Street, robotnik budowlany z Nailsea i farmer z Winscombe.

Kiedy wysiedli z pociągu, kapral popędził ich do czekającego już autobusu.

– Dokąd jedziemy? – zapytał rzeźnik.

– Dowiesz się w swoim czasie, chłopcze – odpowiedział kapral z akcentem zdradzającym, że pochodzi ze Szkocji.

Przez godzinę autobus telepał się przez Dartmoor, aż w końcu nie było śladu jakichkolwiek zabudowań czy ludzi, czasem tylko jakiś jastrząb szybował w górze, wypatrując zdobyczy.

W końcu zatrzymali się przed kompleksem posępnych zabudowań z tablicą informacyjną „Koszary Ypres: Obóz szkoleniowy Pułku z Wessex". Widok ten nie podniósł Gilesa na duchu. Z portierni wyszedł żołnierz i podniósł szlaban, aby autobus mógł przejechać jeszcze kilkadziesiąt metrów, zanim zatrzyma się na środku placu apelowego. Jakaś samotna postać czekała, aż wysiądą.

Kiedy Giles wyszedł z autobusu, stanął twarzą w twarz z ogromnym mężczyzną o potężnym torsie, ubranym w mundur koloru khaki, który wydawał się wrośnięty jak drzewo w plac apelowy. Na piersiach miał trzy rzędy medali, a spod lewej pachy wystawała mu oficerska laska, ale Gilesa najbardziej uderzyły ostre jak brzytwa kanty spodni i buty tak wyglancowane, że można się było w nich przejrzeć.

– Witam panów – powiedział mężczyzna głosem, który rozszedł się grzmiącym echem po placu apelowym.

Ten facet nie potrzebuje megafonu, pomyślał Giles.

– Nazywam się Dawson, starszy sierżant sztabowy Dawson. Macie zwracać się do mnie per „panie sierżancie". Moim zadaniem jest zrobić z was, bandy bałaganiarzy, gotowy do walki oddział w ciągu zaledwie dwunastu tygodni. Dopiero wtedy będziecie mogli uważać się za żołnierzy Pułku z Wessex, najlepszego spośród regularnych pułków piechoty. Przez następnych dwanaście tygodni będę wam matką, ojcem i ukochaną, i, wierzcie mi, mam tylko jeden cel w życiu. Sprawić, że jak spotkacie swojego pierwszego Niemca, zdołacie go zabić, zanim on zabije was. Zaczynamy jutro o piątej rano.

Rozległ się pomruk niezadowolenia, który sierżant sztabowy zignorował.

– Na razie powierzam was kapralowi McCloudowi, który zaprowadzi was do kantyny, a potem zainstalujecie się w koszarach. Postarajcie się dobrze wyspać, bo jak znowu się zobaczymy, przyda się wam każdy gram energii. Kapralu, do dzieła.

Giles usiadł przed talerzem z kotletem rybnym, którego składniki nigdy nie widziały słonej wody, i po jednym łyku letniej brązowej cieczy udającej herbatę odstawił kubek na stół.

– Jeśli nie jesz tego kotleta, to może mi go odstąpisz? – zapytał siedzący obok niego młody mężczyzna.

Giles skinął głową i zamienili się talerzami. Sąsiad odezwał się znowu dopiero wtedy, gdy pochłonął podarowaną mu kolację.

– Znam twoją mamę – powiedział.

Giles spojrzał na niego, zastanawiając się, jak to możliwe.

– Jesteśmy dostawcami mięsa dla Manor House i Barrington Hall – ciągnął mężczyzna. – Lubię twoją mamę. Bardzo miła pani. Przy okazji, jestem Bates, Terry Bates. – Uścisnął mocno dłoń Gilesa. – Nigdy nie przypuszczałem, że będę kiedyś siedział koło ciebie.

– Dobra, chłopaki, teraz idziemy się zakwaterować – oznajmił kapral.

Rekruci zerwali się z ławek i wyszli za nim z kantyny, po czym zostali poprowadzeni przez plac apelowy do baraku z blachy falistej w kształcie przeciętej na pół beczki, z wymalowanym na drzwiach napisem MARNA. To kolejne odznaczenie bojowe Pułku z Wessex, wyjaśnił im, otwierając drzwi do ich nowego domu.

Trzydzieści sześć łóżek, osiemnaście po każdej ze stron, stłoczono na powierzchni nie większej niż jadalnia w Barrington Hall. Gilesa ulokowano pomiędzy Atkinsonem i Batesem. Trochę jak w szkolnym internacie, pomyślał, choć w ciągu paru następnych dni dostrzegł jednak kilka różnic.

– Dobra, chłopaki, czas się rozbierać i uderzyć w kimono.

Zanim jeszcze ostatni rekrut zdążył wejść do łóżka, kapral zgasił światło i ryknął:

– Postarajcie się trochę przespać. Przed wami ciężki dzień od samego rana.

Giles wcale by się nie zdziwił, gdyby, jak Fisher, dyżurny starosta w jego szkole, dodał, że po zgaszeniu światła nie wolno rozmawiać.

Tak jak obiecano, światła zapalono o piątej rano. Zresztą Giles nie miał szansy spojrzeć na zegarek, kiedy sierżant Dawson wszedł do baraku i wrzasnął:

– Ten, kto ostatni postawi obie nogi na ziemi, pewnie pierwszy dostanie bagnetem od szkopa!

Wiele stóp szybko dosięgło podłogi, podczas gdy sierżant kroczył już przejściem wzdłuż rzędów łóżek, uderzając pałką w poręcz, jeśli właściciel łóżka wciąż jeszcze tego nie zrobił.

– Teraz słuchajcie, i to uważnie – ciągnął. – Daję wam cztery minuty na umycie się i ogolenie, cztery na zaścielenie łóżka, cztery na ubranie się i osiem na śniadanie. Razem dwadzieścia minut. Nie radzę rozmawiać, bo nie macie chwili do stracenia, a zresztą i tak mówić wolno tylko mnie. Jasne?

– Jasne jak słońce, panie sierżancie – powiedział Giles, co wywołało stłumiony śmiech zaskoczonych słuchaczy.

Chwilę później stanął przed nim sierżant.

– Jeśli kiedykolwiek otworzysz usta, chłoptasiu – warknął, kładąc pałkę na ramieniu Gilesa – to tylko po to, żebym usłyszał „tak jest, panie sierżancie", „nie, panie sierżancie" albo „rozkaz, panie sierżancie". Jasne?

– Tak jest, panie sierżancie! – potwierdził Giles.

– Chyba cię nie usłyszałem, chłoptasiu.

– Tak jest, panie sierżancie! – wrzasnął Giles.

– To już lepiej. A teraz wal do umywalni, ty niegrzeczny chłoptasiu, zanim dam ci karniaka.

Giles nie miał pojęcia, co oznacza dostać karniaka, ale nie mogło to być nic miłego.

Bates wychodził już z umywalni, kiedy Giles dopiero się tam zjawił. Zanim się ogolił, Bates zdążył już posłać łóżko, ubrać się i ruszyć w kierunku kantyny. Kiedy Giles w końcu go dogonił, usiadł na ławce naprzeciwko.

– Jak ty to robisz? – zapytał Giles, pełen podziwu.

– Co robię? – zdziwił się Bates.

– Jesteś już całkiem rozbudzony, kiedy cała reszta jest na wpół śpiąca.

– To proste. Jestem rzeźnikiem, jak mój tata. Co rano o czwartej jestem już na nogach i ruszam na targ. Jeśli chcę załapać się na najlepszy towar, muszę być na miejscu, kiedy przychodzi dostawa z portu albo ze stacji. Wystarczy, że się spóźnię kilka minut, i już dostaję towar drugiego sortu. Jeszcze pół godziny spóźnienia, i już tylko ochłapy, a twoja mama nie podziękowałaby mi za coś takiego, no nie?

Giles wybuchnął śmiechem, a Bates zerwał się i ruszył z powrotem do koszar, gdzie przekonał się, że sierżant nie przewidział czasu na mycie zębów.

Większa część ranka upłynęła „kotom", jak ich tam nazywano, na fasowaniu mundurów, przy czym niektóre wyglądały tak, jakby miały już wcześniej innych właścicieli. Następnie berety, pasy, buty, hełmy, bielidło do pasów, proszek do czyszczenia elementów mosiężnych i pasta do butów. Kiedy zostali już w ten sposób wyposażeni, wyprowadzono ich na plac apelowy na pierwszą musztrę. Ponieważ Giles zaliczył kiedyś, co prawda bez większego entuzjazmu, służbę w szkolnym Połączonym Korpusie Kadetów, miał w tym względzie pewną przewagę, ale czuł, że bardzo szybko Terry Bates mu dorówna.

W południe zaprowadzono ich do kantyny. Giles był tak głodny, że zjadł prawie wszystko, co dawali. Po lunchu rekruci wrócili do koszar i przebrali się w strój treningowy, po czym zostali pognani do sali gimnastycznej. Giles po cichu dziękował swojemu instruktorowi od wychowania fizycznego, że nauczył go wspinać się po linie, balansować na równoważni i rozciągać mięśnie na drabinkach. Nie mógł nie zauważyć, że Bates naśladuje każdy jego ruch.

Popołudnie zakończyło się biegiem przez dewońskie wrzosowiska na dystansie pięciu mil. Tylko ośmiu spośród trzydziestu sześciu rekrutów przekroczyło bramę koszar równocześnie z instruktorem. Jednemu nawet udało się po drodze zgubić i trzeba było wysłać za nim ekipę poszukiwawczą. Po podwieczorku zarządzono, jak określił to sierżant sztabowy Dawson, czas na rekreację, co dla większości chłopaków oznaczało możliwość rzucenia się na łóżko i zapadnięcia w głęboki sen.

Następnego dnia o piątej rano drzwi baraku znowu gwałtownie się otworzyły i tym razem kilka par stóp dotykało już podłogi, zanim jeszcze sierżant zapalił światło. Po śniadaniu była kolejna godzina musztry na placu apelowym i już prawie wszyscy równali krok. Następnie nowi rekruci usiedli kołem na trawie i uczyli się rozkładać, czyścić i ładować karabin. Kapral jednym pewnym ruchem przeciągnął regulaminową flanelkę dziesięć na pięć centymetrów przez lufę, przypominając im, że nabój nie wie, którym końcem do przodu został załadowany.

– Więc postarajcie się, żeby kula wyleciała z przodu lufy, a nie wypaliła do tyłu i was zabiła.

Popołudnie spędzono na strzelnicy, gdzie instruktorzy uczyli rekrutów, jak solidnie oprzeć kolbę o bark, wycelować dokładnie w sam środek tarczy i nacisnąć spust delikatnie, a nie zrywem. Tym razem Giles wdzięczny był dziadkowi za te liczne godziny, jakie spędzili razem na jego terenach łowieckich, polując na kuropatwy, bo dzięki temu trafiał teraz zawsze w dziesiątkę.

Dzień zakończył się kolejnym pięciomilowym biegiem, podwieczorkiem, „rekreacją" i wyłączeniem światła o dziesiątej. Większość rekrutów padła na łóżka na długo przedtem, pragnąc, żeby następnego ranka słońce nie wzeszło albo żeby przynajmniej sierżant umarł we śnie. Ich życzenia nie spełniły się. Giles miał wrażenie, że ten pierwszy tydzień w wojsku ciągnął się miesiąc, ale pod koniec drugiego zaczynał już oswajać się z codziennym porządkiem zajęć, choć nigdy nie udało mu się dotrzeć do umywalni przed Batesem.

Chociaż podstawowy trening nie sprawiał mu większej przyjemności niż kolegom, Giles uwielbiał rywalizację. Ale musiał przyznać, że z każdym dniem coraz trudniej przychodziło mu oderwać się od depczącego mu po piętach rzeźnika z Broad Street. Bates umiał oddać cios za cios na ringu, trafiał w dziesiątkę na strzelnicy, a kiedy zaczęli chodzić w ciężkich wojskowych buciorach i biegać pięć mil z karabinem na plecach, mężczyzna, który przez wiele lat przenosił na swych barkach wołowe tusze, rano, w południe i w nocy, nagle stał się o wiele trudniejszym do pokonania rywalem.

Kiedy dobiegł końca szósty tydzień, nikogo nie zdziwiło, że to Barrington i Bates zostali awansowani na starszych szeregowych i że każdy z nich stanął na czele własnej drużyny.

Ledwie przyszyli sobie paski na naramiennikach, a już obie

drużyny zaczęły zaciekle z sobą rywalizować; nie tylko na placu apelowym czy w sali gimnastycznej, ale zawsze gdy tylko ćwiczyli prowadzenie walki w warunkach nocnych lub brali udział w ćwiczeniach w polu i w przegrupowywaniu pododdziałów. Pod koniec każdego dnia, jak para uczniaków, kłócili się o to, kto wygrał. Często sierżant musiał ich rozdzielać.

W miarę jak zbliżał się dzień defilady promocyjnej, Giles wyczuwał pewną dumę u żołnierzy obu drużyn, bo zaczynali oni wierzyć, że kiedy nadejdzie ten dzień, będą być może godni nazywać siebie żołnierzami Pułku z Wessex; niemniej sierżant sztabowy wciąż ostrzegał ich, że wkrótce będą musieli wziąć udział w prawdziwej bitwie, przeciwko prawdziwemu wrogowi, z prawdziwymi kulami. Przypominał im też, że nie będzie go w pobliżu, żeby trzymać ich za rączkę. Po raz pierwszy Giles przyznał przed samym sobą, że będzie mu brakowało tego cholernego faceta.

– Jeszcze im pokażemy!– odgrażał się Bates.

Kiedy w końcu w piątek po dwunastu tygodniach odbyła się ceremonia promocji, Giles zakładał, że wróci do Bristolu razem z innymi chłopakami, aby przyjemnie spędzić w domu weekend na przepustce, zanim w poniedziałek stawi się w kwaterze pułkowej. Jednak kiedy tego popołudnia schodził z placu apelowego, sierżant wziął go na stronę.

– Kapralu Barrington, macie się zameldować natychmiast u majora Radcliffe'a.

Giles zapytałby go, w jakim celu, ale wiedział, że i tak nie dostałby odpowiedzi.

Przeszedł przez plac i zapukał do drzwi biura szefa administracji, którego widywał czasem tylko z daleka.

– Wejść – usłyszał.

Giles wszedł, stanął na baczność i zasalutował.

– Barrington – powiedział major Radcliffe po odsalutowaniu. – Mam dla was dobrą wiadomość. Zostaliście przyjęci do szkoły oficerskiej.

Giles nie wiedział nawet, że brano go pod uwagę jako kandydata na patent oficerski.

– Jutro rano udacie się prosto do Aldershot, gdzie w poniedziałek rozpoczniecie kurs wstępny w Szkole Podchorążych Mons. Gratuluję i życzę powodzenia.

– Dziękuję, panie majorze – powiedział Giles i zapytał: – Czy Bates pojedzie ze mną?

– Bates? – zdziwił się major. – Macie na myśli kaprala Batesa?

– Tak jest, panie majorze.

– Na Boga, nie – odparł szef administracji. – To nie jest materiał na oficera.

Giles miał tylko nadzieję, że Niemcy są równie krótkowzroczni w doborze swoich oficerów.

Kiedy następnego dnia po południu Giles stawił się w Szkole Podchorążych Mons w Aldershot, nie był przygotowany na to, jak szybko miało się znowu odmienić jego życie. Dopiero po pewnym czasie przyzwyczaił się, że kaprale, sierżanci, a nawet sierżant sztabowy zwracali się do niego per „panie podchorąży".

Miał własny, osobny pokój, drzwi nie otwierały się gwałtownie o piątej rano i żaden podoficer nie walił laską w poręcz łóżka, żądając, aby obie jego stopy spoczywały już na podłodze. Drzwi otwierały się tylko wtedy, kiedy Giles miał ochotę je otworzyć. Śniadanie jadł w kantynie z grupą młodych mężczyzn, których nie trzeba było uczyć, jak trzymać nóż i widelec, choć niektórzy z nich sprawiali wrażenie, że nigdy nie nauczą się prawidłowo trzymać karabinu, a co dopiero w gniewie z niego wystrzelić. Ale za parę tygodni to oni będą na froncie dowodzić zawodowymi żołnierzami, których życie będzie zależeć od ich oceny sytuacji.

Giles dołączył do tych mężczyzn w sali lekcyjnej, gdzie uczono ich historii wojskowości, geografii, czytania mapy, taktyki bojowej, niemieckiego i sztuki dowodzenia. Jeśli czegoś nauczył się od rzeźnika z Broad Street, to tego, że sztuki dowodzenia nie można nikogo nauczyć.

Osiem tygodni później ci sami młodzi ludzie stali na placu apelowym, gdzie podczas ceremonii promocji otrzymali królewski patent oficerski. Każdy dostał dwie gwiazdki z koroną, po jednej na każde ramię, obciągniętą brązową skórą oficerską laskę i list gratulacyjny od wdzięcznego króla.

Giles pragnął jedynie dołączyć znowu do swojego pułku i być ze starymi towarzyszami, ale wiedział, że to nie będzie możliwe, gdyż kiedy schodził z placu apelowego tego piątkowego popołudnia, kaprale, sierżanci i, tak, nawet sierżant sztabowy salutowali mu pierwsi.

Sześćdziesięciu młodych podporuczników opuściło tego popołudnia Aldershot, udając się we wszystkie strony kraju, aby spędzić weekend ze swoimi rodzinami, niektórzy po raz ostatni.

Większą część soboty Giles spędził w drodze powrotnej do West Country, wskakując i wyskakując z pociągów. Dotarł do Manor House w samą porę, aby zasiąść z matką do kolacji.

Kiedy Elizabeth po raz pierwszy ujrzała młodego porucznika w holu, nawet nie starała się ukryć swojej dumy z syna.

Giles żałował, że ani Emmy, ani Grace nie było w domu i że nie zobaczyły go w mundurze. Matka wyjaśniła mu, że Grace, która zalicza w Cambridge drugi trymestr, rzadko przyjeżdża do domu, nawet w czasie wakacji.

Przy jednodaniowym posiłku podanym przez Jenkinsa – kilka osób z domowego personelu było na froncie i nie usługiwało przy stole, wyjaśniła matka – Giles opowiedział jej, jak było w obozie szkoleniowym w Dartmoor. Kiedy usłyszała o Terrym Batesie, westchnęła.

– Bates i Syn, kiedyś najlepsi rzeźnicy w Bristolu.

– Kiedyś?

– Wszystkie sklepy na Broad Street zostały zrównane z ziemią, tak więc pozbawiono nas usług naszego rzeźnika Batesa. Ci Niemcy odpowiedzą nie tylko za to.

Giles zachmurzył się.

– A co u Emmy? – spytał.

– Ma się świetnie... gdyby nie...

– Gdyby nie co? – chciał wiedzieć Giles.

Matka milczała przez chwilę, zanim dodała:

– Byłoby lepiej, gdyby Emma urodziła córkę, a nie syna.

– Dlaczego jest to takie ważne? – zapytał, dolewając sobie wina.

Matka spuściła głowę, ale nic nie powiedziała.

– O Boże – westchnął Giles, kiedy dotarło do niego, co oznaczają jej słowa. – Zakładałem, że skoro Harry nie żyje, to ja odziedziczyłbym...

– Obawiam się, że niczego nie można zakładać, kochanie – powiedziała matka, podnosząc na niego wzrok. – A w każdym razie dopóki nie zostanie ustalone, że twój ojciec nie jest również ojcem Harry'ego. Póki co, zgodnie z warunkami testamentu twojego pradziadka, to Sebastian ma odziedziczyć tytuł.

Przez resztę posiłku Giles prawie nic już nie mówił, starając się uzmysłowić sobie znaczenie tych słów. Kiedy podano kawę, matka oznajmiła, że czuje się zmęczona, i poszła spać.

Kiedy chwilę potem Giles szedł na górę do swojego pokoju, nie mógł oprzeć się chęci wstąpienia do pokoju dziecinnego, aby zobaczyć swojego chrześniaka. Siedział sam chwilę z dziedzicem tytułu Barringtonów. Sebastian spał zdrowo, najwyraźniej nie przejmując się wojną, a już z pewnością nie myśląc o testamencie dziadka Gilesa ani o znaczeniu słów „i wszystko, co do niego przynależy".

Następnego dnia Giles zjadł lunch w towarzystwie swoich dwóch dziadków w klubie Savage. Atmosfera była zupełnie inna niż w ów weekend pięć miesięcy wcześniej w Zamku Mulgelrie. Obaj staruszkowie zdawali się interesować tylko tym, dokąd zostanie wyespediowany jego pułk.

– Nie mam pojęcia – odparł Giles, który sam byłby rad to wiedzieć; ale jego odpowiedź brzmiałaby tak samo, nawet gdyby wiedział, chociaż ci dwaj szacowni dżentelmeni byli weteranami wojny burskiej.

Porucznik Barrington wstał wcześnie w poniedziałkowy ranek i po śniadaniu spożytym wraz z matką został odwieziony przez Hudsona do kwatery głównej Pierwszego Pułku z Wessex. Zatrzymał ich nieustający strumień czołgów, wozów opancerzonych i ciężarówek wylewający się przez główną bramę. Giles wysiadł z auta i poszedł pieszo do wartowni.

– Dzień dobry, panie poruczniku – przywitał go kapral, salutując energicznie.

Giles nie przywykł jeszcze, że inni salutują mu pierwsi.

– Szef administracji, major Radcliffe, polecił, żeby zameldował się pan w jego biurze, jak tylko pan przyjdzie.

– Chętnie bym to zrobił – powiedział Giles, oddając salut – gdybym wiedział, gdzie pan major ma swoje biuro.

– Po drugiej stronie dziedzińca, panie poruczniku, zielone drzwi. Trafi pan bez trudu.

Giles przeszedł przez dziedziniec, odsalutowując jeszcze kilka razy, zanim dotarł do biura.

Kiedy wszedł, major Radcliffe podniósł na niego wzrok znad biurka.

– Ach, Barrington, witaj, chłopie. Cieszę się, że znowu cię widzę – powiedział. – Nie byliśmy pewni, czy zdążysz na czas.

– Na czas na co, panie majorze? – spytał Giles.

– Pułk zostaje wyekspediowany za granicę i pułkownik uznał, że powinniśmy dać ci szansę dołączenia do nas albo pozostania tutaj i zabrania się z następną wycieczką.

– Dokąd jedziemy, panie majorze?

– Nie mam bladego pojęcia, chłopie. Za niska ranga. Ale jedno na pewno mogę ci powiedzieć, będziemy mieć stamtąd o wiele bliżej do Niemców niż do Bristolu.

HARRY CLIFTON

1941

13

Harry nigdy nie zapomni dnia, w którym Lloyd został zwolniony z Lavenham, i choć wcale nie żałował, że Max wychodzi, to zaskoczyły go słowa, jakie wypowiedział na pożegnanie.

– Czy mógłbyś wyświadczyć mi przysługę, Tom? – zapytał Lloyd, kiedy po raz ostatni wymieniali uścisk dłoni. – Z wielką przyjemnością czytałem twoje dzienniki i chciałbym dalej móc je czytać. Gdybyś zechciał przesyłać mi je na ten adres – powiedział, wręczając Harry'emu swoją kartę wizytową, jakby był już na wolności – zwracałbym ci je przed upływem tygodnia.

Harry'emu to pochlebiało, więc zgodził się posyłać Maksowi każdy zeszyt, kiedy tylko zapisze go do końca.

Następnego dnia rano zajął swoje miejsce za biurkiem bibliotekarza, ale nie zamierzał zabrać się do czytania wczorajszej gazety, dopóki nie wykona swoich obowiązków. Nadal co wieczór aktualizował swoje zapiski w dzienniku, a kiedy zeszyt się skończył, wysyłał najnowszy plon swoich wysiłków do Maksa Lloyda. Odczuwał ulgę i był nawet trochę zaskoczony, że zawsze wracały do niego zgodnie z obietnicą.

W miarę upływu kolejnych miesięcy Harry zaczął oswajać się z faktem, że życie więzienne to głównie codzienna rutyna i przyziemna doczesność, dlatego kiedy pewnego ranka naczelnik wpadł do biblioteki, wymachując egzemplarzem „New York Timesa", był zaskoczony. Odłożył na bok stos książek, które wstawiał z powrotem na półki.

– Czy mamy mapę Stanów Zjednoczonych? – zapytał podekscytowany Swanson.

– Tak, oczywiście – odparł Harry. Podszedł szybko do księgozbioru podręcznego i wyciągnął egzemplarz *Mapy Ameryki*

Huberta. – Interesuje pana jakieś konkretne miejsce, panie naczelniku?

– Pearl Harbor.

W ciągu następnej doby na ustach wszystkich, zarówno więźniów, jak i strażników, było tylko jedno pytanie. Kiedy Ameryka przystąpi do wojny?

Następnego dnia rano Swanson znowu pojawił się w bibliotece.

– Prezydent Roosevelt ogłosił właśnie przez radio, że Stany Zjednoczone wypowiedziały wojnę Japonii.

– To bardzo dobrze – powiedział Harry – ale kiedy Amerykanie pomogą nam pokonać Hitlera?

Pożałował użycia słowa „nam", kiedy tylko je wypowiedział. Spojrzał na Swansona, który przyglądał mu się pytająco, i szybko wrócił do układania na półkach zwróconych poprzedniego dnia książek.

Harry poznał odpowiedź kilka tygodni później, kiedy Winston Churchill wszedł na pokład *Queen Mary* i popłynął do Waszyngtonu na rozmowy z amerykańskim prezydentem. Zanim jeszcze premier wrócił do Anglii, Roosevelt wyraził już zgodę, aby Stany Zjednoczone wzięły udział w wojnie w Europie i przyczyniły się do pokonania nazistowskich Niemiec.

Harry zapełniał swój dziennik, strona po stronie, reakcjami współwięźniów na wiadomość, że ich kraj jest w stanie wojny. Stwierdził, że większość z nich zalicza się do jednej z dwóch kategorii, tchórzy lub bohaterów: tych, którzy cieszą się, że są bezpieczni, zamknięci w kryminale, i mają nadzieję, że działania wojenne zakończą się, zanim zostaną zwolnieni, i tych, którzy nie mogą się doczekać, kiedy wyjdą i ruszą na wroga, którego nienawidzą nawet bardziej niż strażników.

Kiedy Harry zapytał towarzysza z celi, do jakiej kategorii się zalicza, Quinn odparł:

– Spotkałeś kiedyś Irlandczyka, który nie chciałby wziąć udziału w jakiejś rozróbie?

Ze swej strony Harry czuł się jeszcze bardziej sfrustrowany, bo wierzył, że teraz, kiedy Amerykanie przystąpili do wojny, skończy się ona, zanim będzie miał szansę odegrać w niej swoją rolę. Po raz pierwszy, odkąd znalazł się w więzieniu, zaczął przemyśliwać o ucieczce.

Harry skończył właśnie czytać recenzję pewnej książki w „New York Timesie", kiedy do biblioteki wszedł funkcjonariusz Joyce i oznajmił mu:

– Masz się natychmiast zgłosić do naczelnika, Bradshaw.

Harry nie był zaskoczony, chociaż rzuciwszy raz jeszcze okiem na ogłoszenie na dole strony, zastanawiał się wciąż, czy Lloyd sobie wyobraża, że mu to ujdzie na sucho. Starannie złożył gazetę, odłożył na regał i wyszedł za funkcjonariuszem z biblioteki.

– Nie domyśla się pan, dlaczego naczelnik chce mnie widzieć? – zapytał, kiedy szli przez więzienny dziedziniec.

– Nie pytaj mnie – odparł Joyce, nie starając się ukryć sarkazmu. – Nigdy nie byłem jednym z powierników naczelnika.

Harry milczał przez resztę drogi. Kiedy znaleźli się przed drzwiami gabinetu naczelnika, Joyce zapukał delikatnie.

– Wejść – odezwał się dobrze znany głos.

Joyce otworzył drzwi i Harry wszedł do środka. Był zaskoczony, kiedy ujrzał nieznanego mu dotąd mężczyznę, który siedział naprzeciwko naczelnika. Miał na sobie mundur wojskowy i wyglądał tak elegancko, że Harry poczuł się zaniedbany. Mężczyzna ani na chwilę nie przestawał przyglądać się więźniowi.

Naczelnik wstał zza biurka.

– Dzień dobry, Tom.

Po raz pierwszy Swanson zwrócił się do niego po imieniu.

– To jest pułkownik Cleverdon z Piątego Pułku Teksaskich Rangerów*.

---

* Bataliony „rangerów" sformowano na początku II wojny światowej. Zostały wyszkolone, podobnie jak jednostki brytyjskich komandosów, do działań na tyłach wroga. Ich dowódca, generał Lucian Truscott, nazwał te nowe formacje Rangerami na cześć słynnych Rangerów

– Dzień dobry, panie pułkowniku – powiedział Harry.

Cleverdon podniósł się z krzesła i wymienił z Harrym uścisk dłoni; coś podobnego też przydarzyło się tu Harry'emu po raz pierwszy.

– Siadaj, Tom – powiedział Swanson. – Pułkownik chce ci przedstawić pewną propozycję.

Harry usiadł.

– Miło mi ciebie poznać, Bradshaw – zaczął pułkownik Cleverdon, siadając z powrotem na swoim miejscu. – Jestem dowódcą rangerów.

Harry spojrzał na niego pytająco.

– Nie znajdziesz nas w żadnych informatorach dla rekrutów. Zajmuję się szkoleniem żołnierzy, którzy zostaną zrzuceni na tyłach wroga z zadaniem wywołania tam możliwie jak największego chaosu, żeby ułatwić naszej piechocie wykonanie zadania. Nikt nie wie jeszcze, gdzie i kiedy nasze wojska będą lądować w Europie, ale ja będę jednym z pierwszych, którzy się o tym dowiedzą, ponieważ nasi chłopcy zostaną zrzuceni na spadochronach w rejonie celu na kilka dni przed inwazją.

Harry siedział w napięciu na samym brzeżku krzesła.

– Ale zanim balon pójdzie w górę, będę formował niewielki oddział specjalny, przygotowany na wszelką ewentualność. W jego skład będą wchodzić trzy grupy, każda będzie liczyć dziesięć osób: kapitan, sierżant, dwóch kaprali i sześciu szeregowców. W ciągu kilku ostatnich tygodni kontaktowałem się z naczelnikami więzień i pytałem, czy mają u siebie jakichś wyjątkowych ludzi, którzy nadawaliby się do udziału w takiej operacji. Twoje nazwisko jest jednym z dwóch zaproponowanych przez pana Swansona. Kiedy zapoznałem się z twoją przeszłością, Bradshaw, od momentu służby w marynarce, musiałem zgodzić się z panem naczelnikiem, że lepiej na tym wyjdziesz, jeśli włożysz mundur, zamiast marnotrawić swój czas tutaj.

---

majora Rogera, walczących z Francuzami i Indianami w 1756 roku (przyp. tłum.).

Harry zwrócił się do naczelnika:
– Dziękuję panu, ale czy mogę zapytać, kto jest tą drugą osobą?
– Quinn – powiedział Swanson. – Wy dwaj nastręczaliście mi tylu problemów w ciągu tych paru lat, że pomyślałem sobie, że powinniście teraz Niemcom dać się we znaki tymi swoimi podstępnymi zagraniami.
Harry uśmiechnął się.
– Jeśli zdecydujesz się przystąpić do nas, Bradshaw – ciągnął pułkownik – rozpoczniesz natychmiast ośmiotygodniowe szkolenie podstawowe, a następnie sześciotygodniowy kurs w zakresie zadań specjalnych. Zanim powiem coś więcej, chciałbym wiedzieć, czy jesteś zainteresowany.
– Kiedy zaczynam? – spytał Harry.
Pułkownik uśmiechnął się.
– Mój samochód stoi na dziedzińcu, z włączonym silnikiem.
– Zarządziłem już, aby wydano ci z magazynu twoje cywilne rzeczy – powiedział naczelnik. – Oczywiście powód twojego nagłego zniknięcia musimy zachować dla siebie. Gdyby ktoś pytał, powiem, że ty i Quinn zostaliście przeniesieni do innego zakładu.
Pułkownik skinął głową.
– Masz jakieś pytania, Bradshaw?
– Czy Quinn zgodził się wziąć w tym udział? – spytał Harry.
– Siedzi na tylnym siedzeniu mojego samochodu, prawdopodobnie zastanawia się, co cię tak długo zatrzymuje.
– Ale pan wie, za co siedzę, panie pułkowniku?
– Dezercja – odparł pułkownik Cleverdon. – Będę więc musiał mieć cię cały czas na oku, zgadza się? – Obaj się roześmiali. – Wejdziesz w skład mojej grupy jako szeregowy, ale zapewniam cię, Bradshaw, że twoja przeszłość nie będzie stać na przeszkodzie, abyś awansował. Jednakże, skoro już jesteśmy przy tym temacie, pożądana byłaby, ze względu na okoliczności, zmiana nazwiska. Nie chcielibyśmy, żeby jakiś mądrala

z wojskowych archiwów dostał twoje akta z marynarki wojennej i zaczął zadawać kłopotliwe pytania. Masz jakiś pomysł?

– Harry Clifton, panie pułkowniku – powiedział trochę zbyt pośpiesznie.

Naczelnik uśmiechnął się.

– Zawsze zastanawiałem się, jakie jest twoje prawdziwe nazwisko.

EMMA BARRINGTON

1941

14

Emma chciała jak najszybciej opuścić mieszkanie Kristin, uciec z Nowego Jorku i wrócić do Anglii. W Bristolu będzie mogła w samotności przeżywać swój ból i poświęcić życie wychowywaniu syna. Ale okazało się, że uciec nie jest wcale tak łatwo.

– Tak mi przykro – powiedziała Kristin, obejmując Emmę. – Nie miałam pojęcia, że pani nie wie, co się stało z Tomem.

Emma uśmiechnęła się słabo.

– Chcę, aby pani wiedziała – ciągnęła Kristin – że ja i Richard nawet przez moment nie wątpiliśmy, że on jest niewinny. Człowiek, którego pielęgnowałam i przywróciłam do życia, nie byłby zdolny do morderstwa.

– Dziękuję pani.

– Mam kilka zdjęć Toma zrobionych na *Kansas Star*. Chciałaby pani je zobaczyć? – spytała Kristin.

Emma skinęła głową z uprzejmości, choć nie interesowało jej oglądanie fotografii porucznika Toma Bradshawa. Postanowiła, że kiedy Kristin wyjdzie z pokoju, po cichu wymknie się z mieszkania i wróci do hotelu. Nie miała ochoty robić dalej z siebie idiotki przed zupełnie obcą osobą.

Gdy tylko Kristin wyszła, Emma się poderwała. Ten gwałtowny ruch spowodował, że strąciła ze stolika na podłogę swoją filiżankę, rozlewając resztkę kawy na dywan. Upadła na kolana i znowu się rozpłakała w chwili, gdy Kristin wchodziła już ze zdjęciami do pokoju.

Kiedy zobaczyła Emmę na kolanach, zalewającą się łzami, starała się ją pocieszyć.

– Proszę nie przejmować się dywanem, to drobiazg. Może pani sobie je obejrzy, a ja przez ten czas posprzątam?

Podała Emmie fotografie i szybko wyszła znowu z pokoju.

Emma pogodziła się z tym, że ucieczka się jej nie uda, wróciła więc na fotel i z ociąganiem zaczęła przyglądać się zdjęciom Toma Bradshawa.

– O mój Boże – powiedziała głośno.

Z niedowierzaniem wpatrywała się w zdjęcie Harry'ego stojącego na pokładzie statku, na tle Statui Wolności, a potem na kolejne, na tle drapaczy chmur na Manhattanie. Znowu do oczu napłynęły jej łzy, choć nie potrafiła sobie wytłumaczyć, jak to jest możliwe, że na zdjęciach jest jednak Harry. Z niecierpliwością czekała, aż Kristin wróci do pokoju. Po chwili sumienna pani domu zjawiła się z powrotem, uklękła i mokrą szmatką zaczęła usuwać z dywanu małą brązową plamę.

– Czy wie pani, co się stało z Tomem po tym, jak go aresztowano? – zapytała Emma z niepokojem.

– Czy nikt pani nie powiedział? – zdziwiła się Kristin, podnosząc na nią wzrok. – Widocznie nie mieli dość mocnych dowodów, aby skazać go za morderstwo, i Jelks go wybronił. Oskarżono go o dezercję z marynarki wojennej, Tom przyznał się do winy i dostał sześć lat.

Emma nie mogła zrozumieć, jak Harry mógł wylądować w więzieniu za przestępstwo, którego w żaden sposób nie mógł popełnić.

– Czy rozprawa odbyła się w Nowym Jorku?

– Tak – odparła Kristin. – Ponieważ jego adwokatem był Sefton Jelks, Richard i ja założyliśmy, że Tom nie potrzebuje pomocy finansowej.

– Chyba nic z tego nie rozumiem.

– Sefton Jelks jest głównym wspólnikiem jednej z najbardziej prestiżowych kancelarii adwokackich w Nowym Jorku, więc Tom miał przynajmniej dobrego obrońcę. Kiedy Jelks przyszedł do nas, aby porozmawiać o Tomie, wyglądał na szczerze zaangażowanego w sprawę. Wiem, że odwiedził także doktora Wallace'a i kapitana statku, i wszystkich nas zapewniał, że Tom jest niewinny.

– Czy wie pani, do którego więzienia go odesłali? – zapytała cichym głosem Emma.

– Lavenham, w północnej części stanu Nowy Jork. Richard i ja staraliśmy się o widzenie z nim, ale mecenas Jelks powiedział nam, że Tom nie chce nikogo widzieć.

– Jest pani dla mnie tak uprzejma – powiedziała Emma. – Ale czy mogłabym mieć jeszcze jedną małą prośbę? Czy pozwoliłaby mi pani zatrzymać jedną z tych fotografii?

– Proszę wziąć sobie wszystkie – odpowiedziała Kristin. – Richard zrobił ich mnóstwo, zawsze robi dużo zdjęć. Fotografowanie to jego hobby.

– Nie chciałabym już zabierać pani więcej czasu – powiedziała Emma, podnosząc się niepewnie z fotela.

– Wcale nie zabiera mi pani czasu – odparła Kristin. – To, co przydarzyło się Tomowi, było dla nas obojga zupełnie niezrozumiałe. Kiedy go pani zobaczy, proszę przekazać mu od nas najlepsze życzenia – powiedziała Kristin, kiedy wychodziły z pokoju. – I gdyby chciał, żebyśmy go odwiedzili, to zrobimy to z wielką przyjemnością.

– Dziękuję – powiedziała Emma, kiedy łańcuszek u drzwi został znowu zdjęty.

Otwierając je, Kristin powiedziała:

– Oboje widzieliśmy, że Tom jest w kimś strasznie zakochany, ale nie zdradził nam, że jest pani Angielką.

15

Emma zapaliła lampkę przy łóżku i jeszcze raz obejrzała uważnie fotografie Harry'ego stojącego na pokładzie *Kansas Star*. Wyglądał na bardzo szczęśliwego, zrelaksowanego człowieka, najwyraźniej nieświadomego tego, co go czeka, kiedy zejdzie na ląd.

Zapadała w sen, to znów budziła się, próbując cały czas zrozumieć, dlaczego Harry gotów był poddać się procesowi o morderstwo i dlaczego przyznał się do dezercji z marynarki wojennej, do której nigdy się nie zaciągnął. Doszła do wniosku, że tylko Sefton Jelks może odpowiedzieć jej na te pytania. Musi więc przede wszystkim umówić się z nim na rozmowę.

Spojrzała na zegar przy łóżku: dwadzieścia jeden po trzeciej. Wstała, włożyła szlafrok, usiadła przy stoliku i zapełniła kilka kartek hotelowego papieru listowego notatkami, przygotowując się do rozmowy z Seftonem Jelksem. Przypominało jej to trochę przygotowywanie się do egzaminu.

O szóstej wzięła prysznic i ubrała się, po czym zeszła na dół na śniadanie. Na jej stoliku ktoś zostawił egzemplarz „New York Timesa" i Emma pobieżnie przejrzała go, zatrzymując się na jednym tylko artykule, który zaczęła czytać. Amerykanie pesymistycznie odnosili się do możliwości odparcia przez Brytyjczyków niemieckiej inwazji, która wydawała się coraz bardziej prawdopodobna. Nad zdjęciem Winstona Churchilla, z nieodłącznym cygarem w ustach, stojącego na białych klifach Dover i spoglądającego wyzywająco ku drugiej stronie kanału La Manche, widniał nagłówek: „Będziemy walczyć z nimi na plażach".

Emma poczuła się winna z powodu tego, że jest tak daleko od ojczyzny. Musi odnaleźć Harry'ego, uwolnić go z więzienia i razem z nim wrócić do Bristolu.

Recepcjonista w hotelu zajrzał do książki telefonicznej Manhattanu pod Jelks, Myers & Abernathy, zapisał na karteczce adres na Wall Street i podał Emmie.

Taksówką dojechała pod ogromny budynek ze stali i szkła, prawdziwy drapacz chmur. Przeszła przez drzwi obrotowe i zaczęła studiować wiszącą na ścianie dużą tablicę z nazwami wszystkich firm mieszczących się na czterdziestu ośmiu kondygnacjach. Kancelaria Jelks, Myers & Abernathy zajmowała piętra od dwudziestego do dwudziestego drugiego; wszelkich informacji udzielała recepcja na dwudziestym piętrze.

Emma dołączyła do tłumku mężczyzn w garniturach z szarej flaneli, którzy zapełnili pierwszą wolną windę. Kiedy wyszła na dwudziestym piętrze, zobaczyła trzy elegancko ubrane kobiety w białych bluzkach z rozchylonymi kołnierzykami i w czarnych spódniczkach, które siedziały za kontuarem – jeszcze jedna rzecz, której nie widywała w Bristolu. Pewnym krokiem podeszła do kontuaru.

– Chciałabym zobaczyć się z mecenasem Jelksem.

– Czy jest pani umówiona? – zapytała uprzejmie recepcjonistka.

– Nie – przyznała Emma, która dotąd miewała do czynienia tylko z miejscowym bristolskim adwokatem, zawsze gotowym do usług, kiedy tylko zjawiał się ktoś z rodziny Barringtonów.

Recepcjonistka spojrzała na nią zaskoczona. Klienci nie zjawiali się w recepcji tak ni stąd, ni zowąd, żeby zobaczyć się z głównym wspólnikiem; najpierw pisali lub telefonowała ich sekretarka, żeby zarezerwować termin spotkania w napiętym kalendarzu mecenasa Jelksa.

– Jeśli zechce pani podać mi swoje nazwisko, porozmawiam z jego asystentem.

– Emma Barrington.

– Proszę usiąść, panno Barrington. Zaraz ktoś się panią zajmie.

Emma siedziała sama w niewielkiej wnęce. „Zaraz" przeciągnęło się do ponad pół godziny, kiedy zjawił się mężczyzna w szarym garniturze z różowym notesem w ręku.

– Nazywam się Samuel Anscott – powiedział, wyciągając dłoń. – Rozumiem, że chce się pani zobaczyć z głównym wspólnikiem?

– Zgadza się.

– Jestem jego asystentem – powiedział Anscott, siadając w fotelu naprzeciw Emmy. – Pan mecenas polecił mi dowiedzieć się, dlaczego chce pani z nim rozmawiać.

– To prywatna sprawa – odrzekła Emma.

– Obawiam się, że nie zechce z panią rozmawiać, jeśli nie będę mógł mu powiedzieć, o co chodzi.

Emma zacisnęła wargi.

– Jestem przyjaciółką Harry'ego Cliftona.

Uważnie obserwowała Anscotta, ale było oczywiste, że to nazwisko nic mu nie mówi, choć odnotował je w swoim żółtym notesie.

– Mam podstawy sądzić, że Harry Clifton został aresztowany za zabójstwo Adama Bradshawa i że mecenas Jelks reprezentował go przed sądem.

Tym razem nazwisko wywołało pewną reakcję i pióro asystenta poruszało się po notesie żwawiej.

– Chcę się zobaczyć z mecenasem Jelksem, aby się dowiedzieć, jak prawnik o jego renomie mógł dopuścić do tego, że mój narzeczony stanął przed sądem zamiast Thomasa Bradshawa.

Na twarzy młodego człowieka pojawił się wyraźny grymas dezaprobaty. Najwyraźniej nie był przyzwyczajony, aby ktoś w ten sposób wyrażał się o jego pryncypale.

– Nie mam pojęcia, o czym pani mówi, panno Barrington – powiedział, zgodnie z prawdą, jak podejrzewała Emma. – Ale przekażę panu mecenasowi pani słowa i skontaktuję się z panią, jeśli będzie pani uprzejma zostawić mi swój adres.

– Zatrzymałam się w hotelu Mayflower – powiedziała Emma – i jestem gotowa spotkać się z panem Jelksem w każdej chwili.

Anscott zapisał coś jeszcze w swoim notatniku, wstał i lekko skinął głową, ale tym razem nie wyciągnął dłoni na pożegnanie. Emma była pewna, że pan mecenas nie każe jej czekać długo na spotkanie.

Wróciła do hotelu taksówką i usłyszała dzwonek telefonu w swoim pokoju, zanim jeszcze otworzyła drzwi. Pobiegła przez pokój do aparatu, ale kiedy podniosła słuchawkę, połączenie zostało już przerwane.

Usiadła przy biurku i zaczęła pisać do matki, aby przekazać jej, że szczęśliwie dotarła do Nowego Jorku, chociaż nie wspomniała o tym, że ma już pewność, iż Harry żyje. Zrobi to dopiero wtedy, kiedy zobaczy go we własnej osobie. Była na trzeciej stronie listu, kiedy telefon odezwał się ponownie. Podniosła słuchawkę.

– Dzień dobry, panno Barrington.

– Dzień dobry, panie Anscott – powiedziała, nie mając wątpliwości, kto dzwoni.

– Przedstawiłem panu Jelksowi pani prośbę o spotkanie, ale niestety pan mecenas nie może się z panią zobaczyć z powodu sprzeczności interesów, ponieważ w tej sprawie reprezentuje już innego klienta. Bardzo mu przykro, ale nie może pani pomóc.

Połączenie zostało przerwane.

Emma siedziała przy biurku oniemiała, ściskając wciąż w ręku słuchawkę. W uszach dźwięczały jej słowa „sprzeczność interesów". Czy rzeczywiście jest jakiś inny klient, a jeśli tak, to kto mógłby to być? Może to tylko pretekst, aby się z nią nie spotkać? Odłożyła słuchawkę na widełki i siedziała jeszcze przez jakiś czas w milczeniu, zastanawiając się, co w takiej sytuacji zrobiłby jej dziadek. Przypomniało się jej jedno z jego ulubionych powiedzonek: Cel można osiągnąć różnymi sposobami.

Emma otworzyła szufladę biurka, z zadowoleniem znajdując tam zapas hotelowej papeterii, i sporządziła listę ludzi, którzy mogliby jej pomóc wyjaśnić, na czym mogłaby polegać wspomniana przez pana Jelksa sprzeczność interesów. Następnie zeszła na dół do recepcji, wiedząc już, że przez kilka następnych dni nie będzie miała chwili wytchnienia. Recepcjonistka starała się ukryć swoje zdziwienie, kiedy delikatna młoda dama z Anglii poprosiła o adresy sądu, posterunku policji i więzienia.

Zanim Emma opuściła Mayflower, wstąpiła do hotelowego sklepiku i kupiła sobie własny żółty notes. Wyszła na ulicę, przywołała taksówkę.

Wysiadła z niej w części miasta bardzo różniącej się od tej, w której mieszkał mecenas Jelks. Wchodząc po schodach do sądu, Emma myślała o tym, jak musiał się czuć Harry, kiedy wchodził do tego samego gmachu, w zupełnie innych okolicznościach. Zapytała strażnika przy wejściu, gdzie znajduje się księgozbiór podręczny, w nadziei, że dowie się tam, jakie to były okoliczności.

– Jeśli chodzi pani o archiwum, to znajduje się ono w suterenie – poinformował ją strażnik.

Zszedłszy dwie kondygnacje w dół, Emma zapytała siedzącego za kontuarem urzędnika, czy mogłaby zobaczyć akta sprawy „Stan Nowy Jork przeciwko Bradshawowi". Urzędnik podał jej formularz do wypełnienia, zawierający pytanie: „Czy jesteś studentem/studentką?", na które Emma odpowiedziała „tak". Kilka minut później podano jej trzy duże pudła z aktami.

– Zamykamy za kilka godzin – ostrzeżono ją. – Kiedy zadzwoni dzwonek, musi pani natychmiast odnieść akta do tego stanowiska.

Po przeczytaniu kilku stronic dokumentów Emma nie mogła zrozumieć, dlaczego prokurator wycofał oskarżenie o morderstwo, skoro wydawało się, że ma przeciwko Tomowi Bradshawowi tak mocne dowody. Bracia zajmowali wspólnie pokój w hotelu, na karafce z whisky pełno było krwawych odcisków palców Toma i nic nie wskazywało na to, że ktoś inny wchodził do ich pokoju, zanim w kałuży krwi znaleziono ciało Adama. A co gorsze, nie rozumiała, dlaczego Tom uciekł z miejsca zbrodni i dlaczego prokurator stanowy zadowolił się przyznaniem się przez Toma do przestępstwa mniejszego kalibru, czyli dezercji. Ale najbardziej zastanawiające było to, w jaki sposób Harry uwikłał się w całą tę sprawę. Czy możliwe jest, że list stojący na gzymsie kominka u Maisie zawiera odpowiedzi na wszystkie te pytania, czy też po prostu Jelks wie coś, czego nie chce jej wyjawić?

Jej myśli przerwał dzwonek nakazujący zwrócić akta urzędnikowi za kontuarem. Na niektóre pytania znalazła odpowiedzi, ale o wiele więcej pozostawało zagadką. Emma zanotowała nazwiska dwóch osób, które, miała nadzieję, mogłyby rozwiać większość tych wątpliwości, ale czy osoby te nie zasłonią się sprzecznością interesów?

Wyszła z budynku sądu tuż po piątej, ściskając w rękach kilka nowych kartek zapisanych jej starannym charakterem pisma. U ulicznego sprzedawcy kupiła w pośpiechu czekoladę Hersheya i colę, po czym zatrzymała taksówkę i kazała się zawieźć na posterunek policji przy Dwudziestej Czwartej Ulicy. Jej mamie nie spodobałoby się, że posila się w taksówce.

Na posterunku poprosiła o rozmowę z inspektorem Kolowskim albo inspektorem Ryanem.

– W tym tygodniu obaj są na nocnej zmianie – poinformował ją funkcjonariusz dyżurny – więc będą tu znowu dopiero o dwudziestej drugiej.

Emma podziękowała mu i postanowiła, że pojedzie do hotelu i zje kolację, po czym o dziesiątej znów odwiedzi posterunek przy Dwudziestej Czwartej Ulicy.

Po sałatce Cezar i deserze lodowym z owocami i śmietaną Emma wróciła do swojego pokoju na czwartym piętrze. Położyła się na łóżku i zastanawiała się, o co powinna zapytać Kolowskiego lub Ryana, zakładając, że któryś z nich zgodzi się z nią rozmawiać. Czy porucznik Bradshaw mówił z amerykańskim akcentem...?

Zapadła w głęboki sen, z którego wyrwał ją dopiero nieznany jej dotąd sygnał policyjnej syreny dochodzący z ulicy. Teraz zrozumiała, dlaczego pokoje na wyższych piętrach są droższe. Spojrzała na zegarek. Była pierwsza piętnaście.

– Cholera jasna – zaklęła, wyskakując z łóżka.

Pobiegła do łazienki, pod kranem z zimną wodą zmoczyła

ręcznik i przyłożyła sobie do twarzy. Szybko opuściła pokój i zjechała windą na parter. Kiedy wyszła z hotelu, ze zdziwieniem stwierdziła, że na ulicy jest równie duży ruch, a na chodniku równie tłoczno jak w południe.

Przywołała gestem taksówkę i znowu kazała się zawieźć na posterunek przy Dwudziestej Czwartej Ulicy. Nowojorscy taksówkarze zaczęli chyba rozumieć jej akcent, a może to ona zaczęła rozumieć ich?

Weszła po schodkach do holu posterunku parę minut przed drugą. Jakiś inny funkcjonariusz dyżurny poprosił ją, by usiadła, i obiecał zawiadomić Kolowskiego lub Ryana, że czeka w recepcji.

Emma przygotowała się na długie oczekiwanie, ale ku jej zaskoczeniu po paru minutach usłyszała, jak funkcjonariusz zwraca się do kogoś:

– Hej, Karl. Czeka tu jedna pani, która chciałaby z tobą porozmawiać. – Wskazał gestem w kierunku Emmy.

Inspektor Kolowski, z filiżanką kawy w jednej ręce i papierosem w drugiej, podszedł do Emmy i przywitał ją półuśmiechem. Ciekawa była, jak szybko uśmiech ten zniknie z jego twarzy, kiedy dowie się, dlaczego chce z nim rozmawiać.

– W czym mogę pani pomóc? – zapytał.

– Nazywam się Emma Barrington – powiedziała z przesadnie angielskim akcentem – chciałabym poradzić się pana w pewnej delikatnej sprawie.

– Wobec tego przejdźmy do mojego biura, panno Barrington – powiedział Kolowski, ruszył korytarzem i zatrzymał się dopiero przed drzwiami, które otworzył pchnięciem tyłem buta. – Proszę usiąść. – Wskazał na jedno z dwóch tylko krzeseł, jakie były w pokoju. – Czy napije się pani kawy? – spytał, kiedy już się usadowiła.

– Nie, dziękuję.

– Mądra decyzja – powiedział. Postawił kubek na stole, zapalił papierosa i usiadł. – No więc w czym mogę pani pomóc?

– Wiadomo mi, że był pan jednym z inspektorów, którzy aresztowali mojego narzeczonego.

– Jak się nazywa?
– Thomas Bradshaw.

Miała rację. Spojrzenie, głos, gesty, wszystko to u policjanta nagle się zmieniło.

– Tak, byłem. I mogę pani powiedzieć, że dopóki do sprawy nie włączył się Sefton Jelks, sprawa wydawała się jasna.

– Ale nigdy nie doszło do rozprawy – przypomniała mu Emma.

– Tylko dlatego, że adwokatem Bradshawa był Jelks. Gdyby ten gość bronił Poncjusza Piłata, przekonałby ławę przysięgłych, że ten tylko pomagał młodemu stolarzowi, który chciał kupić parę gwoździ potrzebnych mu do zbicia krzyża.

– Czy sugeruje pan, że Jelks...

– Nie – odparł Kolowski z sarkazmem, zanim Emma zdołała dokończyć zdanie. – Zawsze uważałem, że to tylko zbieg okoliczności, że prokurator okręgowy zabiegał tego roku o ponowny wybór, a niektórzy klienci Jelksa należeli do największych ofiarodawców na rzecz jego kampanii. Zresztą – ciągnął, wypuściwszy sporą chmurę dymu – Bradshaw dostał sześć lat za dezercję, choć na tym posterunku zakładano się, że będzie to osiemnaście miesięcy, góra dwa lata.

– Co pan sugeruje? – spytała Emma.

– Że sędzia przyjął, iż Bradshaw jest winny... – Kolowski zamilkł na chwilę i wypuścił nową chmurę dymu, zanim dodał: – popełnienia morderstwa.

– Zgadzam się z panem i z sędzią – powiedziała Emma. – Tom Bradshaw prawdopodobnie popełnił morderstwo.

Kolowski spojrzał na nią zaskoczony.

– Ale czy mężczyzna, którego pan aresztował, nie powiedział panu, że popełniliście błąd i że nie nazywa się Tom Bradshaw, tylko Harry Clifton?

Inspektor spojrzał na Emmę uważniej i przez chwilę myślał.

– Na samym początku rzeczywiście powiedział coś w tym rodzaju, ale widocznie Jelks przekonał go, że to nie przejdzie, bo więcej już do tego nie wracał.

– Czy interesowałoby to pana, gdybym zdołała dowieść, że przejdzie, bo to prawda?

– Nie, proszę pani – odparł Kolowski zdecydowanym tonem. – Ta sprawa została zamknięta dawno temu. Pani narzeczony odsiaduje sześć lat za przestępstwo, do którego się przyznał, a ja mam tu zbyt dużo roboty – położył rękę na stosie akt – żeby otwierać stare rany. Więc jeśli to wszystko, w czym mógłbym pani pomóc, to...

– Czy będę mogła odwiedzić Toma w Lavenham?

– Nie widzę przeszkód – odparł Kolowski. – Proszę napisać do naczelnika więzienia. Przyśle pani formularz zgłoszeniowy. Jak go pani wypełni i odeśle im, wyznaczą pani termin. Nie powinno to potrwać dłużej niż sześć, osiem tygodni.

– Ale ja nie mogę czekać sześć tygodni – zaprotestowała Emma. – Muszę wkrótce wracać do Anglii. Czy nie ma sposobu, aby to przyśpieszyć?

– Jest to możliwe wyłącznie z ważnych względów rodzinnych – i prawo to przysługuje tylko żonie i rodzicom.

– A matce dziecka skazanego? – nie poddawała się Emma.

– W Nowym Jorku daje to pani te same prawa, co żonie, o ile może to pani udowodnić.

Emma wyjęła z torebki dwa zdjęcia, jedno Sebastiana i jedno Harry'ego stojącego na pokładzie *Kansas Star*.

– Mnie to wystarcza – powiedział Kolowski, oddając zdjęcie Harry'ego bez komentarza. – Jeśli obieca pani dać mi trochę czasu, porozmawiam z naczelnikiem i zobaczę, czy da się coś zrobić.

– Dziękuję – powiedziała Emma.

– Jak mogę się z panią skontaktować?

– Mieszkam w hotelu Mayflower.

– Odezwę się – powiedział Kolowski, robiąc notatkę. – Ale nie chciałbym, żeby pani miała jakiekolwiek wątpliwości co do tego, czy Tom Bradshaw zabił brata. Ja jestem tego pewien.

– A ja nie chciałabym, żeby pan miał jakiekolwiek wątpliwości co do tego, że człowiek zamknięty w Lavenham nie jest Tomem Bradshawem. Jestem tego pewna.

Emma włożyła fotografię z powrotem do torebki i wstała, by odejść.

Kiedy wychodziła z pokoju, inspektor zmarszczył brwi.

Emma wróciła do hotelu, rozebrała się i położyła z powrotem do łóżka. Leżała z otwartymi oczyma, zastanawiając się, czy Kolowski wciąż jest przekonany, że aresztował właściwego człowieka. Nadal nie mogła pojąć, dlaczego Jelks dopuścił do skazania Harry'ego na sześć lat, skoro tak łatwo mógłby udowodnić, że Harry nie jest Tomem Bradshawem.

W końcu zasnęła, wdzięczna losowi, że nikt nie składa jej nocnych wizyt.

Telefon zadzwonił, kiedy była w łazience, ale gdy podniosła słuchawkę, usłyszała już tylko ciągły ton.

Drugi raz odezwał się, kiedy zamykała drzwi pokoju, aby zejść na dół na śniadanie. Rzuciła się z powrotem do środka i pochwyciła słuchawkę. Usłyszała znany już sobie głos.

– Dzień dobry, inspektorze Kolowski – przywitała się.

– Nie mam dobrych wiadomości – powiedział policjant, który nie marnował czasu na grzecznościowe wstępy.

Emma opadła na łóżko, spodziewając się najgorszego.

– Tuż przed końcem dyżuru rozmawiałem z naczelnikiem więzienia w Lavenham, który powiedział mi, że Bradshaw nie życzy sobie jakichkolwiek wizyt, bez wyjątku. Wygląda na to, że mecenas Jelks wydał polecenie, żeby nawet nie informowano Bradshawa, kiedy ktoś będzie się chciał z nim zobaczyć.

– Czy nie mógłby pan spróbować przekazać mu w jakiś sposób wiadomości? – błagała Emma. – Jestem pewna, że gdyby wiedział, że to ja...

– Beznadziejna sprawa, proszę pani – odparł Kolowski. – Nie ma pani pojęcia, jak daleko sięgają macki mecenasa Jelksa.

– Ma więcej do powiedzenia niż naczelnik więzienia?

– Naczelnik to przy nim płotka. Prokurator okręgowy i połowa sędziów w Nowym Jorku chodzą na jego pasku. Ale proszę zachować tę uwagę dla siebie.

Policjant rozłączył się.

Emma nie wiedziała, ile czasu upłynęło, kiedy usłyszała pukanie do drzwi. Któż to mógłby być? Drzwi otworzyły się i do środka zajrzała przyjazna twarz.

– Czy mogę posprzątać pokój, proszę pani?

– Wychodzę za parę minut – powiedziała Emma. Spojrzała na zegarek i ze zdziwieniem stwierdziła, że jest już dziesięć po dziesiątej. Musi mieć jasny umysł, zanim rozważy, jaki powinien być jej następny ruch, więc postanowiła odbyć dłuższy spacer po Central Parku.

Przechadzała się dosyć długo, zanim podjęła decyzję. Pora złożyć wizytę stryjecznej babce i zasięgnąć jej rady.

Ruszyła w kierunku Sześćdziesiątej Czwartej Ulicy i Park Avenue i była tak zamyślona, kombinując, jak wytłumaczy się przed babką stryjeczną Phyllis, dlaczego nie odwiedziła jej wcześniej, że nie w pełni zarejestrowała to, co zobaczyła przed chwilą. Zatrzymała się, zawróciła i ruszyła w odwrotnym kierunku, sprawdzając po kolei wszystkie okna wystawowe, aż doszła do księgarni Doubleday. Na samym środku wystawy ustawiona była piramida z książek, a obok niej stała fotografia mężczyzny z zaczesanymi do tyłu czarnymi włosami i cienkim wąsikiem. Uśmiechał się do niej.

Max Lloyd
DZIENNIK WIĘŹNIA
Mój pobyt w Lavenham,
więzieniu o najwyższym stopniu zabezpieczenia

Autor tego spektakularnego bestsellera
będzie podpisywał książki w tej księgarni w czwartek o 17.00
Nie przegap okazji spotkania się z autorem

GILES BARRINGTON

1941

16

Giles nie miał pojęcia, dokąd udaje się jego pułk. Przez wiele dni miał wrażenie, że wciąż jest w ruchu, nigdy nie mogąc przespać za jednym razem więcej niż kilka godzin. Najpierw jechał pociągiem, potem ciężarówką, zanim po trapie wszedł na pokład transportowca, który we własnym tempie pruł fale oceanu, aby w końcu w Aleksandrii, egipskim porcie na północnoafrykańskim wybrzeżu, wysadzić na ląd tysiąc żołnierzy Pułku z Wessex.

Podczas tej podróży Giles połączył się znowu ze swoimi kompanami z obozu szkoleniowego Ypres na wrzosowiskach Dartmoor, którzy teraz, czy tego chciał czy nie, stali się jego podkomendnymi. Niektórzy, szczególnie Bates, mieli trudności ze zwracaniem się do niego per „panie poruczniku", a jeszcze trudniej przychodziło im salutowanie mu za każdym razem, kiedy na niego wpadali.

Kiedy schodzili ze statku, czekał już na nich konwój pojazdów wojskowych. Giles nigdy jeszcze nie doświadczył tak intensywnego upału i jego świeża koszula w kolorze khaki nasiąknęła potem, ledwie tylko zszedł na obcy ląd. Zanim załadowali się do ciężarówek, Giles szybko podzielił ludzi na trzy grupy. Konwój wolno pojechał biegnącą wzdłuż wybrzeża wąską, pylistą drogą i zatrzymał się dopiero po kilku godzinach, kiedy dotarli na skraj dotkliwie zbombardowanego miasta, którego nazwę kapral Bates obwieścił donośnym głosem: – Tobruk! A nie mówiłem? – po czym pieniądze zaczęły wędrować z rąk do rąk.

Kiedy konwój wjechał do miasta, wysadzono żołnierzy w różnych jego punktach. Giles i inni oficerowie wyskoczyli z ciężarówek przed hotelem Majestic, zarekwirowanym przez Pułk z Wessex na kwaterę główną. Giles wszedł do środka przez drzwi obrotowe i od razu stwierdził, że hotel niewiele ma w sobie majestatycznego. Każdy centymetr powierzchni wykorzystano na prowizoryczne biura. Ściany, na których przedtem wisiały obrazy, teraz obwieszone były wykresami i mapami, a puszysty czerwony dywan, po którym stąpały kiedyś ważne osobistości z całego świata, mocno już się wytarł pod podkutymi żołnierskimi butami.

Recepcja była jedynym miejscem świadczącym o tym, że kiedyś mógł to być hotel. Dyżurny kapral odhaczył nazwisko podporucznika Barringtona na długiej liście nowo przybyłych.

– Pokój 219 – powiedział, wręczając mu kopertę. – Znajdzie pan tam wszystkie niezbędne informacje, panie poruczniku.

Energicznym krokiem Giles wspiął się szerokimi schodami na drugie piętro i wszedł do pokoju. Usiadł na łóżku, otworzył kopertę i przeczytał rozkazy. O siódmej ma się zameldować w sali balowej, gdzie dowódca pułku przemówi do oficerów. Rozpakował walizkę, wziął prysznic, włożył świeżą koszulę i zszedł z powrotem na dół. W kantynie oficerskiej porwał kanapkę, wypił filiżankę herbaty i tuż przed siódmą stawił się w sali balowej.

Obszerna sala, o wysokim, kopulastym suficie i ze wspaniałymi żyrandolami, wypełniona już była przez hałaśliwych oficerów, witających starych przyjaciół i poznających nowych. Zaraz dowiedzą się, na które pole szachownicy zostaną przesunięci. Po drugiej stronie sali Giles dostrzegł młodego porucznika, którego chyba skądś znał, ale zaraz potem stracił go z oczu.

Na minutę przed siódmą podpułkownik Robertson wszedł na scenę i wszyscy obecni natychmiast zamilkli i stanęli na baczność. Zatrzymał się na środku sceny i gestem ręki dał komendę „spocznij". Stojąc w rozkroku, z rękoma na biodrach, zaczął swoją przemowę:

– Panowie, z pewnością dziwicie się, że musieliście przybyć aż tutaj z różnych stron imperium brytyjskiego, aby walczyć z Niemcami w Afryce Północnej. Jednakże feldmarszałek Rommel i jego Afrika Korps też tutaj się pojawili, żeby zabezpieczać dostawy ropy dla swoich wojsk w Europie. Naszym zadaniem jest odesłać go z powrotem do Berlina z rozkwaszonym nosem, zanim jeszcze w ostatnim niemieckim czołgu zabraknie benzyny.

W sali rozległy się głośne owacje i tupanie.

– Generał Wavell przyznał Pułkowi z Wessex przywilej obrony Tobruku, a ja zapewniłem go, że wszyscy oddamy życie, żeby tylko Rommel nie rozgościł się w hotelu Majestic.

Te słowa wywołały jeszcze burzliwsze owacje i silniejszy tupot.

– A teraz proszę panów o zameldowanie się u swoich dowódców kompanii, którzy zapoznają was z naszym ogólnym planem obrony miasta oraz poinformują o przydzielonych wam zadaniach. Panowie, szkoda każdej minuty, więc życzę powodzenia i udanego polowania.

Kiedy pułkownik schodził ze sceny, wszyscy oficerowie znowu stanęli na baczność. Giles raz jeszcze zajrzał do swoich rozkazów. Został przydzielony do siódmego plutonu z kompanii C, który po wystąpieniu pułkownika ma się zebrać w hotelowej bibliotece na odprawę z majorem Richardsem.

– Podporucznik Barrington, zgadza się? – przywitał go major, kiedy Giles parę minut później wszedł do biblioteki.

Giles zasalutował.

– To miło, że dołączył pan do nas zaraz po uzyskaniu patentu. Postawiłem pana na czele siódmego plutonu, którym będzie pan dowodzić, jako zastępca swojego starego przyjaciela. Będziecie dowodzić trzema drużynami po dwunastu ludzi w każdej, a waszym zadaniem będzie patrolowanie zachodniego skraju miasta. Do pomocy macie sierżanta i trzech kaprali. Porucznik poda panu bliższe szczegóły. Chodziliście do tej samej szkoły, więc nie będziecie potrzebować dużo czasu, żeby się wzajemnie poznać.

Giles zastanawiał się, kto to mógłby być. I wtedy przypomniał sobie znajomą postać mężczyzny, którego widział przez moment po drugiej stronie sali balowej.

Podporucznik Giles Barrington chętnie ułożyłby sobie stosunki z porucznikiem Fisherem na zasadzie wzajemnego zaufania, choć nigdy nie zdołałby wymazać wspomnienia o nim jako staroście w Szkole Świętego Bedy, który przez pierwszy tydzień pobytu Harry'ego w szkole co noc dawał mu wycisk tylko dlatego, że chłopak był synem dokera.

– Fajnie, że znów się spotykamy po tak długiej rozłące, Barrington – powiedział Fisher. – Nie widzę powodu, dlaczego nie mielibyśmy dobrze z sobą współpracować, zgodzisz się?

Najwyraźniej on również pamiętał, jak okropnie traktował Harry'ego Cliftona.

Giles lekko się uśmiechnął.

– Mamy pod swoją komendą trzydziestu sześciu ludzi oprócz trzech kaprali i sierżanta. Niektórych z nich na pewno pamiętasz z obozu szkoleniowego. W samej rzeczy postawiłem już kaprala Batesa na czele pierwszej drużyny.

– Terry'ego Batesa?

– Kaprala Batesa – powtórzył Fisher. – Nigdy nie używaj imienia w odniesieniu do innych rang, Giles. W kantynie albo kiedy jesteśmy sami, możesz mówić do mnie Alex, ale nigdy w obecności podwładnych. Jestem pewien, że to pojmujesz.

Zawsze byłeś aroganckim dupkiem i jak widać, nic się nie zmieniło, pomyślał Giles. Tym razem się nie uśmiechnął.

– Otóż powierzono nam zadanie patrolowania zachodniego skraju miasta, z wymianą patroli co cztery godziny. Nie lekceważ tego zadania, bo jeśli Rommel uderzy na Tobruk, to, jak twierdzi nasz wywiad, będzie próbował wejść do miasta od zachodu. Musimy więc zachowywać czujność cały czas. Pozostawiam ci ustalanie harmonogramu zmian. Ja zazwyczaj uczestniczę w kilku zmianach dziennie, ale nie mogę pozwolić sobie na wiele więcej ze względu na inne obowiązki.

Jakie na przykład? – chciał go zapytać Giles.

Giles z przyjemnością jeździł na patrole do zachodniej części miasta ze swoimi ludźmi i szybko poznał bliżej wszystkich trzydziestu sześciu, w dużej mierze dzięki kapralowi Batesowi, który wiele mu o nich opowiadał. I chociaż utrzymywał ich w stałym pogotowiu, pamiętając o ostrzeżeniu Fishera, to w miarę jak kolejne tygodnie mijały bez incydentów, zaczął się zastanawiać, czy w ogóle staną kiedyś twarzą w twarz z wrogiem.

Pewnego mglistego dnia na początku kwietnia, kiedy wszystkie trzy patrole Gilesa odbywały ćwiczenia, nie wiadomo skąd zasypał ich grad kul. Żołnierze momentalnie padli na ziemię i szybko podczołgali się do najbliższego budynku, szukając jakiejkolwiek osłony.

Giles był ze swoją drużyną czołową, kiedy Niemcy pokazali swoją kartę wizytową, a następnie posłali drugą serię. Pociski trafiały daleko od celu, ale Giles wiedział, że wkrótce wróg namierzy jego stanowisko.

– Nie strzelać, dopóki nie powiem – rozkazał, powoli badając horyzont przez lornetkę.

Postanowił przedstawić Fisherowi sytuację, zanim wykona jakiś ruch. Podniósł słuchawkę polowego telefonu i natychmiast usłyszał głos dowódcy.

– Jak myślisz, ilu ich tam jest? – zapytał Fisher.

– Chyba nie więcej niż siedemdziesięciu, góra osiemdziesięciu. Jeśli podprowadzisz tu drugą i trzecią drużynę, to powinno to w zupełności wystarczyć, żeby powstrzymać ich do nadejścia posiłków.

Zaświszczała kolejna seria, ale po ponownym zlustrowaniu horyzontu przez lornetkę Giles znowu dał rozkaz:

– Nie strzelać.

– Wyślę ci jako wsparcie drugą drużynę pod dowództwem sierżanta Harrisa – oznajmił Fisher. – I jeśli będziesz mnie informował na bieżąco, zdecyduję, czy dołączyć do was z trzecią drużyną.

Połączenie zostało przerwane.

Po trzeciej serii szybko nastąpiła czwarta, i tym razem, kiedy Giles wyregulował ostrość obrazu w lornetce, zobaczył, że kilkunastu żołnierzy czołga się przez otwarty teren w ich kierunku.

– Celować, ale strzelać dopiero wtedy, kiedy cel znajdzie się w skutecznym zasięgu. I nie marnować amunicji.

Bates jako pierwszy nacisnął spust.

– Mam cię – powiedział, widząc, jak Niemiec pada na pustynny piasek. Repetując karabin, dodał: – Odechce się wam bombardować Broad Street.

– Zamknij się, Bates, i skoncentruj – upomniał go Giles.

– Przepraszam, panie poruczniku.

Giles nie przestawał lustrować horyzontu. Zobaczył dwóch, może trzech trafionych żołnierzy, leżących z twarzą w piasku o kilka metrów od ziemnego schronu. Dał rozkaz oddania jeszcze jednej salwy i zobaczył, że kilku kolejnych Niemców wycofuje się w popłochu w bezpieczne miejsce jak mrówki czmychające do dziurki w ziemi.

– Przerwać ogień! – krzyknął, pamiętając, że nie wolno im marnować cennej amunicji.

Spojrzał w lewo i zobaczył, że druga drużyna pod komendą sierżanta Harrisa zajęła już pozycje i czeka na rozkazy.

Podniósł słuchawkę polowego telefonu i połączył się znowu z Fisherem.

– Amunicji nie starczy mi już na długo, poruczniku. Moją lewą flankę osłania teraz sierżant Harris, ale prawa jest odsłonięta. Gdyby mógł pan podejść tu do nas, mielibyśmy większą szansę zatrzymania ich.

– Skoro druga drużyna wzmocniła wasze pozycje, Barrington, lepiej będę się trzymał z tyłu i krył was na wypadek, gdyby nieprzyjaciel się przebił.

Następna seria pocisków poleciała w ich kierunku. Niemcy najwyraźniej już ich zlokalizowali, ale Giles nadal nie pozwalał ludziom z obu drużyn odpowiadać ogniem. Zaklął, odłożył telefon i podbiegł nieosłoniętym terenem do sierżanta Harrisa, prowokując nowy ostrzał.

– Co sądzicie, sierżancie?

– Jest tam z pół kompanii, panie podporuczniku, około osiemdziesięciu ludzi. Ale moim zdaniem to tylko oddział rozpoznawczy, więc możemy się tu okopać na noc i uzbroić w cierpliwość.

– Zgadzam się – odparł Giles. – Co według was zrobią?

– Szkopy wiedzą, że jest ich więcej niż nas, więc będą chcieli przypuścić atak, zanim dostaniemy posiłki. Gdyby porucznik Fisher podprowadził tu trzecią drużynę i osłonił nas na prawej flance, wzmocniłoby to naszą pozycję.

– Zgadzam się – powtórzył Giles przy wtórze kolejnej salwy. – Wracam, żeby porozmawiać z Fisherem. Czekajcie na mój rozkaz.

Zygzakiem znowu pokonał odkryty fragment terenu. Tym razem pociski padały już zbyt blisko, żeby odważył się jeszcze raz na taką sztuczkę. Miał właśnie połączyć się z Fisherem, kiedy zabrzęczał polowy telefon. Złapał za słuchawkę.

– Barrington, uważam, że nadszedł czas, abyśmy przejęli inicjatywę – oznajmił Fisher.

Giles musiał powtórzyć głośno słowa Fishera, aby upewnić się, że dobrze go usłyszał.

– Chce pan, żebym zaatakował stanowiska Niemców, a w tym czasie podprowadzi pan tutaj trzecią drużynę, żeby mnie osłaniać?

– Jeśli to zrobimy – warknął Bates – Niemcy będą mogli walić do nas jak do kaczek na strzelnicy.

– Zamknijcie się, kapralu.

– Tak jest, panie poruczniku.

– Sierżant Harris uważa, a ja się z nim zgadzam – ciągnął Giles – że jeśli podprowadzi pan trzecią drużynę, żeby osłaniać naszą prawą flankę, to Niemcy będą musieli przypuścić atak, a wtedy moglibyśmy...

– Nie interesuje mnie, co myśli sierżant Harris – odparował Fisher. – Ja wydaję rozkazy, a wy je wykonujecie, Barrington. Jasne?

– Tak jest – powiedział Giles, rzucając słuchawkę na widełki.

– Zawsze mogę go zastrzelić, panie poruczniku – rzucił Bates.

Giles zignorował tę odzywkę, załadował pistolet i przypiął do pasa z nabojami sześć ręcznych granatów. Powstał, aby żołnierze obu drużyn mogli go widzieć, i rozkazał zdecydowanym głosem:

– Bagnety na broń i przygotować się do natarcia. – Wyszedł na odkryty teren i krzyknął: – Za mną!

Kiedy Giles zaczął biec po głębokim, piekielnie gorącym piasku, z sierżantem Harrisem i kapralem Batesem zaledwie o krok za nim, został przywitany nowym gradem kul i ciekaw był, jak długo pozostanie przy życiu wobec tak nikłych szans. Mając do pokonania jeszcze jakieś trzydzieści parę metrów, widział już dokładnie, gdzie znajdywały się trzy okopane niemieckie stanowiska. Oderwał od pasa ręczny granat, wyciągnął zawleczkę i cisnął go w kierunku środkowego okopu, dokładnie tak, jakby odbijał krykietową piłeczkę z głębi boiska prosto do rękawic łapacza. Granat wylądował tuż nad palikami. Giles zobaczył, jak dwaj żołnierze wylatują w powietrze, a trzeci pada do tyłu.

Zamachnął się i rzucił drugi granat w lewo, definitywnie wykluczając przeciwnika z gry, gdyż ogień stamtąd nagle zamarł. Trzeci granat uciszył karabin maszynowy. Prąc dalej do przodu, Giles wyraźnie już widział mierzących do niego żołnierzy. Wyrwał pistolet z kabury i zaczął strzelać, jakby był na strzelnicy, ale tym razem tarczami były ludzkie głowy. Jedna, druga, trzecia opadła i wtedy Giles zobaczył, że niemiecki oficer bierze go na muszkę. Niemiec pociągnął za spust trochę za późno i zwalił się na ziemię tuż przed nim. Giles poczuł mdłości.

Kiedy był już tylko o metr od okopu, młody Niemiec upuścił karabin na ziemię, a inny wyrzucił ręce wysoko w górę. Giles patrzył w pełne strachu oczy pokonanych żołnierzy. Nie musiał znać niemieckiego, aby dowiedzieć się, że nie chcą umierać.

– Przerwać ogień! – krzyknął, kiedy pozostali przy życiu jego ludzie, a raczej to, co zostało z pierwszej i drugiej drużyny, szybko opanowali stanowiska wroga.

– Sierżancie Harris, zebrać wszystkich i rozbroić – dodał, a potem odwrócił się i zobaczył Harrisa. Leżał z głową w piasku, zaledwie o kilka kroków od okopu, a z jego ust sączyła się krew.

Giles spojrzał do tyłu na otwarty teren, przez który przeszli, i starał się nie liczyć żołnierzy, którzy oddali życie z powodu chybionej decyzji jednego człowieka. Noszowi zabierali już ciała poległych z pola walki.

– Kapralu Bates, ustawić jeńców trójkami i odprowadzić do obozu.

– Tak jest, panie poruczniku – powiedział Bates głosem człowieka, który tylko na to czeka.

Kilka minut później Giles i jego zdziesiątkowany oddział ruszyli z powrotem przez otwarty teren. Przeszli zaledwie kilkadziesiąt metrów, kiedy Giles zobaczył biegnącego ku nim Fishera, za którym podążała jego trzecia drużyna.

– Dobra, Barrington, przejmuję dowodzenie – krzyknął. – Wy zamykacie kolumnę. Za mną – rozkazał, triumfalnie prowadząc pojmanych niemieckich żołnierzy do miasta.

Zanim dotarli przed hotel Majestic, zebrał się tam niewielki tłumek, aby ich powitać. Fisher oddawał saluty innym oficerom.

– Barrington, dopilnujcie internowania jeńców, a potem zaprowadźcie chłopaków do kantyny na drinka, zasłużyli sobie. Ja tymczasem zamelduję się u majora Richardsa.

– Czy mogę go zastrzelić, panie poruczniku? – zapytał Bates.

17

Kiedy następnego dnia rano Giles zszedł na śniadanie, kilku oficerów, z którymi nigdy wcześniej nie rozmawiał, podeszło do niego, aby uścisnąć mu dłoń.

Wszedł do kantyny, a kilka głów odwróciło się ku niemu, witając go uśmiechem, co wprawiało go w lekkie zakłopotanie. Porwał miskę owsianki, dwa gotowane jajka i stary egzemplarz „Puncha". Siedział sam, mając nadzieję, że koledzy zostawią go w spokoju, ale po chwili trzech oficerów australijskich, których nie znał, przysiadło się do niego. Odwrócił stronę „Puncha" i roześmiał się na widok rysunku E.H. Sheparda, przedstawiającego Hitlera wycofującego się z Calais na welocypedzie.

– Niebywały akt odwagi – powiedział Australijczyk, który siedział po jego prawicy.

Giles poczuł, że się czerwieni.

– Racja – zgodził się oficer, który zajmował miejsce po drugiej stronie stołu. – Nadzwyczajny wyczyn.

Giles chciał wyjść, zanim...

– Jak ten gość się nazywa?

Giles nabrał łyżkę owsianki.

– Fisher.

Giles o mało się nie zakrztusił.

– Podobno Fisher, na przekór wszelkiemu prawdopodobieństwu, poprowadził pluton odkrytym terenem i mając tylko granaty ręczne i pistolet, unieszkodliwił trzy ziemianki pełne niemieckich żołnierzy.

– Niewiarygodne! – powiedział ktoś inny.

Z tym przynajmniej Giles mógł się zgodzić.

– A czy to prawda, że zabił szkopskiego oficera i wziął do niewoli pięćdziesięciu drani, mając tylko dwunastu ludzi?

Giles ściął czubek pierwszego jajka. Okazało się być na twardo.

– To na pewno prawda – zapewnił ten trzeci – bo został awansowany na kapitana.

Giles siedział wciąż i wpatrywał się w żółtko.

– Słyszałem, że ma zostać przedstawiony do odznaczenia Krzyżem Wojennym.

– Zasługuje co najmniej na to.

Prędzej zasługuje na to – pomyślał Giles – co proponował Bates.

– Ktoś jeszcze brał udział w tej akcji? – zapytał głos z drugiej strony stołu.

– Tak, jego zastępca, ale za cholerę nie mogę sobie przypomnieć, jak się nazywa.

Giles miał już tego dość i postanowił, że wygarnie Fisherowi, co o nim myśli. Zrezygnował z drugiego jajka, wyszedł z kantyny i skierował się prosto do centrum dowodzenia. Był tak wściekły, że wszedł do pomieszczenia bez pukania. Gdy tylko znalazł się w środku, stanął natychmiast na baczność i zasalutował.

– Bardzo przepraszam, panie pułkowniku – powiedział. – Nie wiedziałem, że pan tutaj jest.

– To jest podporucznik Barrington, panie pułkowniku – powiedział Fisher. – Informowałem już pana, że wspomagał mnie we wczorajszej akcji.

– Ach, tak. Barrington. Dobra robota. Może nie zna pan jeszcze dzisiejszych kompanijnych rozkazów, ale został pan awansowany do stopnia porucznika, a po przeczytaniu raportu kapitana Fishera mogę pana zapewnić, że zostanie pan również wymieniony w dzisiejszym rozkazie dziennym.

– Gratuluję, Giles – powiedział Fisher. – Zasłużyłeś sobie.

– Istotnie – zgodził się pułkownik. – A skoro już pan tu jest, Barrington, właśnie powiedziałem kapitanowi Fisherowi, że teraz, kiedy rozpoznał już, którędy Rommel najpewniej będzie chciał wejść do Tobruku, musimy podwoić patrole po zachodniej stronie miasta i rozlokować tam kompanię czołgów, która będzie was wspierała. – Postukał palcem w rozłożoną na stole mapę. – Tu, tu i tu. Mam nadzieje, że obaj się zgadzacie?

– Zgadzam się, panie pułkowniku – powiedział Fisher. – Natychmiast zabieram się do rozmieszczenia tam naszego plutonu.

– Jak najszybciej – podkreślił pułkownik – bo mam przeczucie, że Rommel wkrótce wróci, ale tym razem nie będzie to oddział rozpoznawczy, tylko cały Afrika Korps. Musimy się zaczaić i upewnić, że wpadnie prosto w nasze sidła.

– Będziemy gotowi na jego przyjęcie, panie pułkowniku – zapewnił Fisher.

– Dobrze, Fisher. Ponieważ powierzam panu dowództwo nad naszymi nowymi patrolami. A pan, poruczniku Barrington, nadal pozostaje zastępcą dowódcy.

– Będzie pan miał mój raport na biurku do południa, panie pułkowniku – powiedział Fisher.

– Dobra robota, Fisher. Pozostawiam panu opracowanie szczegółów.

– Dziękuję, panie pułkowniku. – Fisher stanął na baczność i zasalutował opuszczającemu pokój przełożonemu.

Giles chciał coś powiedzieć, ale Fisher nie dał mu szansy.

– Zaproponowałem dowództwu pośmiertne odznaczenie sierżanta Harrisa medalem, a kapral Bates również powinien zostać wymieniony w rozkazie dziennym. Mam nadzieję, że mnie poprzesz.

– Czy mam też rozumieć, że zostałeś przedstawiony do odznaczenia Krzyżem Wojennym? – spytał Giles.

– To nie zależy ode mnie, stary, ale z przyjemnością zgodzę się na wszystko, co dowódca uzna za stosowne. A teraz do roboty. Skoro mamy pod swoją komendą sześć patroli, proponuję…

Od momentu wydarzenia, które w pierwszej i drugiej drużynie nazywano „fantazją Fishera", wszyscy – od pułkownika w dół – byli w nieustającym pogotowiu. Dwa plutony patrolowały zachodni skraj miasta na zmianę, noc i dzień. Nie zastanawiano się już, czy, ale kiedy Rommel pojawi się na horyzoncie na czele Afrika Korps.

Nawet Fisher, mimo swojego świeżo nabytego statusu bohatera, musiał czasem pokazać się w zewnętrznej strefie obrony, choćby tylko po to, żeby podtrzymać mit o swoim bohaterskim wyczynie, nie na dłużej jednak, niż było trzeba, aby wszyscy go zobaczyli. Po czym meldował się znów u dowódcy kompanii czołgów, pięć kilometrów za linią obrony, i zasiadał przy polowym telefonie.

Lis Pustyni wybrał 11 kwietnia 1941 roku jako dzień rozpoczęcia ataku na Tobruk. Brytyjczycy i Australijczycy walczyli niezwykle dzielnie, broniąc umocnień przed niemiecką nawałnicą. Ale w miarę upływu kolejnych miesięcy i wobec coraz bardziej skąpego zaopatrzenia w żywność i amunicję, mało kto wątpił – choć nikt głośno o tym nie mówił – że odwrót, choćby jedynie ze względu na liczebną przewagę korpusu Rommla, jest tylko kwestią czasu.

Był piątek rano, pustynna mgła już się przerzedzała, kiedy porucznik Barrington, badając przez lornetkę horyzont, wyregulował ostrość obrazu i ujrzał niekończące się rzędy niemieckich czołgów.

– Cholera – zaklął.

Złapał za telefon polowy w momencie, kiedy w budynek, który wybrał ze swoimi ludźmi na punkt obserwacyjny, trafił pocisk. Na drugim końcu linii odezwał się Fisher.

– Widzę, jak w naszym kierunku posuwają się czołgi, czterdzieści, może pięćdziesiąt – zameldował Giles. – A za nimi chyba cały pułk piechoty jako wsparcie. Proszę o zezwolenie na wycofanie moich ludzi na bardziej bezpieczną pozycję w celu przegrupowania i utworzenia szyku bojowego.

– Nie. Macie utrzymać teren – rozkazał Fisher – a kiedy wróg znajdzie się w zasięgu strzału, nawiązać walkę.

– Walkę? – zdziwił się Giles. – Za pomocą łuków i strzał? To nie jest bitwa pod Agincourt, Fisher. Mam ledwie stu ludzi, uzbrojonych tylko w karabiny, a przeciw nam zmierza pułk czołgów. Na Boga, Fisher, pozwól mi zadecydować, co w tej sytuacji będzie najlepsze dla moich ludzi.

– Utrzymać teren – powtórzył Fisher – i nawiązać walkę z wrogiem, kiedy znajdzie się w zasięgu strzału. To jest rozkaz.

Giles rzucił słuchawkę na widełki.

– Z powodów znanych tylko sobie – powiedział Bates – ten facet chce, żeby pan zginął. Trzeba było pozwolić mi go zastrzelić.

W budynek trafił kolejny pocisk i posypały się na nich cegły i kamienie. Giles nie potrzebował już lornetki, aby widzieć, ile czołgów się do nich zbliża, i zrozumieć, że pozostało mu tylko parę chwil życia.

– Cel! – krzyknął.

Pomyślał nagle o Sebastianie, który odziedziczy rodzinny tytuł. Jeśli chłopiec okaże się przynajmniej w połowie tak dobry jak Harry, dynastia Barringtonów nie musi obawiać się o swoją przyszłość.

Następny pocisk trafił w budynek za nimi i Giles widział wyraźnie twarz Niemca patrzącego na niego z wieżyczki czołgu.

– Ognia!

Kiedy ściany wokół niego zaczęły się rozsypywać, Giles pomyślał o Emmie, o Grace, o swoim ojcu, matce, dziadkach i… Kolejny pocisk zniszczył cały gmach. Giles spojrzał jeszcze w górę i widział, jak duży kawał gruzu spada, spada, spada. Rzucił się, by zakryć sobą Batesa, który nie przestawał strzelać do zbliżającego się czołgu.

Ostatnim obrazem, jaki przesunął się Gilesowi pod powiekami, był widok Harry'ego szczęśliwie dopływającego w bezpieczne miejsce.

EMMA BARRINGTON

1941

18

Emma siedziała sama w hotelowym pokoju, czytając od deski do deski *Dziennik więźnia*. Nie wiedziała, kim jest Max Lloyd, ale jednego była pewna: nie on był autorem tej książki.

Tylko jeden człowiek mógł ją napisać. Rozpoznawała wiele dobrze sobie znanych wyrażeń, Lloyd nie zadał sobie nawet trudu, aby zmienić wszystkie nazwiska, chyba że też miał przyjaciółkę Emmę, którą wciąż uwielbia.

Gdy przeczytała ostatnią stronę, była prawie północ, i postanowiła zadzwonić do kogoś, kto o tej porze byłby wciąż w pracy.

– Proszę o jeszcze jedną tylko przysługę – błagała mężczyznę, którego głos usłyszała w słuchawce.

– Niech pani próbuje.

– Potrzebne jest mi nazwisko kuratora sądowego Maksa Lloyda.

– Pisarza Maksa Lloyda?

– Zgadza się.

– Nawet nie zapytam, po co to pani.

Zaczęła czytać książkę po raz drugi, robiąc na marginesie uwagi ołówkiem, ale zanim jeszcze nowy zastępca bibliotekarza przystąpił do pracy, zasnęła. Obudziła się około piątej rano i czytała do momentu, w którym więzienny funkcjonariusz wszedł do biblioteki i powiedział: „Lloyd, masz się zgłosić do naczelnika".

Emma wzięła długi, nieśpieszny prysznic, podczas którego rozmyślała nad faktem, że wszystkie informacje, które z takim trudem starała się uzyskać, były dostępne za półtora dolara w każdej księgarni.

Kiedy się ubrała, zeszła na dół na śniadanie i wzięła do ręki egzemplarz „New York Timesa". Była zaskoczona, kiedy przewracając stronice gazety, natknęła się na recenzję *Dziennika więźnia*.

Powinniśmy być wdzięczni panu Lloydowi, że zwrócił naszą uwagę na to, co dzieje się w naszych więzieniach. Lloyd jest zdolnym, naprawdę utalentowanym pisarzem i musimy mieć nadzieję, że teraz, kiedy jest już na wolności, nie odłoży swojego pióra.

Którego nigdy nie wziął nawet do ręki, pomyślała Emma, podpisując rachunek.

Zanim wróciła do pokoju, poprosiła recepcjonistę, aby polecił jej jakąś dobrą restaurację w pobliżu księgarni Doubleday.

– The Brasserie, proszę pani. Lokal pierwszej klasy. Czy mam zarezerwować pani stolik?

– Tak, bardzo proszę – powiedziała Emma. – Stolik dla jednej osoby na dzisiaj w porze lunchu i drugi na dwie osoby na dziś wieczór.

Recepcjonista szybko uczył się nie dziwić zleceniom składanym przez młodą angielską damę.

Emma wróciła do pokoju i znowu zabrała się do lektury *Dziennika więźnia*. Zagadkowe wydało jej się to, że narracja zaczyna się od przybycia Harry'ego do Lavenham, mimo że z kilku zamieszczonych w książce uwag można było wywnioskować, że jego wcześniejsze przeżycia również zostały spisane, nawet jeśli nie były znane wydawcy, a już na pewno szerokiemu ogółowi. W istocie przekonało to Emmę, że musi istnieć jeszcze inny notatnik, który nie tylko opisywałby aresztowanie i proces Harry'ego, ale mógłby również wyjaśnić, dlaczego wpakował się w takie tarapaty, skoro adwokat o renomie pana Jelksa musiał wiedzieć, że Harry nie jest Tomem Bradshawem.

Po przeczytaniu po raz trzeci zaznaczonych stron dziennika Emma postanowiła, że dobrze jej zrobi jeszcze jeden długi spacer po Central Parku. Kiedy szła aleją Lexington, wpadła do domu towarowego Bloomingdales i złożyła pewne zamówienie. Zapewniono ją, że będzie zrealizowane przed trzecią. W Bristolu takie samo zamówienie wymagałoby dwóch tygodni.

W czasie spaceru po parku w jej głowie zaczął krystalizować się pewien plan, ale musiała wrócić jeszcze raz do księgarni Doubleday i przyjrzeć się dokładniej rozkładowi sklepu, zanim będzie mogła wprowadzić ostatnie poprawki. Kiedy weszła do środka, personel przygotowywał się już do goszczenia autora. Ustawiono stół, a oddzielona sznurem przestrzeń dokładnie wskazywała, jak powinna się formować kolejka. Plakat na wystawie uzupełniono o czerwony pasek informujący dużymi literami: **DZISIAJ**.

Emma wybrała przerwę między dwoma rzędami półek jako miejsce, skąd będzie miała dobry widok na podpisującego książki Lloyda i skąd będzie mogła się przyglądać, jak ofiara wpada w zastawioną przez nią pułapkę.

Wyszła z księgarni tuż przed pierwszą i udała się Piątą Aleją do The Brasserie. Kelner zaprowadził ją do stolika, którego jej dziadkowie, ani z jednej, ani z drugiej strony, nigdy by nie zaakceptowali. Ale jedzenie, zgodnie z obietnicą, było pierwszej klasy, a kiedy podano jej rachunek, wzięła głęboki oddech i zostawiła spory napiwek.

– Zarezerwowałam stolik na dzisiejszy wieczór – powiedziała do kelnera. – Czy mógłby to być stolik we wnęce?

Twarz kelnera wyrażała powątpiewanie, dopóki Emma nie wyjęła z torebki jednodolarowego banknotu, który usunął wszelkie wątpliwości. Stopniowo uczyła się, jak w Ameryce załatwia się sprawy.

– Jak panu na imię? – spytała, podając mu banknot.

– Jimmy.

– I jeszcze jedno, Jimmy.

– Tak, proszę pani?

– Czy mogę zatrzymać menu?

– Oczywiście, proszę pani.

W drodze powrotnej do hotelu Emma wstąpiła do Bloomingdales i odebrała zamówienie. Uśmiechnęła się, kiedy ekspedient pokazał jej wzór wizytówki.

– Mam nadzieję, że odpowiada pani oczekiwaniom.

– Jak najbardziej – powiedziała Emma.

Kiedy znalazła się w swoim pokoju, jeszcze wiele razy przejrzała przygotowane pytania, a po ustaleniu właściwej kolejności starannie zapisała je ołówkiem z tyłu okładki menu. Wyczerpana, położyła się na łóżku i zapadła w głęboki sen.

Kiedy obudził ją uporczywie dzwoniący telefon, na dworze było już ciemno. Spojrzała na zegarek: dziesięć po piątej.

– Cholera – zaklęła, podnosząc słuchawkę.

– Znam to uczucie – odezwał się głos na drugim końcu linii – choć ja użyłbym mocniejszego słowa.

Emma roześmiała się.

– Nazwisko, którego pani szuka, to Brett Elders. Ale to nie ja pani powiedziałem.

– Dziękuję – powiedziała Emma. – Postaram się nie zawracać panu więcej głowy.

– Szkoda – rzekł inspektor i rozłączył się.

Emma zapisała starannie ołówkiem nazwisko „Brett Elders" w prawym górnym rogu menu. Chętnie wzięłaby szybki prysznic i przebrała się, ale była już spóźniona i nie mogła pozwolić sobie na to, że go nie złapie.

Porwała menu i trzy wizytówki. Upchała je do torebki, wybiegła z pokoju i nie poczekawszy na windę, pognała schodami na dół. Przywołała taksówkę i wskoczyła na tylne siedzenie.

– Księgarnia Doubleday na Piątej – rzuciła kierowcy – i proszę szybciutko.

No nie, pomyślała Emma, kiedy taksówka szybko ruszyła. Po co tak panikuję?

Weszła do zatłoczonej księgarni i zajęła wcześniej upatrzoną pozycję pomiędzy działami polityki i religii, skąd będzie mogła obserwować Maksa Lloyda przy pracy.

Podpisywał każdą książkę z artystycznym zawijasem, pławiąc się w zachwycie swoich wielbicieli. Emma wiedziała, że to Harry powinien tam siedzieć i odbierać pochwały. Ale czy w ogóle wie, że jego dzieło zostało opublikowane? Czy ona dowie się tego dziś wieczorem?

Okazało się, że niepotrzebnie się spieszyła, gdyż Lloyd podpisywał swój niespodziewany bestseller jeszcze przez całą godzinę, aż w końcu kolejka zaczęła topnieć. Wpisywał kolejne dedykacje coraz wolniej, w nadziei, że ktoś jeszcze się skusi, aby stanąć w kolejce.

Kiedy gawędził nieśpiesznie z ostatnią klientką, Emma opuściła swoje stanowisko i podeszła do stolika.

– A jak się miewa pańska droga matka? – zapytała wylewnie kobieta.

– Dziękuję, bardzo dobrze – odpowiedział Lloyd. – Nie musi już pracować w hotelu – dodał – dzięki sukcesowi mojej książki.

Kobieta uśmiechnęła się.

– A Emma, jeśli wolno spytać?

– Jesienią zamierzamy się pobrać – odparł Lloyd, złożywszy podpis na jej egzemplarzu.

Doprawdy? Nie wiedziałam – pomyślała Emma.

– O, jakże się cieszę – powiedziała kobieta. – Ona tyle dla pana poświęciła. Proszę koniecznie ją ode mnie pozdrowić.

Odwróć się, a będziesz mogła zrobić to osobiście – miała ochotę powiedzieć jej Emma.

– Nie omieszkam tego uczynić – zapewnił Lloyd, podając jej książkę z uśmiechem z tylnej strony okładki.

Emma podeszła i podała mu swoją wizytówkę. Oglądał ją przez chwilę, zanim taki sam uśmiech wrócił na jego oblicze.

– Koleżanka z branży agencyjnej – powiedział, wstając, aby się z nią przywitać.

Emma uścisnęła wyciągniętą dłoń i z trudem odwzajemniła uśmiech.

– Tak – potwierdziła. – Kilku wydawców w Londynie jest poważnie zainteresowanych prawami do pańskiej książki. Ale oczywiście jeśli podpisał pan już umowę albo jakiś inny agent reprezentuje pana w Anglii, to nie chciałabym zabierać panu czasu.

– Ależ nie, nie, droga pani. Z wielką chęcią rozważę każdą propozycję.

– Może wobec tego zjadłby pan ze mną kolację, abyśmy mogli szerzej o tym porozmawiać?

– Sądzę, że oni oczekują, że zjem kolację z nimi – szepnął

Lloyd, machając ręką w kierunku paru osób z personelu Doubleday.

– Wielka szkoda – powiedziała Emma. – Lecę jutro do Los Angeles na rozmowę z Hemingwayem.

– Wobec tego muszę ich rozczarować, prawda? – powiedział Lloyd. – Jestem pewien, że zrozumieją.

– Dobrze. Wobec tego czy możemy się spotkać w The Brasserie, gdy tylko skończy pan podpisywać?

– Nie wiem, czy uda się pani zarezerwować stolik z tak niewielkim wyprzedzeniem.

– Nie sądzę, aby to był problem – powiedziała Emma, zanim podszedł ostatni amator autografów. – Wobec tego do zobaczenia za chwilę, panie Lloyd.

– Max, jeśli wolno prosić.

Emma wyszła z księgarni i przeszła na drugą stronę Piątej Alei do The Brasserie. Tym razem nie kazano jej czekać.

– Jimmy – zwróciła się do kelnera, który prowadził ją do stolika we wnęce. – Zaraz dołączy do mnie bardzo ważny klient i chcę, aby był to dla niego niezapomniany wieczór.

– Może pani na mnie polegać – zapewnił ją kelner, kiedy Emma usiadła.

Gdy odszedł, otworzyła torebkę, wyjęła menu i przejrzała raz jeszcze listę pytań. Kiedy zobaczyła zmierzającego w jej kierunku Jimmy'ego i podążającego za nim Maksa Lloyda, odwróciła menu.

– Widzę, że jest pani tu dobrze znana – powiedział Lloyd, sadowiąc się na krześle naprzeciw niej.

– To moja ulubiona restauracja w Nowym Jorku – potwierdziła, odwzajemniając uśmiech.

– Czy życzy pan sobie coś do picia? – zapytał kelner.

– Whisky z lodem.

– A szanowna pani?

– To, co zawsze, Jimmy.

Kelner szybko się oddalił. Emma była ciekawa, co jej przyniesie.

– Może zamówmy coś do jedzenia – zaproponowała – a potem przejdziemy do konkretów?
– Świetnie – oparł Lloyd. – Choć ja wiem dokładnie, co wezmę – dodał, kiedy kelner pojawił się z powrotem i postawił przed nim whisky, a po stronie Emmy kieliszek białego wina; to samo wino zamówiła do lunchu. Emma była pod wrażeniem.
– Jimmy, myślę, że możemy już zamawiać.
Kelner skinął głową i zwrócił się do gościa Emmy.
– Dla mnie jeden z tych waszych soczystych befsztyków z polędwicy. Średnio wysmażony, i proszę nie żałować dodatków.
– Oczywiście, proszę pana. – Odwracając się ku Emmie, spytał: – Na co skusi się pani dziś wieczór?
– Sałatka Cezar, Jimmy, ale tylko lekko doprawiona.
Kiedy kelner znalazł się poza zasięgiem słuchu, odwróciła swoje menu, choć dobrze pamiętała pierwsze pytanie.
– Dziennik obejmuje tylko osiemnaście miesięcy pańskiego pobytu w więzieniu – powiedziała. – Ale siedział pan ponad dwa lata, więc mam nadzieję, że możemy spodziewać się kolejnego tomu.
– Mam jeszcze sporo materiału w swoich zapiskach – powiedział Lloyd, po raz pierwszy odprężając się. – Zastanawiam się, czy nie wykorzystać niektórych ze swoich co bardziej niezwykłych przeżyć w powieści, którą zamierzam napisać.
Bo gdybyś opisał je w formie dziennika, każdy wydawca zorientowałby się, że nie jesteś jego autorem, chciała powiedzieć mu Emma.
Kelner od win pojawił się przy Lloydzie, przywołany widokiem jego pustego kieliszka.
– Czy życzy pan sobie przejrzeć kartę win? Może coś, co harmonizowałoby z befsztykiem?
– Dobry pomysł – zgodził się Lloyd, otwierając grubą, oprawioną w skórę książkę z taką miną, jak gdyby to on był fundatorem. Jego palec powędrował wzdłuż długiej listy burgundów i zatrzymał się blisko końca. – Proszę butelkę rocznika trzydzieści siedem.

– Doskonały wybór, proszę pana.

Emma domyślała się, że oznacza to, że nie jest tani. Ale nie pora na spieranie się o cenę.

– Jakże okropną postacią okazał się Hessler – powiedziała, zerkając na drugie pytanie. – Myślałam, że tego rodzaju osoby istnieją tylko w tandetnych powieściach i filmach klasy B.

– Nie, jest jak najbardziej realną postacią – powiedział Lloyd. – Ale jeśli pani pamięta, doprowadziłem do tego, że przeniesiono go do innego więzienia.

– Pamiętam – powiedziała Emma, kiedy przed jej gościem pojawił się duży befsztyk, a przed nią sałatka Cezar.

Lloyd wziął do ręki nóż i widelec, najwyraźniej gotów do podjęcia wyzwania.

– A więc proszę mi powiedzieć, jaką miałaby pani dla mnie propozycję? – zapytał, zabierając się do befsztyka.

– Taką, że dostanie pan dokładnie tyle, ile jest pan wart – powiedziała Emma, innym już teraz tonem – i ani centa więcej.

Na twarzy Lloyda pojawił się wyraz zaskoczenia. Odłożył nóż i widelec, czekając na to, co dalej powie Emma.

– Nie mam cienia wątpliwości, że ani jedno słowo w *Dzienniku więźnia* nie wyszło spod pańskiego pióra, poza tym, że nazwisko prawdziwego autora zastąpił pan swoim.

Lloyd otworzył usta, ale zanim zdążył zaprotestować, Emma kontynuowała:

– Jeśli będzie pan na tyle głupi, żeby nadal utrzymywać, że to pan napisał tę książkę, to pierwszą osobą, jakiej jutro rano złożę wizytę, będzie pan Brett Elders, pański kurator sądowy, ale z pewnością nie po to, żeby rozmawiać o tym, jak doskonale przebiega pańska resocjalizacja.

Wrócił kelner od win, odkorkował butelkę i czekał na decyzję, kto będzie próbował wino. Lloyd wpatrywał się w Emmę jak królik złapany w światła samochodowych reflektorów, wobec czego skinęła lekko głową. Nieśpiesznie zakręciła kieliszkiem i wypiła łyk.

– Wyborne – zawyrokowała w końcu. – Uwielbiam rocznik trzydziesty siódmy.

Kelner ukłonił się lekko, napełnił dwa kieliszki i odszedł w poszukiwaniu nowej ofiary.

– Nie potrafi pani udowodnić, że jej nie napisałem – powiedział wyzywająco Lloyd.

– Potrafię – odparła Emma – ponieważ reprezentuję człowieka, który jest jej autorem. – Wypiła łyk wina, po czym dodała: – Toma Bradshawa, pańskiego zastępcę jako więziennego bibliotekarza.

Lloyd oklapł na swoim krześle i zapadł w ponure milczenie.

– Pozwoli pan wobec tego, że zaproponuję panu układ, przy czym zaznaczę wyraźnie, nie widzę pola do negocjacji, chyba że chce pan wrócić do więzienia pod zarzutem oszustwa i kradzieży. Jeśli trafi pan do Pierpoint, to pan Hessler z radością odprowadzi pana do celi, gdyż w książce nie wypadł najkorzystniej.

Taka perspektywa nie wydała się Lloydowi atrakcyjna.

Emma łyknęła jeszcze trochę wina, zanim zaczęła mówić dalej:

– Pan Bradshaw wspaniałomyślnie zgodził się, żeby podtrzymywał pan mit, że to pan jest autorem dziennika, i nawet nie będzie oczekiwał zwrotu zaliczki, którą panu wypłacono i którą zresztą z pewnością już pan wydał.

Lloyd zacisnął usta.

– Jednakże pragnie pana wyraźnie ostrzec, że gdyby wpadł pan na niemądry pomysł odsprzedania praw w jakimkolwiek innym kraju, zostanie wszczęte powództwo o kradzież praw autorskich przeciwko panu i odnośnemu wydawcy. Czy wyrażam się jasno?

– Tak – wymamrotał Lloyd, zaciskając dłonie na poręczach krzesła.

– Dobrze. Tę kwestię wobec tego mamy już uzgodnioną – powiedziała Emma, łyknąwszy znowu trochę wina, i dodała: – Z pewnością zgodzi się pan, że kontynuowanie tej rozmowy nie ma sensu, i chyba nadszedł czas, żeby pan sobie poszedł.

Lloyd zawahał się.

– Spotkamy się jeszcze jutro o dziesiątej rano na Wall Street 49.

– Wall Street 49?

– W biurze pana Seftona Jelksa, adwokata Toma Bradshawa.

– A więc to Jelks za tym stoi. No cóż, to wyjaśnia wszystko.

Emma nie rozumiała, co Lloyd ma na myśli, ale powiedziała:

– Przyniesie pan z sobą wszystkie zeszyty Toma Bradshawa, co do jednego, i odda mi je. Jeśli spóźni się pan choćby o minutę, polecę mecenasowi Jelksowi, aby zatelefonował do pańskiego kuratora sądowego i powiedział mu, co pan wyczynia po wyjściu z Lavenham. Kradzież pieniędzy klienta to jedno, ale twierdzenie, że napisało się jego książkę…

Lloyd wciąż zaciskał palce na poręczach krzesła, ale nic nie mówił.

– Może pan teraz iść – rzekła Emma. – Do zobaczenia jutro o dziesiątej w holu gmachu na Wall Street 49. Radzę przyjść punktualnie, jeśli nie chce pan następnego spotkania odbyć ze swoim kuratorem.

Lloyd podniósł się niepewnie z krzesła i wolnym krokiem przeszedł przez salę restauracyjną. Jeden lub dwóch gości uznało chyba, że jest pijany. Kelner otworzył mu i przytrzymał drzwi, po czym pośpieszył ku stolikowi Emmy. Widząc nietknięty befsztyk i kieliszek pełen wina, zapytał zaniepokojony:

– Mam nadzieję, że wszystko poszło dobrze, panno Barrington?

– Nie mogło pójść lepiej, Jimmy – powiedziała, nalewając sobie jeszcze jeden kieliszek wina.

19

Kiedy Emma wróciła do pokoju w hotelu, spojrzała na odwrotną stronę okładki menu i z zadowoleniem stwierdziła, że udało się jej zadać prawie wszystkie pytania. Pomyślała sobie, że zażądanie zwrotu notatek w holu budynku przy Wall Street 49 było genialnym pomysłem, gdyż Lloyd nie mógł mieć wątpliwości, że mecenas Jelks jest jej adwokatem, co nawet zupełnie niewinnemu człowiekowi musiałoby napędzić stracha. Wciąż jednak nie wiedziała, co Lloyd miał na myśli, kiedy wyrwały mu się słowa: „A więc to Jelks za tym stoi. No cóż, to wyjaśnia wszystko". Zgasiła światło i po raz pierwszy od wyjazdu z Anglii zapadła w zdrowy, głęboki sen.

Tego dnia jej poranny rytuał wyglądał mniej więcej tak samo jak w poprzednie dni. Po nieśpiesznym śniadaniu, spożytym w towarzystwie jedynie „New York Timesa", Emma wyszła z hotelu i taksówką pojechała na Wall Street. Planowała, że znajdzie się tam trochę przed czasem, i wysiadła z taksówki pod gmachem dziewięć minut przed dziesiątą. Kiedy podała taksówkarzowi ćwierćdolarówkę, z ulgą pomyślała, że jej wizyta w Nowym Jorku dobiega końca; okazała się o wiele bardziej kosztowna, niż się tego spodziewała. Dwa posiłki w The Brasserie, butelka wina za pięć dolarów oraz napiwki w niemałym stopniu się do tego przyczyniły.

Jednakże ani trochę nie wątpiła w to, że podróż była tego warta. W dużej mierze dlatego, że zdjęcia zrobione na pokładzie *Kansas Star* potwierdziły jej przekonanie, że Harry żyje i że z jakiegoś powodu przejął tożsamość Toma Bradshawa. Gdy tylko dostanie w swoje ręce brakujący zeszyt, pozostałe zagadki zostaną rozwikłane i z pewnością zdoła przekonać inspektora Kolowskiego, że Harry powinien zostać zwolniony. Nie zamierza wracać do Anglii bez niego.

Emma wmieszała się w tłum wchodzących do gmachu pracowników biurowych. Wszyscy kierowali się do najbliższej dostępnej windy, ale nie podążyła za nimi. Zajęła strategiczną pozycję pomiędzy kontuarem recepcji i rzędem dwunastu drzwi do wind, dzięki czemu bez przeszkód mogła widzieć wszystkich ludzi wchodzących do budynku przy Wall Street 49.

Spojrzała na zegarek: 9.54. Ani śladu Lloyda. Sprawdziła czas jeszcze o 9.57, 9.58, 9.59 i 10.00. Z pewnością utknął w korku. 10.02 – jej wzrok zatrzymuje się na ułamek sekundy na każdej wchodzącej do budynku osobie. 10.04 – czy to możliwe, że go przeoczyła? 10.06 – spojrzała w kierunku recepcji; wciąż ani śladu Lloyda. 10.08 – Emma stara się odganiać wszelkie negatywne myśli, jakie cisną się jej do głowy. 10.11 – czyżby chciał ją zmusić do pokazania kart? 10.14 – czy następne spotkanie będzie musiała odbyć z panem Brettem Eldersem? 10.17 – jak długo gotowa jest jeszcze czekać? 10.21 – usłyszała za sobą głos:

– Dzień dobry, panno Barrington.

Emma odwróciła się i ujrzała tuż przed sobą twarz Samuela Anscotta, który powiedział uprzejmie:

– Pan Jelks pyta, czy byłaby pani uprzejma wpaść do jego biura?

Po tych słowach Anscott odwrócił się i ruszył ku czekającej windzie. Emma ledwie zdążyła wskoczyć do środka, zanim zamknęły się drzwi.

Niemożliwa była jakakolwiek rozmowa w zatłoczonej windzie odbywającej wolną, przerywaną podróż na dwudzieste drugie piętro. Tutaj Anscott wyszedł i poprowadził Emmę długim, wyłożonym dębową boazerią i grubym dywanem korytarzem, z mnóstwem portretów poprzednich głównych wspólników i ich kolegów z zarządu, stwarzającym wrażenie, że króluje tu uczciwość, prawość i przyzwoitość.

Emma chętnie zadałaby parę pytań Anscottowi, zanim po raz pierwszy ujrzy Jelksa, ale cały czas wyprzedzał ją o kilka kroków. Kiedy dotarł do drzwi na końcu korytarza, zapukał i otworzył je, nie czekając na odpowiedź. Stanął z boku, aby przepuścić Emmę, po czym zamknął drzwi, ale nie dołączył do nich.

W środku, rozparty wygodnie w fotelu z wysokim oparciem, przy oknie, siedział Max Lloyd. Palił papierosa i przywitał Emmę tym samym uśmiechem, jakim obdarzył ją podczas pierwszego spotkania w księgarni Doubleday.

Uwagę skierowała ku wysokiemu, elegancko ubranemu mężczyźnie, który podniósł się wolno zza biurka. Bez śladu uśmiechu ani zamiaru wyciągnięcia ręki na powitanie. Za nim, za szklaną ścianą, widoczne były strzelające w niebo drapacze chmur, nasuwające myśl o nieskrępowanej władzy.

– To miło, że zgodziła się pani do nas przyjść, panno Barrington – powiedział. – Proszę usiąść.

Emma zapadła się w fotel tak głęboki, że ledwie było ją widać. Na biurku głównego wspólnika kancelarii zauważyła stos zeszytów.

– Nazywam się Sefton Jelks – zaczął – i mam zaszczyt reprezentować wybitnego i cenionego pisarza, pana Maksa Lloyda. Mój klient złożył mi dziś rano wizytę, aby poinformować mnie, że zgłosiła się do niego pewna osoba podająca się za agentkę literacką z Londynu i wysunęła pod jego adresem oskarżenie, oszczercze oskarżenie, że nie jest on autorem *Dziennika więźnia*, opublikowanego pod jego nazwiskiem. Może panią zainteresować informacja, panno Barrington – ciągnął Jelks – że jestem w posiadaniu oryginalnego rękopisu, którego każde słowo zapisane jest charakterem pisma pana Lloyda. – Oparł zdecydowanym gestem pięść na stosie zeszytów i pozwolił sobie na coś w rodzaju lekkiego uśmieszku.

– Czy mogę spojrzeć na któryś z nich? – spytała Emma.

– Oczywiście – odparł Jelks.

Wziął do ręki zeszyt leżący na wierzchu stosu i podał jej.

Emma otworzyła go i zaczęła czytać. Zauważyła od razu, że nie był zapisany zdecydowanym charakterem pisma Harry'ego. Ale był głosem Harry'ego. Oddała zeszyt Jelksowi, który odłożył go na stos.

– Czy mogę zajrzeć do któregoś z pozostałych? – spytała.

– Nie. Dowiedliśmy swego, panno Barrington – oznajmił Jelks. – I mój klient skorzysta z wszelkich środków, jakie daje mu prawo w wypadku, gdyby była pani na tyle niemądra, aby powtarzać swoje oszczerstwo.

Emma wciąż zerkała ku stosowi zeszytów, natomiast Jelks nie przestawał mówić:

– Uznałem również za stosowne zamienić słowo z panem Eldersem i uprzedzić go, że być może skontaktuje się pani z nim, oraz poinformować go, że jeśli zgodzi się panią przyjąć, to w wypadku, gdyby sprawa trafiła do sądu, niewątpliwie zostanie powołany na świadka. Pan Elders po zastanowieniu stwierdził, że najlepiej będzie, jeśli uniknie spotkania z panią. Rozsądny człowiek.

Emma nadal przyglądała się stosowi zeszytów.

– Panno Barrington, nie musieliśmy się szczególnie trudzić, aby odkryć, że jest pani wnuczką lorda Harveya i sir Waltera Barringtona, co wyjaśniałoby pani opaczną pewność siebie w podejściu do Amerykanów. Pozwolę sobie, jeśli zamierza pani nadal podawać się za agenta literackiego, udzielić pani bezpłatnie pewnej rady, co zresztą jest sprawą potwierdzoną urzędowo. Otóż w 1939 roku Ernest Hemingway opuścił Stany Zjednoczone, żeby zamieszkać na Kubie...

– To bardzo szlachetne z pańskiej strony, panie mecenasie – przerwała mu Emma w pół zdania. – Pozwoli pan, że w rewanżu ja również udzielę panu bezpłatnie pewnej rady. Nie mam najmniejszej wątpliwości, że to Harry Clifton...

Jelks zmrużył oczy.

– ...a nie pański klient napisał *Dziennik więźnia*. Jeśli będzie pan na tyle głupi, żeby wystąpić wobec mnie z powództwem o oszczerstwo, to być może sam pan stanie przed sądem, aby wyjaśnić, dlaczego bronił pan człowieka oskarżonego o morderstwo, wiedząc, że nie jest porucznikiem Tomem Bradshawem.

Jelks zaczął wściekle naciskać guzik umieszczony pod blatem

biurka. Emma podniosła się z fotela, uśmiechnęła się słodko do obu panów i bez słowa opuściła pokój. Pomaszerowała szybko korytarzem ku windzie, mijając się po drodze z panem Anscottem i ochroniarzem, którzy pędzili na wezwanie mecenasa. Przynajmniej uniknęła upokarzającego wyprowadzenia z jego biura przez ochronę.

Kiedy weszła do windy, windziarz zapytał:

– Które piętro, proszę pani?

– Parter poproszę.

Windziarz zachichotał.

– Na pewno jest pani Angielką.

– Dlaczego tak pan sądzi?

– Bo w Stanach mówimy na to pierwsze piętro.

– Jakżeby inaczej – odparła Emma i uśmiechnęła się do niego, wychodząc z windy.

Przemierzyła hol, pokonała drzwi obrotowe i zbiegła schodami na trotuar, wiedząc już dokładnie, jaki powinien być jej następny krok. Pozostała jej już tylko jedna osoba, do której może się zwrócić. Kto jak kto, ale siostra lorda Harveya na pewno będzie budzącym respekt sojusznikiem. Chyba że stryjeczna babka Phyllis okaże się bliską przyjaciółką Seftona Jelksa, a wtedy Emma wróci pierwszym statkiem do Anglii.

Przywołała taksówkę, ale kiedy wskoczyła do środka, musiała prawie krzyczeć, aby kierowca mógł ją usłyszeć poprzez jazgot grającego na cały regulator radia.

– Róg Sześćdziesiątej Czwartej i Park Avenue – powiedziała, kombinując równocześnie, jak wytłumaczy się przed stryjeczną babką, że nie odwiedziła jej wcześniej.

Pochyliła się ku kierowcy, żeby poprosić o przyciszenie radia, ale w tej samej chwili usłyszała głos spikera:

– Dzisiaj o godzinie dwunastej trzydzieści czasu wschodniego prezydent Roosevelt wygłosi orędzie do narodu.

GILES BARRINGTON

1941–1942

20

Pierwszym obrazem, jaki wyłonił się przed oczyma Gilesa, była jego prawa noga na wyciągu, cała w gipsie.

Jak przez mgłę przypominał sobie długą podróż, kiedy dokuczał mu ból niemal nie do zniesienia, i dręczyła go myśl, że umrze na długo przedtem, nim dowiozą go do szpitala. I nigdy nie zapomni operacji, ale jakżeby mógł, skoro środki znieczulające się skończyły, zanim lekarz wykonał pierwsze cięcie?

Powoli odwrócił głowę w lewo i zobaczył zakratowane okno, potem w prawo; wtedy go ujrzał.

– Nie, to ty? – zdziwił się. – Przez chwilę myślałem, że uciekłem i trafiłem do nieba.

– Jeszcze nie – rzekł Bates. – Wpierw musisz odpokutować w czyśćcu.

– Jak długo?

– Aż noga ci się nie wygoi, a może dłużej.

– Czy jesteśmy z powrotem w Anglii? – spytał z nadzieją Giles.

– Dobrze by było – westchnął Bates. – Nie, jesteśmy w Niemczech, w obozie jenieckim w Weinsbergu, dokąd żeśmy trafili, kiedy nas wzięli do niewoli.

Giles próbował usiąść, ale zdołał tylko unieść głowę znad poduszki; akurat na tyle, żeby ujrzeć wiszący na ścianie portret Adolfa Hitlera, który powitał go nazistowskim pozdrowieniem.

– Ilu naszych chłopaków przeżyło?

– Tylko garstka. Wzięli sobie do serca słowa pułkownika: „Wszyscy oddamy życie, żeby tylko Rommel nie rozgościł się w hotelu Majestic".

– Czy ktoś jeszcze z naszego plutonu wyszedł cało?

– Ty, ja i…

– Tylko nie mów, że Fisher.

– Nie. Bo jakby wysłali go do Weinsbergu, tobym wystąpił o przeniesienie do Colditz.

Giles leżał bez ruchu, wpatrując się w sufit.

– To jak stąd zwiejemy?

– Ciekaw byłem, kiedy o to spytasz.

– I co odpowiesz?

– Nie ma szans, póki masz nogę w gipsie, a potem też nie będzie łatwo. Ale mam plan.

– Jasne, że masz.

– Plan to nie problem – rzucił Bates. – Gorsza sprawa z komitetem ucieczkowym. Oni pilnują listy oczekujących i ty jesteś na końcu.

– To jak się dostać na czoło?

– Tak jak w Anglii musisz czekać na swoją kolej... chyba że...

– Chyba że?

– Chyba że brygadier Turnbull, oficer najstarszy rangą, uzna, że jest jakiś dobry powód, żeby pchnąć cię do przodu.

– Na przykład?

– Gdybyś mówił płynnie po niemiecku, to byłby plus.

– Podłapałem trochę tego języka, jak byłem na przeszkoleniu w podchorążówce, tylko szkoda, że bardziej się nie przykładałem.

– Lekcje odbywają się dwa razy dziennie, no to dla kogoś z twoim rozumem to nie powinno być trudne. Ale i tak lista jest dość długa.

– To co jeszcze mogę zrobić, żeby prędko przeskoczyć do przodu?

– Znaleźć sobie dobre zajęcie, tak jak ja. Dlatego w zeszłym miesiącu przeskoczyłem o trzy miejsca.

– W jaki sposób?

– Jak szkopy się skapowały, że byłem rzeźnikiem, dali mi robotę w kantynie oficerskiej. Powiedziałem im, żeby się odpieprzyli – wybacz kuchenną łacinę – ale brygadier upierał się, żebym się zgodził.

– Czemu chciał, żebyś pracował u Niemców?

– Bo od czasu do czasu udaje mi się zwędzić trochę żarcia z kuchni, ale ważniejsze, że czasem wpadnie mi w ucho jakaś informacja użyteczna dla komitetu ucieczkowego. Dlatego jestem prawie z przodu kolejki, a ty na końcu. Musisz stanąć obiema nogami na ziemi, jak wciąż chcesz zdążyć przede mną do umywalni.

– Czy wiesz, kiedy to będzie? – zagadnął Giles.

– Doktorek więzienny mówi, że zdejmą ci gips najwcześniej za miesiąc, a może za sześć tygodni.

Giles opadł na poduszkę.

– Ale nawet jak wstanę, to jakim cudem dostanę się do kantyny oficerskiej? W odróżnieniu od ciebie nie mam odpowiednich kwalifikacji.

– Przecież masz – zapewnił go Bates. – Możesz nawet wylądować lepiej niż ja i dostać robotę w jadalni komendanta obozu, bo wiem, że szukają kelnera do podawania wina.

– Skąd ci wpadło do głowy, że się nadaję akurat na kelnera do podawania wina? – spytał Giles, nie kryjąc sarkazmu.

– O ile pamiętam – rzekł Bates – to mieliście kamerdynera, Jenkinsa, w Manor House.

– Owszem, ale to jeszcze nie znaczy, że mam kwalifikacje...

– A twój dziadek, lord Harvey, handluje winem. Masz, chłopie, nawet za wysokie kwalifikacje.

– To co proponujesz?

– Kiedy stąd wyjdziesz, każą ci wypełnić formularz, w którym się podaje poprzednie miejsca zatrudnienia. Ja już im powiedziałem, żeś podawał wino w Grand Hotelu w Bristolu.

– Dzięki. Ale oni w parę minut się zorientują...

– Wierz mi, oni nie mają pojęcia. Musisz tylko wyszlifować swój niemiecki i przypomnieć sobie, co robił Jenkins. A potem, jak wykombinujemy dobry plan i przedstawimy go komitetowi ucieczkowemu, migiem trafimy na czoło kolejki. Ale jest tu jeden haczyk.

– Musi być, jak ty maczasz w tym palce.

– Ale wiem, jak to obejść.

– Co to za haczyk?

– Nie dostaniesz roboty u szwabów, jak będziesz chodził na lekcje niemieckiego; oni nie są tacy głupi. Mają listę wszystkich, którzy uczęszczają na zajęcia, bo nie chcą, żeby ktoś podsłuchiwał ich prywatne rozmowy.

– Mówiłeś, że wiesz, jak to obejść.

– Masz zrobić to, co robią ludzie z wyższych sfer, żeby być górą nad takimi jak ja. Wziąć prywatne lekcje. Nawet ci znalazłem korepetytora, gościa, który uczył niemieckiego w szkole średniej w Solihull. Tylko jego angielski będzie ci trudno zrozumieć.

Giles parsknął śmiechem.

– A skoro tu będziesz zamknięty przez sześć tygodni i nie masz nic lepszego do roboty, możesz od razu zaczynać. Pod poduszką masz słownik niemiecko-angielski.

– Jak ci się odwdzięczę, Terry? – powiedział Giles, ściskając rękę przyjacielowi.

– To ja powinienem być ci wdzięczny, no nie? Przecież uratowałeś mi życie.

21

Kiedy pięć tygodni później Giles opuścił izbę chorych, znał tysiąc niemieckich słów, ale nie miał możliwości wyszlifowania ich wymowy.

Leżąc w łóżku, całymi godzinami usiłował sobie przypomnieć, jak Jenkins wykonywał swoją pracę. Ćwiczył zwroty „Dzień dobry, panie kapitanie", z szacunkiem skłaniając głowę, i „Proszę łaskawie skosztować tego wina, pułkowniku", nalewając wodę z dzbanka do pojemnika na mocz.

– Zachowuj się skromnie, nigdy nikomu nie przerywaj i nie odzywaj się niepytany – pouczał go Bates. – Po prostu rób wszystko na odwrót jak dotąd.

Giles chętnie by mu przyłożył, ale wiedział, że Bates ma rację.

Batesowi wolno było odwiedzać Gilesa dwa razy w tygodniu przez trzydzieści minut, lecz wykorzystywał każdą minutę, żeby mu opisać, jak wygląda dzień w jadalni komendanta obozu. Wyuczył go nazwiska i rangi każdego oficera, opowiedział, co lubią, a czego nie lubią, i przestrzegł go, że major Müller z SS, odpowiedzialny za bezpieczeństwo obozu, nie jest dżentelmenem i na pewno nie jest podatny na urok, zwłaszcza ten starej daty.

Inny gość, brygadier Turnbull, wysłuchał z zainteresowaniem opowieści Gilesa o tym, co zrobi, kiedy opuści izbę chorych i znajdzie się w obozie. Brygadier wyszedł pod wrażeniem i wrócił kilka dni później z własnymi koncepcjami.

– Komitet ucieczkowy nie ma cienia wątpliwości, że szwaby nie pozwolą panu pracować w jadalni komendanta, jeśli będą myśleć, że jest pan oficerem – powiedział Gilesowi. – Żeby pański plan miał szansę powodzenia, musi pan udawać szeregowca. Skoro Bates jest jedynym człowiekiem, który był pod pańską komendą, to tylko on będzie musiał zachować milczenie.

– On zrobi to, co mu każę – rzekł Giles.
– Nie, teraz już nie – przestrzegł brygadier.

Kiedy Giles wreszcie opuścił izbę chorych i trafił do obozu, zdziwił się panującą tam dyscypliną, zwłaszcza obowiązującą szeregowców.

Przypomniały mu się dni spędzone w Koszarach Ypres na wrzosowiskach Dartmoor – codzienna pobudka o szóstej rano i starszy sierżant sztabowy, który na pewno nie traktował go jak oficera.

Bates stale wyprzedzał go co rano w wyścigu do umywalni i do śniadania. O siódmej na placu odbywał się apel i zdawanie meldunku brygadierowi. Po okrzyku sierżanta sztabowego: – Spocznij, koniec apelu! – wszyscy rozchodzili się do pilnych zajęć trwających do końca dnia.

Giles nigdy nie opuścił pięciomilowego biegu, dwudziestu pięciu okrążeń wokół obozu, ani godzinnej niemieckiej konwersacji szeptem z prywatnym nauczycielem podczas posiedzenia w latrynie.

Prędko odkrył, że obóz jeniecki w Weinsbergu pod wieloma względami jest podobny do Koszar Ypres: zimny, ponury, nagi teren i dziesiątki baraków z drewnianymi pryczami i materacami z końskiego włosia, żadnego ogrzewania prócz słońca, które, podobnie jak przedstawiciele Czerwonego Krzyża, rzadko zaglądało do Weinsbergu. A tutejszy sierżant sztabowy zawsze zwracał się do Gilesa per „ty gnojku".

Jak w Dartmoor, obóz był otoczony wysokim ogrodzeniem z drutu kolczastego i było tu tylko jedno wyjście. Niestety, nie wydawano przepustek na weekend, a wartownicy uzbrojeni w karabiny wcale nie salutowali, kiedy przejeżdżałeś przez bramę żółtym mg.

Gdy Gilesowi polecono wypełnić formularz o zatrudnieniu, pod nazwiskiem wpisał „szeregowiec Giles Barrington", a pod poprzednim zatrudnieniem „sommelier".

– Cóż to znowu, do diabła? – spytał Bates.

– Kelner winny – oznajmił tonem wyższości Giles.

– To czemu, do cholery, tak nie napiszesz? – huknął Bates, drąc formularz – chyba że liczysz na pracę w Ritzu. Musisz wypełnić jeszcze jeden – dodał z irytacją.

Giles oddał drugi formularz i niecierpliwie czekał na wezwanie na rozmowę z kimś z biura komendanta. Całymi godzinami pracował nad tym, żeby w dobrej kondycji utrzymać zarówno umysł, jak i ciało. *Mens sana in corpore sano* – to była bodaj jedyna sentencja łacińska, jaką pamiętał z czasów szkolnych.

Bates stale informował go o tym, co się dzieje po drugiej stronie ogrodzenia, i nawet czasem udawało mu się przemycić kartofel albo skibkę chleba, a raz nawet połówkę pomarańczy.

– Nie mogę przesadzać – wyjaśnił. – Za żadne skarby nie chcę stracić pracy.

Mniej więcej miesiąc później obaj zostali wezwani przed oblicze komitetu ucieczkowego i przedstawili plan Batesa/ /Barringtona, który prędko zyskał nazwę planu noclegowo-śniadaniowego – nocleg w Weinsbergu, śniadanie w Zurychu.

Kamuflaż, jaki zaprezentowali, zyskał aprobatę i komitet zgodził się przesunąć ich w kolejce o kilka miejsc do przodu, ale nikt jeszcze się nie zająknął, że to oni powinni rozpocząć mecz. Brygadier wręcz im zapowiedział, że dopóki szeregowiec Barrington nie dostanie pracy w jadalni komendanta, nie mają po co zawracać głowy członkom komitetu.

– Terry, dlaczego to trwa tak długo? – zagadnął Giles, gdy wyszli ze spotkania.

Kapral Bates uśmiechnął się od ucha do ucha.

– Możesz mi mówić Terry – oznajmił – kiedy jesteśmy sami, ale nigdy w obecności żołnierzy, zrozumiano? – dodał, małpując Fishera.

Giles dał mu kuksańca.

– Za to stawiają przed sąd wojenny – przypomniał mu Bates. – Szeregowcowi nie wolno uderzyć podoficera.

Giles znów mu przyłożył.

– A teraz odpowiedz na moje pytanie – zażądał.

– W tym miejscu nic nie dzieje się prędko. Cierpliwości, Giles.

– Nie możesz mi mówić Giles, póki nie usiądziemy do śniadania w Zurychu.

– Dobra, ale ty będziesz płacił.

Wszystko się zmieniło w dniu, kiedy komendant obozu musiał podjąć grupę przedstawicieli Czerwonego Krzyża lunchem i potrzebował jeszcze jednego kelnera.

– Nie zapominaj, że jesteś szeregowcem – mówił Bates, gdy Gilesa prowadzono pod eskortą na drugą stronę płotu na rozmowę z majorem Müllerem. – Staraj się myśleć jak służący, a nie jak ktoś, komu usługiwano. Jeżeli Müller choć przez chwilę będzie podejrzewał, żeś jest oficerem, to obaj wylecimy na zbity pysk, a ty wylądujesz na najniższym szczeblu drabiny. I możesz być pewien, że brygadier nigdy więcej nie dopuści nas do gry. Zachowuj się jak sługa i nigdy nie zdradź się nawet miną, że znasz słowo po niemiecku. Rozumiesz?

– Tak jest, panie kapralu – rzekł Giles.

Giles wrócił godzinę później z szerokim uśmiechem na twarzy.

– Dostałeś tę robotę? – spytał Bates.

– Miałem szczęście – pochwalił się Giles. – Rozmawiał ze mną komendant, nie Müller. – Jutro zaczynam.

– I on w ogóle nie podejrzewał, że jesteś oficerem i dżentelmenem?

– Nie, bo mu powiedziałem, że jestem twoim przyjacielem.

Przed lunchem dla gości z Czerwonego Krzyża Giles odkorkował sześć butelek merlota, żeby wino „oddychało". Kiedy goście zasiedli do stołu, Giles nalał wina na dno kieliszka komendantowi i czekał, aż je skosztuje. Kiedy komendant skinął głową, Giles zaczął obsługiwać gości, zawsze napełniając kieliszki z prawej strony. Potem nalewał oficerom według starszeństwa i w końcu wrócił do komendanta jako do gospodarza.

W trakcie posiłku pilnował, żeby żaden kieliszek nie pozostawał pusty, ale nigdy nie obsługiwał kogoś, kto akurat coś mówił. Podobnie jak Jenkinsa, prawie go nie widziano i nigdy nie słyszano. Wszystko szło zgodnie z planem, chociaż Giles zdawał sobie sprawę, że major Müller rzadko spuszcza z niego podejrzliwy wzrok, nawet wtedy, kiedy usiłował wtopić się w tło.

Kiedy późnym popołudniem prowadzono ich dwóch pod eskortą z powrotem do obozu, Bates zauważył:

– Zaimponowałeś komendantowi.

– Skąd wiesz? – spytał Giles.

– Mówił do szefa kuchni, że musiałeś być zatrudniony w wielkopańskim domu, bo choć najwyraźniej pochodzisz z niższych klas, zostałeś dobrze wyszkolony przez wytrawnego profesjonalistę.

– Dziękuję ci, Jenkins – powiedział Giles.

– A co to znaczy „wytrawny"? – zapytał Bates.

Giles tak się wprawił w swojej nowej profesji, że komendant obozu nalegał, aby mu usługiwał nawet wtedy, kiedy samotnie spożywa posiłek. Dzięki temu Giles mógł studiować jego nawyki, modulacje głosu, jego śmiech, nawet lekkie jąkanie.

Nie minęło kilka tygodni, a szeregowiec Barrington dostał klucze do piwnicy z winem i pozwolono mu wybierać trunek do obiadu. A po kilku miesiącach Bates podsłuchał, jak komendant mówi szefowi kuchni, że Barrington jest *erstklassig*.

Zawsze kiedy komendant wydawał uroczystą kolację, Giles potrafił prędko ocenić, którym biesiadnikom, jeżeli będzie im regularnie napełniał kieliszki, rozwiążą się języki i jak się stać niewidzialnym, kiedy zaczną mleć ozorem. Przekazywał każdą przydatną informację, jaka wpadła mu w ucho poprzedniego wieczoru, ordynansowi brygadiera podczas wspólnego pięciomilowego biegu. A to, gdzie mieszka komendant, a to, że w wieku trzydziestu dwóch lat wybrano go do rady miejskiej i że w 1938 roku został burmistrzem. Że nie prowadzi samochodu, ale był w Anglii trzy albo cztery razy przed wojną i mówi płynnie po angielsku. W zamian Giles się dowiadywał, że on i Bates wspięli się o kilka szczebli wyżej na drabinie komitetu ucieczkowego.

Głównym zajęciem Gilesa w ciągu dnia była godzina konwersacji z nauczycielem. Nigdy nie padło słowo po angielsku i człowiek z Solihull powiedział nawet brygadierowi, że szeregowiec Barrington coraz bardziej przypomina wymową komendanta.

Trzeciego grudnia 1941 roku kapral Bates i szeregowiec Barrington po raz ostatni wystąpili przed komitetem ucieczkowym. Brygadier i jego drużyna z dużym zainteresowaniem wysłuchali planu noclegowo-śniadaniowego i zgodzili się, że ma on o wiele więcej szans powodzenia niż większość niedowarzonych pomysłów, które im przedstawiono.

– Jak uważacie, kiedy będzie najlepszy moment na przeprowadzenie waszego planu? – spytał brygadier.

– Sylwester, panie brygadierze – odparł bez wahania Giles. – Wszyscy oficerowie będą na kolacji u komendanta, żeby przywitać Nowy Rok.

– A że szeregowiec Barrington będzie nalewał trunki – dodał Bates – to kiedy wybije północ, nie powinno być wielu trzeźwych.

– Poza Müllerem, który nie pije – przypomniał brygadier Batesowi.

– Owszem, ale on nigdy nie opuszcza toastu za ojczyznę, Führera i Trzecią Rzeszę. Jeżeli dodać jeszcze Nowy Rok i gospodarza, to chyba będzie zdrowo chrapał, zanim odwiozą go do domu.

– O której godzinie zwykle odprowadzają was do obozu po uroczystym obiedzie u komendanta? – spytał młody porucznik, który ostatnio dołączył do komitetu ucieczkowego.

– Około jedenastej – odparł Bates – ale w sylwestra to nie będzie przed północą.

– Nie zapominajcie, panowie – wtrącił Giles – że ja mam

klucze do piwnicy z winem i zapewniam was, że tego wieczoru kilka butelek trafi do wartowni. Oni też powinni uczcić Nowy Rok.

– To pięknie – powiedział podpułkownik lotnictwa, który rzadko się odzywał – ale jak zamierzacie koło nich się przemknąć?

– Wyjedziemy główną bramą samochodem komendanta – wyjaśnił Giles. – On jest szarmanckim gospodarzem i nigdy nie wychodzi przed ostatnim gościem, co powinno nam dać co najmniej dwie godziny przewagi.

– Jeśli nawet uda się wam ukraść samochód – rzekł brygadier – to choćby wartownicy byli kompletnie pijani, i tak potrafią odróżnić kelnera od swojego komendanta.

– Nie, jeśli będę w jego płaszczu wojskowym, czapce, szaliku i rękawiczkach, i będę trzymał jego trzcinkę – powiedział Giles.

Młody porucznik najwyraźniej nie był przekonany.

– Szeregowcu Barrington, czy wasz plan zakłada, że komendant potulnie odda wam to wszystko?

– Nie, panie poruczniku – zwrócił się Giles do oficera, od którego był starszy rangą. – Komendant zawsze zostawia płaszcz, czapkę i rękawiczki w szatni.

– A Bates? – rzucił ten sam oficer. – Poznają go na kilometr.

– Nie poznają, jak będę w bagażniku – rzekł Bates.

– A co z szoferem komendanta? – spytał brygadier. – Przypuszczam, że będzie absolutnie trzeźwy.

– Zastanawiamy się nad tym – odparł Giles.

– A gdy już się wam uda rozwiązać problem z szoferem i przejechać obok wartowni, to jak daleko jest do granicy szwajcarskiej? – znów się odezwał młody porucznik.

– Sto siedemdziesiąt trzy kilometry – stwierdził Bates. – Przy stu kilometrach na godzinę powinniśmy dotrzeć do granicy w niecałe dwie godziny.

– Zakładając, że nie będzie żadnych zatorów na drodze.

– Żaden plan ucieczki nie jest niezawodny – wtrącił brygadier. – W końcu wszystko zależy od tego, jak sobie poradzimy z tym, co nieprzewidziane.

Giles i Bates przytaknęli ruchem głowy.

– Dziękuję, panowie – powiedział brygadier. – Komitet rozważy wasz plan i powiadomimy was o decyzji jutro rano.

– Co ten zasmarkany rekrut miał przeciwko nam? – zagadnął Bates po wyjściu ze spotkania.

– Nic – odparł Giles. – Przeciwnie, podejrzewam, że żałuje, że nie może do nas doszlusować.

Szóstego grudnia podczas pięciomilowego biegu ordynans brygadiera oznajmił Gilesowi, że mają zielone światło i komitet życzy im udanej podróży. Giles prędko dogonił kaprala Batesa i przekazał mu nowinę.

Barrington i Bates wciąż od nowa omawiali swój plan, dopóki, jak lekkoatleci na olimpiadzie, nie znużyli się niekończącymi się godzinami przygotowań i zatęsknili, aby wreszcie usłyszeć strzał startera.

O godzinie szóstej 31 grudnia 1941 roku kapral Terry Bates i szeregowiec Giles Barrington zgłosili się w siedzibie komendanta, świadomi, że gdyby ich plan nie wypalił, to w najlepszym razie będą musieli czekać cały rok, ale gdyby zostali przyłapani, to…

22

– Wracasz tu o szóstej trzydzieści! – Terry niemal wykrzyczał do niemieckiego kaprala, który eskortował ich z obozu do kwatery komendanta.

Tępa mina kaprala nasunęła Gilesowi myśl, że ten biedak nigdy się nie dochrapie stopnia sierżanta.

– Wracasz tu o szóstej trzydzieści – powtórzył Terry, powoli wymawiając każde słowo. Schwycił kaprala za przegub i pokazał mu cyfrę sześć na zegarku.

Giles żałował, że nie może powiedzieć kapralowi w jego języku: „Kapralu, kiedy wrócicie o szóstej trzydzieści, w wartowni będzie dla was i waszych kolegów skrzynka piwa" – ale wiedział, że gdyby to zrobił, zostałby aresztowany i spędziłby sylwestra w więziennej izolatce.

Terry jeszcze raz wskazał zegarek kaprala i uczynił gest, jakby wychylał kufel piwa. Teraz kapral się uśmiechnął i powtórzył gest Terry'ego.

– Chyba w końcu się skapował – zauważył Giles w drodze do kwatery komendanta.

– Musimy jeszcze dopilnować, żeby zabrał piwo przed przyjściem pierwszego oficera. Lepiej się pospieszmy.

– Tak jest, panie poruczniku – przytaknął Terry, kierując się do kuchni.

Naturalny porządek rzeczy został przywrócony.

Giles udał się do szatni, zdjął strój kelnera z wieszaka i włożył białą koszulę, czarny krawat, czarne spodnie i białą lnianą marynarkę. Spostrzegł na ławce czarne rękawiczki, które jeden z oficerów musiał uprzednio zostawić, i wsadził je do kieszeni, uznawszy, że mogą się później przydać. Zamknął drzwi szatni i skierował się do jadalni. Trzy kelnerki z miasta – między nimi Greta, jedyna, z którą miałby ochotę poflirtować, ale wiedział, że Jenkins by tego nie pochwalał – nakrywały stół na szesnaście osób.

Spojrzał na zegarek: dwanaście po szóstej. Wycofał się z jadalni i zszedł schodami do piwnicy z winem. Pojedyncza żarówka oświetlała pomieszczenie, w którym kiedyś znajdowały się szafy z archiwami. Od przybycia Gilesa zastąpiły je stelaże na butelki. Giles już zdecydował, że będzie potrzebował co najmniej trzech skrzynek wina na dzisiejszą kolację oraz skrzynki piwa dla spragnionego kaprala i jego kamratów w wartowni. Uważnie obejrzał stelaże, po czym wybrał dwie butelki sherry, kilkanaście butelek włoskiego pinot grigio, dwie skrzynki francuskiego burgunda i skrzynkę niemieckiego piwa. W chwili gdy wychodził, jego wzrok zatrzymał się na trzech butelkach szkockiej whisky Johnie Walker Red Label, dwóch butelkach rosyjskiej wódki, kilku butelkach koniaku Rémy Martin i butli porto z dobrego rocznika. Giles pomyślał, że jakiś przygodny gość mógłby się pomylić, kto z kim jest w stanie wojny.

Przez następny kwadrans taszczył skrzynki z winem i tę jedną z piwem na górę, przy czym co chwilę przystawał i spoglądał na zegarek; dwadzieścia dziewięć minut po szóstej otworzył tylne drzwi i ujrzał niemieckiego kaprala, który podskakiwał i bił się po bokach dla rozgrzewki. Giles uniósł obie dłonie na znak, żeby przez moment spokojnie czekał, a potem szybko cofnął się w głąb korytarza – Jenkins nigdy nie biegł – podniósł skrzynkę z piwem, wrócił i podał ją Niemcowi.

Greta, która widocznie się spóźniła, widziała tę scenę i uśmiechnęła się do Gilesa. Odpowiedział jej uśmiechem, a ona się odwróciła i zniknęła w jadalni.

– Wartownia – powiedział zdecydowanym tonem Giles, wskazując zewnętrzne ogrodzenie.

Kapral skinął głową i pomaszerował we właściwym kierunku. Wcześniej Terry spytał Gilesa, czy przeszmuglować trochę jedzenia z kuchni kapralowi i jego kolegom do wartowni.

– Absolutnie nie – sprzeciwił się Giles. – Oni powinni pić przez całą noc na puste żołądki.

Giles zamknął drzwi i wrócił do jadalni, gdzie kelnerki już prawie kończyły nakrywać stół.

Odkorkował kilka butelek merlota, ale tylko cztery postawił na kredensie, dyskretnie ukrywszy pozostałe osiem. Nie mógł dopuścić do tego, żeby Müller przejrzał jego zamiary. Na kredensie umieścił z boku butelkę whisky i dwie butelki sherry, a potem ustawił tuzin szklaneczek i kilka kieliszków do sherry jak żołnierzy na paradzie. Wszystko było jak należy.

Giles polerował szklaneczkę, kiedy do jadalni wkroczył pułkownik Schabacker. Komendant skontrolował stół, minimalnie skorygował plan rozsadzenia gości, a potem rzucił spojrzenie na butelki stojące w szyku bojowym na kredensie. Giles się zastanawiał, czy zrobi jakąś uwagę, ale pułkownik tylko się uśmiechnął i powiedział:

– Spodziewam się gości około wpół do ósmej i oznajmiłem szefowi kuchni, że siadamy do kolacji o ósmej.

Giles miał nadzieję, że za kilka godzin wykaże się niemieckim równie płynnym jak angielszczyzna pułkownika Schabackera.

Następną osobą, która pojawiła się w jadalni, był młody porucznik, który niedawno dołączył do mesy oficerskiej i uczestniczył po raz pierwszy w kolacji wydawanej przez komendanta. Giles spostrzegł, że utkwił wzrok w whisky, więc podszedł, żeby go obsłużyć, i nalał mu pół szklaneczki. A potem podał komendantowi jego ulubioną sherry.

Po chwili wszedł kapitan Henkel, szef administracji obozu. Giles podał mu jak zwykle kieliszek wódki i przez następne pół godziny obsługiwał nowych gości, zawsze serwując im ich ulubiony trunek.

Do czasu gdy goście usiedli do stołu, na miejscu kilku pustych butelek stanęły rezerwowe, schowane pod kredensem.

Po kilku chwilach pojawiły się kelnerki z talerzami barszczu, tymczasem komendant skosztował białego wina.

– Włoskie – rzekł Giles, pokazując mu etykietkę.

– Doskonałe – mruknął komendant.

Teraz Giles napełnił kieliszki wszystkim oprócz majora Müllera, który pociągał łyczkami wodę.

Niektórzy goście pili szybciej niż inni, więc Giles krążył

wokół stołu, pilnując, żeby nikt nie miał pustego kieliszka. Kiedy sprzątnięto talerze po zupie, Giles dyskretnie się wycofał, ponieważ Terry uprzedził go, co teraz nastąpi. Rozchyliły się pchnięte z rozmachem dwuskrzydłowe drzwi i wyłonił się z nich szef kuchni, niosąc srebrną tacę, na której spoczywał łeb dzika. Za szefem kuchni postępowały kelnerki, które postawiły na środku stołu półmiski z jarzynami i ziemniakami oraz dzbanuszki z zawiesistym sosem.

Szef kuchni zabrał się do krojenia pieczeni, a tymczasem pułkownik Schabacker spróbował burgunda i na jego twarzy pojawiła się błogość. Giles znowu zaczął napełniać kieliszki, z jednym wyjątkiem. Zauważył, że młody porucznik od jakiegoś czasu się nie odzywa, więc pominął jego kieliszek. Kilku oficerów zaczęło mówić bełkotliwie, a Gilesowi zależało, żeby zachowali przytomność przynajmniej do północy.

Szef kuchni później wrócił, żeby serwować drugą porcję, i Giles na znak pułkownika Schabackera dolał wszystkim do kieliszków. Kiedy Terry pokazał się pierwszy raz, żeby sprzątnąć talerze z resztkami pieczeni, jedynym trzeźwym oficerem był major Müller.

Kilka minut później szef kuchni po raz trzeci wkroczył do jadalni, tym razem z tortem szwarcwaldzkim, który postawił na stole przed komendantem. Gospodarz kilkakrotnie zagłębił nóż w torcie i kelnerki rozniosły spore porcje ciasta gościom. Giles nadal dopełniał im kieliszki, aż opróżnił ostatnią butelkę.

Kelnerki sprzątnęły deserowe talerzyki, a Giles zebrał ze stołu kieliszki do wina i na ich miejsce ustawił koniakówki i kieliszki do porto.

– Panowie – oznajmił pułkownik Schabacker tuż po jedenastej – napełnijcie, proszę, kieliszki, ponieważ będę chciał wznieść toast.

Wstał, podniósł wysoko w górę kieliszek i powiedział:

– Za ojczyznę!

Piętnastu oficerów wstało w różnym tempie i powtórzyło:

– Za ojczyznę!

Müller zerknął na Gilesa i postukał w swój kieliszek, dając do zrozumienia, że potrzebuje czegoś, żeby wznieść toast.

– Nie wina, ty idioto – ofuknął Gilesa. – Chcę koniaku.

Giles uśmiechnął się i nalał mu burgunda.

Müllerowi nie udał się podstęp.

Wśród zgiełku wesołych rozmów Giles obszedł stół z kasetką z cygarami i częstował gości. Młody porucznik oparł głowę o stół i Gilesowi wydawało się, że słyszy, jak chrapie.

Kiedy komendant podniósł się ponownie, żeby wypić za zdrowie Führera, Giles znowu nalał Müllerowi czerwonego wina. Müller wzniósł kieliszek, trzasnął obcasami i wyrzucił rękę w górę w nazistowskim pozdrowieniu. Następny był toast za Fryderyka Wielkiego, i tym razem Giles napełnił kieliszek Müllera na długo przedtem, zanim ten wstał.

Za pięć dwunasta Giles sprawdził, czy wszystkie kieliszki są pełne. Kiedy zegar ścienny zaczął wybijać godzinę, piętnastu oficerów wykrzykiwało prawie unisono: dziesięć, dziewięć, osiem, siedem, sześć, pięć, cztery, trzy, dwa, jeden, a potem wszyscy huknęli: *Deutschland, Deutschland über alles*, i klepiąc się po plecach, witali Nowy Rok.

Minęło trochę czasu, zanim usiedli. Komendant nadal stał i stukał łyżeczką w kieliszek. Wszyscy umilkli, czekając na jego doroczne przemówienie.

Zaczął od podziękowania kolegom za lojalność i poświęcenie w tym trudnym roku. Potem mówił o przeznaczeniu swojej ojczyzny. Giles przypomniał sobie, że Schabacker był burmistrzem miasteczka, zanim został komendantem obozu. Na zakończenie pułkownik wyraził nadzieję, że o tej porze za rok wojna będzie wygrana przez tych, po których stronie jest słuszność. Giles miał ochotę krzyknąć w jakim bądź języku: „Racja! Racja!", ale Müller się obrócił i sprawdził, czy wypowiedź pułkownika wywołała jakąś reakcję. Giles patrzył obojętnie przed siebie, jakby nie rozumiał ani słowa. Drugi raz nie dał się podejść Müllerowi.

23

Kilka minut po pierwszej w nocy wstał pierwszy gość i oznajmił, że musi wyjść.

– Zaczynam służbę o szóstej rano, pułkowniku – wyjaśnił. Słowa te powitano z ironicznym aplauzem, a oficer nisko się skłonił i opuścił towarzystwo.

Jeszcze kilku gości wyszło podczas następnej godziny, ale Giles wiedział, że nie może nawet myśleć o tym, żeby wykonać swój skrupulatnie zaplanowany odwrót, kiedy Müller wciąż jest obecny. Trochę się martwił, kiedy kelnerki zaczęły sprzątać ze stołu filiżanki do kawy – znak, że wieczór ma się ku końcowi i że zapewne każą mu wracać do obozu. Giles krzątał się, nadal obsługując oficerów, którym widać nie spieszyło się do odejścia.

Müller w końcu wstał, gdy ostatnia z kelnerek wyszła z jadalni, i życzył dobrej nocy kolegom, nie zapominając trzasnąć obcasami i wyrzucić w górę ręki w nazistowskim pozdrowieniu. Giles i Terry uzgodnili, że nie przystąpią do realizacji swojego planu, dopóki nie minie piętnaście minut od wyjścia Müllera i nie upewnią się, że jego samochodu nie ma tam gdzie zwykle.

Giles napełnił kieliszki sześciu oficerom, którzy nadal siedzieli przy stole. Wszyscy byli bliskimi przyjaciółmi komendanta. Dwaj chodzili razem z nim do szkoły, trzej zasiadali wraz z nim w radzie miejskiej i tylko szef administracji obozu był znajomym świeżej daty; te informacje Giles zdobył w ciągu ostatnich miesięcy.

Musiało być dwadzieścia po drugiej, kiedy komendant skinął na Gilesa.

– To był męczący dzień – powiedział po angielsku. – Idź do swojego kolegi do kuchni i weźcie sobie butelkę wina.

– Dziękuję, panie pułkowniku – odparł Giles, postawiwszy na środku stołu butelkę brandy i karafkę z porto.

Ostatnie, co usłyszał, zanim wyszedł, to słowa komendanta wypowiedziane do oficera siedzącego po prawej:

– Franz, jak wreszcie wygramy tę wojnę, zaproponuję temu człowiekowi pracę. Nie wyobrażam sobie, żeby chciał wracać do Anglii, kiedy nad pałacem Buckingham będzie powiewała flaga ze swastyką.

Giles schwycił jedyną butelkę wina, która została na kredensie, wyszedł z jadalni i cicho zamknął za sobą drzwi. Czuł ogarniające go podniecenie i był w pełni świadom, że następne piętnaście minut zdecyduje o ich losie. Zszedł tylnymi schodami do kuchni, gdzie zastał Terry'ego gawędzącego z szefem kuchni, z opróżnioną do połowy butelką kuchennej sherry u boku.

– Szczęśliwego Nowego Roku, szefie – powiedział Terry, podnosząc się z krzesła. – Muszę uciekać, żeby się nie spóźnić na śniadanie w Zurychu.

Giles usiłował zapanować nad twarzą, kiedy szef kuchni podniósł rękę w geście zrozumienia.

Zbiegli po schodach, jedyni trzeźwi ludzie w budynku. Giles podał butelkę wina Terry'emu i powiedział:

– Dwie minuty, nie więcej.

Terry powędrował korytarzem i wymknął się tylnymi drzwiami. Giles schował się w cieniu u szczytu schodów akurat w chwili, gdy jakiś oficer wyszedł z jadalni i skierował się do ubikacji.

Po chwili uchyliły się tylne drzwi i pokazała się w nich głowa. Giles gwałtownie zamachał na Terry'ego i wskazał na ubikację. Terry wbiegł na górę i stanął obok niego na moment przed ukazaniem się oficera, który wyłonił się na korytarz i chwiejnie podążył do jadalni. Kiedy zamknęły się za nim drzwi, Giles spytał:

– Jak się miewa nasz potulny Niemiec, kapralu?

– Drzemie. Dałem mu butelkę wina i uprzedziłem go, że zostaniemy tutaj jeszcze co najmniej przez godzinę.

– Myślisz, że zrozumiał?

– Chyba jest mu wszystko jedno.

– To dobrze. Teraz ty stój na czatach – powiedział Giles, wracając na korytarz.

Zacisnął pięści, żeby ręce przestały mu się trząść, i już chciał otworzyć drzwi szatni, kiedy mu się wydało, że słyszy głos dochodzący ze środka. Zamarł, przytknął ucho do drzwi i nasłuchiwał. Już po chwili zdał sobie sprawę, kto tam jest. Po raz pierwszy złamał złotą zasadę Jenkinsa i puścił się biegiem, żeby dołączyć do Terry'ego u szczytu schodów.

– Co się stało?

Giles położył palec na ustach, a tymczasem otworzyły się drzwi szatni i wyszedł z nich major Müller, zapinając rozporek. Naciągnął płaszcz, omiótł wzrokiem korytarz, sprawdzając, czy nikt go nie spostrzegł, wyśliznął się przez frontowe drzwi i przepadł w mroku nocy.

– Która dziewczyna? – spytał Giles.

– Pewnie Greta. Miałem ją ze dwa razy, ale nie w szatni.

– Czyś ty się nie pobratał z wrogiem? – szepnął Giles.

– Tylko wtedy, gdybym był oficerem – odgryzł się Terry.

Nie musieli długo czekać, kiedy drzwi znowu się otworzyły i stanęła w nich Greta; miała lekko zarumienioną twarz. Wyszła spokojnie przez frontowe drzwi, nie sprawdziwszy nawet, czy ktoś jej nie widzi.

– Druga próba – rzucił Giles.

Przemknął korytarzem, otworzył drzwi do szatni i zniknął w środku w chwili, gdy inny oficer wyszedł z jadalni.

Nie idź w prawo, nie idź w prawo – zaklinał go Terry po cichu. Oficer poszedł na lewo i skierował się do ubikacji. Terry modlił się, żeby sikał całą wieczność. Zaczął liczyć sekundy, wtem otworzyły się drzwi szatni i pojawił się w nich fałszywy komendant w pełnym rynsztunku. Terry gorączkowo zamachał, pokazując, żeby wrócił do środka. Giles dał nura do szatni i przymknął drzwi.

Kiedy oficer ponownie się pojawił, Terry się bał, że wejdzie do szatni po płaszcz i czapkę i zastanie tam Gilesa przebranego za komendanta, a wtedy zanim cokolwiek się zacznie, nastąpi koniec. Terry śledził każdy krok oficera, ale ten zatrzymał się przed jadalnią, otworzył drzwi i tam wszedł. Wtedy Terry rzucił się pędem, wpadł do szatni, gdzie zastał Gilesa w płaszczu, szaliku, rękawiczkach, czapce z daszkiem, z trzcinką w ręku; na czole perliły mu się kropelki potu.

– Zwiewajmy stąd, zanim któryś z nas dostanie ataku serca – wyrzucił z siebie Terry.

Opuścili budynek w jeszcze większym pośpiechu niż przedtem Müller i Greta.

– Odpręż się – powiedział Giles, gdy znaleźli się na dworze. – Nie zapominaj, że tylko my dwaj jesteśmy tutaj trzeźwi.

Owinął się szalikiem, zasłaniając podbródek, naciągnął czapkę, mocno schwycił trzcinkę i lekko się zgarbił, gdyż był trochę wyższy od komendanta.

Gdy tylko szofer usłyszał, że Giles się zbliża, wyskoczył z samochodu i otworzył mu tylne drzwi. Giles wsiadł, naciągnął jeszcze głębiej czapkę i stłumionym głosem wypowiedział polecenie, które, jak słyszał, pułkownik wielokrotnie powtarzał szoferowi.

– Zawieź mnie do domu, Hans.

Hans usiadł za kierownicą, ale gdy usłyszał trzask przypominający zamykanie klapy bagażnika, podejrzliwie obejrzał się do tyłu. Zobaczył tylko, że komendant stuka trzcinką w szybę.

– Na co czekasz, Hans? – spytał Giles, lekko się zacinając.

Hans zapalił silnik, wrzucił pierwszy bieg i wolno ruszył w stronę wartowni. Na odgłos zbliżającego się samochodu z budki wartownika wyszedł sierżant. Próbował jednocześnie podnieść szlaban i przytknąć rękę do czapki. Giles w odpowiedzi uniósł trzcinkę i o mało nie wybuchnął śmiechem, gdy zauważył, że dwa górne guziki bluzy wartownika są rozpięte. Pułkownik Schabacker nigdy nie zostawiłby tego bez komentarza, nawet w noc sylwestrową.

Major Forsdyke, oficer wywiadowczy komitetu ucieczkowego, powiedział Gilesowi, że dom komendanta znajduje się w odległości około trzech kilometrów od terenu obozu i ostatnie dwieście metrów jedzie się wąską, nieoświetloną uliczką. Giles siedział wciśnięty w kąt tylnego siedzenia, skąd nie było go widać we wstecznym lusterku, ale ledwo samochód skręcił w uliczkę, usiadł prosto, stuknął szofera trzcinką w ramię i polecił mu zatrzymać się.

– Nie mogę czekać – powiedział, wyskakując z samochodu i udając, że rozpina rozporek.

Hans patrzył, jak pułkownik znika w krzakach. Miał zdziwioną minę; tylko sto metrów dzieliło ich od domu. Wysiadł z samochodu i czekał przy tylnych drzwiach. Gdy mu się wydało, że słyszy kroki wracającego szefa, odwrócił się i ujrzał zaciśniętą pięść, która sekundę później zgruchotała mu nos. Padł na ziemię.

Giles podbiegł z tyłu do samochodu i otworzył bagażnik. Terry wyskoczył, podbiegł do powalonego Hansa i zaczął rozpinać mundur szofera, uprzednio zdjąwszy ubranie. Gdy włożył mundur, okazało się, że Hans jest dużo niższy i grubszy.

– To nie ma znaczenia – powiedział Giles, czytając mu w myślach. – Jak będziesz siedział za kierownicą, nikt nie będzie ci się przyglądał.

Przeciągnęli Hansa do tyłu samochodu i wpakowali go do bagażnika.

– Wątpię, żeby się obudził, zanim siądziemy do śniadania w Zurychu – zauważył Terry i obwiązał Hansowi usta chusteczką.

Nowy kierowca komendanta usiadł za kierownicą i żaden z nich się nie odzywał, dopóki nie wjechali na główną drogę. Terry nie musiał przystawać i sprawdzać drogowskazów, jako że w zeszłym miesiącu codziennie studiował trasę do granicy.

– Trzymaj się prawej strony szosy – przypomniał mu, co nie było konieczne, Giles – i nie jedź za szybko. Nie wolno dopuścić do tego, żeby nas zatrzymano.

– Chyba się nam udało – powiedział Terry, gdy minęli drogowskaz z napisem Schaffhausen.

– Uwierzę w to, że się nam udało, dopiero wtedy, kiedy

zaprowadzą nas do stolika w hotelu Imperial i kelner poda mi menu śniadaniowe.

– Mnie nie potrzeba menu – rzekł Terry. – Jajka, bekon, fasolka, kiełbaska i pomidor, a do tego kufel piwa. To moje codzienne śniadanko w sklepie mięsnym. A ty co jadasz?

– Rybę z wody, grzankę z masłem, dużą łyżką marmolady pomarańczowej i dzbanek herbaty Earl Grey.

– Prędko żeś się przemienił z lokaja z powrotem w panisko.

Giles się uśmiechnął. Spojrzał na zegarek. W ten noworoczny poranek na szosie było niewiele pojazdów, więc mieli dobry czas. W każdym razie do chwili, kiedy Terry spostrzegł jadący przed nimi konwój.

– Co mam teraz robić? – zapytał.

– Wyprzedź ich. Nie możemy tracić czasu. Oni nie powinni niczego podejrzewać – wieziesz wysokiego rangą oficera, który nie życzy sobie opóźnienia.

Gdy Terry znalazł się tuż za ostatnim pojazdem, zjechał na środek szosy i zaczął wyprzedzać długą kolumnę samochodów pancernych i motocykli. Jak przewidział Giles, nikt nie zwracał uwagi na mercedesa, który najwyraźniej jechał z misją urzędową. Kiedy Terry wyprzedził pojazd na czele kolumny, odetchnął z ulgą, ale nie uspokoił się, dopóki nie wziął zakrętu i w lusterku wstecznym nie widział już reflektorów.

Giles co kilka minut spoglądał na zegarek. Jak można było sądzić po następnym znaku drogowym, mieli dobry czas, lecz Giles wiedział, że nie mają żadnego wpływu na to, kiedy wyjdzie ostatni gość komendanta i pułkownik Schabacker zacznie szukać swojego samochodu i szofera.

Po czterdziestu minutach dotarli na przedmieścia Schaffhausen. Obydwaj byli tak zdenerwowani, że prawie nie odzywali się do siebie. Gilesa zmęczyło bezczynne siedzenie z tyłu, ale wiedział, że nie mogą się odprężyć, póki nie przekroczą granicy szwajcarskiej.

Gdy wjechali do miasta, ludzie dopiero zaczynali się budzić; na ulicach widziało się od czasu do czasu tramwaj, pojedynczy samochód, nielicznych jadących na rowerach ludzi, którzy pracowali w Nowy Rok. Terry nie musiał wypatrywać znaków wskazujących granicę, bo widział zarys szwajcarskich Alp na horyzoncie. Wydawało się, że wolność jest na wyciągnięcie ręki.

– Cholera! – zaklął Terry, naciskając hamulec.

– O co chodzi? – spytał Giles, pochylając się do przodu.

– Spójrz no na tę kolejkę.

Giles wystawił głowę przez okno i zobaczył kolejkę około czterdziestu pojazdów, zderzak przy zderzaku, czekających na przekroczenie granicy. Sprawdził, czy są między nimi samochody służbowe. Gdy się upewnił, że nie, polecił:

– Jedź na przód. Tego się po nas mogą spodziewać. Jeśli tego nie zrobimy, to zwrócimy uwagę.

Terry wolno podjechał do przodu, zatrzymując się dopiero przed szlabanem.

– Wysiądź i otwórz mi drzwi, ale nic nie mów.

Terry zgasił silnik, wysiadł i otworzył tylne drzwi. Giles pomaszerował na posterunek graniczny.

Młody oficer wyskoczył zza biurka i przytknął rękę do czapki, gdy ujrzał wchodzącego pułkownika. Giles podał mu dwa pliki papierów, które, jak zapewnił go obozowy fałszerz, nie wzbudzą podejrzeń na żadnym posterunku granicznym w Niemczech. Za chwilę miało się okazać, czy nie przesadził. Gdy oficer przerzucał dokumenty, Giles uderzał się trzcinką w nogę i spoglądał co chwila na zegarek.

– Mam ważne spotkanie w Zurychu – warknął – i już jestem spóźniony.

– Proszę wybaczyć, pułkowniku. Jak najszybciej dam panu wolną drogę. To potrwa tylko moment.

Oficer sprawdził fotografię w dokumentach Gilesa i zrobił zdziwioną minę. Giles zastanawiał się, czy zdobędzie się na odwagę i zażąda, żeby zdjął szalik, bo wtedy natychmiast zrozumie, że on jest za młody na pułkownika.

Giles patrzył wyzywająco na młodego człowieka, który musiał ważyć możliwe konsekwencje wstrzymywania wyższego oficera przez zadawanie mu zbędnych pytań. Szala przechyliła się na korzyść Gilesa. Oficer skinął głową, podstemplował papiery i powiedział:

– Mam nadzieję, że się pan nie spóźni na spotkanie w Zurychu.

– Dziękuję – rzekł Giles.

Schował dokumenty do kieszeni i szedł ku drzwiom, kiedy młody oficer zatrzymał go w pół kroku.

– Heil Hitler! – krzyknął.

Giles się zawahał, wolno się obrócił i powiedział: – Heil Hitler – wyrzucając rękę w perfekcyjnym nazistowskim pozdrowieniu. Wychodząc z budynku, musiał powściągnąć śmiech, gdy ujrzał, że Terry jedną ręką trzyma otwarte tylne drzwi samochodu, a drugą podtrzymuje spodnie.

– Dziękuję ci, Hans – rzekł Giles, rozpierając się na tylnym siedzeniu.

W tym momencie usłyszeli walenie w bagażniku.

– O Boże – jęknął Terry. – To Hans.

Przypomnieli sobie złowieszcze słowa brygadiera: żaden plan ucieczki nie może być niezawodny. W końcu wszystko zależy od tego, jak sobie poradzisz z tym, co nieprzewidziane.

Terry zamknął tylne drzwi i tak szybko jak mógł, wrócił na miejsce kierowcy, gdyż się bał, że wartownicy usłyszą hałas dochodzący z bagażnika. Usiłował zachować spokój, kiedy szlaban unosił się centymetr po centymetrze, a walenie stawało się coraz głośniejsze.

– Jedź wolno – polecił Giles. – Nie dajmy im żadnego powodu do podejrzeń.

Terry wrzucił pierwszy bieg i powoli przejechał pod szlabanem. Giles zerknął przez boczne okno, gdy mijali posterunek graniczny. Młody oficer rozmawiał przez telefon. Wyjrzał przez okno, popatrzył prosto na Gilesa, wyskoczył zza biurka i wybiegł na drogę.

Giles oceniał, że szwajcarski posterunek graniczny znajduje się w odległości niespełna dwustu metrów. Spojrzał przez tylne okno i zobaczył młodego oficera rozpaczliwie wymachującego rękami i wartowników z karabinami wysypujących się z posterunku.

– Zmiana planu – powiedział Giles. – Gaz do dechy! – krzyknął, kiedy pierwsze kule trafiły w tył samochodu.

Terry zmieniał bieg, kiedy pękła opona. Rozpaczliwie próbował utrzymać samochód na jezdni, ale mercedes zataczał się z jednej strony na drugą, wpadł na boczną barierę i stanął w środku pomiędzy dwoma posterunkami granicznymi. Posypała się kolejna salwa kul.

– Teraz ja wygram bieg do umywalni – mruknął Giles.

– Nic z tego – odparł Terry, który stał już obiema nogami na ziemi, kiedy Giles dał nura przez tylne drzwi.

Obaj ruszyli pędem do granicy szwajcarskiej. Gdyby któryś z nich miał przebiec setkę w dziesięć sekund, to byłoby to dziś. Mimo że kluczyli i uskakiwali na boki, żeby uniknąć kul, Giles wciąż był pewien, że pierwszy przerwie taśmę. Wartownicy szwajcarscy dopingowali ich okrzykami i gdy Giles wpadł na metę, triumfalnie wyrzucił ręce w górę, w końcu odniósłszy zwycięstwo nad swoim największym rywalem.

Odwrócił się z dumą i zobaczył, że Terry leży na środku drogi w odległości dwudziestu metrów, z raną z tyłu głowy i strużką krwi cieknącą z ust.

Giles padł na kolana i zaczął się czołgać w stronę przyjaciela. Znów rozległy się strzały i dwóch szwajcarskich pograniczników schwyciło go za kostki nóg i odciągnęło w bezpieczne miejsce.

Chciał im powiedzieć, że nie zależy mu na śniadaniu w pojedynkę.

HUGO BARRINGTON

1939–1942

24

Hugo Barrington nie przestawał się uśmiechać, gdy przeczytał w „Bristol Evening News", że Harry'ego Cliftona pochowano w morzu kilka godzin po wypowiedzeniu wojny.

Nareszcie Niemcy zrobili coś sensownego. Dowódca U-bota na własną rękę rozwiązał jego największy problem. Hugo zaczął wierzyć, że może nawet z czasem będzie mógł wrócić do Bristolu i zasiąść ponownie w fotelu wiceprezesa Linii Żeglugowej Barringtona. Zacznie urabiać matkę, regularnie telefonując do Barrington Hall, ale tylko wtedy, kiedy ojciec wyjdzie do pracy. Tego wieczoru wybrał się na miasto, żeby uczcić nowinę, i wrócił do domu pijany jak bela.

Kiedy Hugo przeniósł się do Londynu po przerwanej ceremonii ślubnej swojej córki, wynajął przy Cadogan Square mieszkanie w suterenie za funta tygodniowo. Jedyną pozytywną stroną trzyizbowego pomieszczenia był adres, który stwarzał wrażenie, że jest człowiekiem zamożnym.

Chociaż miał jeszcze parę funtów w banku, szybko stopniały, skoro miał dużo wolnego czasu, ale za to brak regularnych zarobków. Nie minęło dużo czasu, a musiał rozstać się z bugatti, dzięki czemu był wypłacalny przez kilka tygodni, przynajmniej do czasu, kiedy odmówiono mu realizacji pierwszego czeku. Nie mógł się zwrócić o pomoc do ojca, ponieważ sir Walter zerwał z nim kontakty, i prawdę mówiąc, wolałby podać pomocną dłoń Maisie Clifton, niż ruszyć palcem w sprawie własnego syna.

Po bezowocnych kilku miesiącach w Londynie Hugo spróbował znaleźć pracę. Jednak nie było to łatwe: jeśli potencjalny pracodawca znał jego ojca, nigdy nie zaprosił Hugona na rozmowę, a jeśli to zrobił, to oczekiwał, że będzie on pracował do niewyobrażalnie późnych godzin i za wynagrodzenie, które nie starczyłoby na pokrycie rachunków za trunki w klubie.

Hugo rzucił resztkę funduszy na giełdę. Słuchał zbyt wielu dawnych kolegów z czasów szkolnych, opowiadających mu o interesach, które nie mogą się nie udać, i nawet wdał się w kilka podejrzanych przedsięwzięć, nawiązując kontakty z ludźmi, których dziennikarze nazywali kombinatorami, a których jego ojciec uznałby za oszustów.

Po roku Hugo zapożyczał się u przyjaciół, a nawet u przyjaciół przyjaciół. Ale kiedy nie masz pieniędzy, żeby spłacać swoje długi, twoje nazwisko prędko znika z list gości zapraszanych na przyjęcia, jak również na weekendowe polowania w wiejskich rezydencjach.

Jak już nie miał innego wyjścia, dzwonił do matki, ale tylko wtedy, gdy był pewien, że ojciec jest w biurze. Zawsze mógł liczyć, że mama podratuje go dziesięcioma funtami, jak dziesięcioma szylingami w czasach szkolnych.

Dawny kolega szkolny Archie Fenwick zapraszał go czasem na lunch w klubie albo na jedno z modnych przyjęć koktajlowych w Chelsea. Właśnie przy takiej okazji Hugo poznał Olgę. Nie przykuła jego uwagi jej twarz czy figura, ale trzy sznury pereł, które miała na szyi. Hugo przyparł do muru Archiego i spytał go, czy są prawdziwe.

– Z całą pewnością – odparł Archie. – Ale uważaj, nie tylko ty masz ochotę na ten garniec miodu.

Olga Piotrovska, poinformował go Archie, niedawno przyjechała do Londynu, uciekłszy z Polski po wtargnięciu Niemców. Gestapo zabrało jej rodziców tylko dlatego, że byli Żydami. Hugo zmarszczył brwi. Archie nie potrafił powiedzieć dużo więcej Hugonowi na jej temat poza tym, że mieszka we wspaniałym domu na Lowndes Square i jest właścicielką pięknej kolekcji sztuki. Hugo nigdy specjalnie nie interesował się sztuką, ale nawet jemu obiły się o uszy nazwiska Picassa i Matisse'a.

Hugo przemierzył pokój i przedstawił się pani Piotrovskiej. Kiedy Olga mu opowiedziała, dlaczego musiała opuścić Polskę, wyraził swoje oburzenie i zapewnił ją, że jego rodzina szczyci się tym, że od ponad stu lat prowadzi interesy z Żydami. Przecież jego ojciec, sir Walter Barrington, był zaprzyjaźniony z rodzinami Rothschildów i Hambro. Na długo przed końcem przyjęcia Hugo zaprosił Olgę na lunch do Ritza następnego dnia, ale ponieważ nie honorowano już jego podpisu na rachunkach, musiał wydębić następnego piątaka od Archiego.

Lunch był udany i przez kilka następnych tygodni Hugo wytrwale zabiegał o względy Olgi, na ile pozwalały mu na to jego środki. Powiedział jej, że odszedł od swojej żony, kiedy mu się przyznała do romansu z jego najlepszym przyjacielem, i zwrócił się do swojego adwokata, żeby wszczął postępowanie rozwodowe. W rzeczywistości Elizabeth już się z nim rozwiodła i sędzia przyznał jej Manor House i wszystko, czego Hugo nie zabrał, wynosząc się w wielkim pośpiechu.

Olga okazywała mu dużo zrozumienia i Hugo jej obiecał, że gdy tylko będzie wolny, poprosi ją, żeby za niego wyszła. Wciąż jej mówił, jaka jest piękna, i zapewniał ją, że jej pozbawione wigoru starania w łóżku są ekscytujące w porównaniu z tym, czego doświadczał z Elizabeth. Nieustannie jej przypominał, że kiedy umrze jego ojciec, ona zostanie lady Barrington, a jego przejściowe trudności finansowe miną, gdy odziedziczy majątek Barringtonów. Stwarzał wrażenie, że jego ojciec jest o wiele starszy i słabszy niż w rzeczywistości. „Niknie w oczach" – powtarzał.

Po kilku tygodniach Hugo wprowadził się na Lowndes Square i w kilku następnych miesiącach wrócił do stylu życia, który, jego zdaniem, mu się należał. Koledzy komentowali, jaki z niego szczęściarz, że ma za towarzyszkę tak piękną i czarującą kobietę, a niektórzy nie mogli się powstrzymać od uwagi: „I w dodatku nie jest goła i bosa".

Hugo niemal zapomniał, jak to jest, kiedy się je trzy posiłki dziennie, nosi nowe ubrania i jeździ po mieście samochodem z szoferem. Spłacił większość długów i wkrótce otwierano drzwi, które do niedawna zatrzaskiwano mu przed nosem. Jednakże zaczynał się zastanawiać, jak długo to może trwać, bo na pewno nie miał zamiaru poślubić żydowskiej uciekinierki z Warszawy.

Derek Mitchell wsiadł do pociągu ekspresowego z Temple Meads do Paddington. Prywatny detektyw znowu był zatrudniony w pełnym wymiarze godzin u dawnego pracodawcy i jego pensja znów była wypłacana pierwszego dnia miesiąca, a wydatki zwracane na bieżąco. Hugo żądał, żeby Mitchell raz w miesiącu składał mu sprawozdanie, co robi jego rodzina. Szczególnie był zainteresowany działaniami ojca, byłej żony, Gilesa, Emmy, a nawet Grace, ale nadal reagował paranoicznie na Maisie Clifton i oczekiwał, że Mitchell będzie go informował o jej wszystkich zamierzeniach – i to naprawdę wszystkich.

Mitchell przyjeżdżał do Londynu pociągiem i miejscem spotkań obu mężczyzn była poczekalnia naprzeciwko peronu siódmego na stacji Paddington. Godzinę później Mitchell wsiadał do pociągu jadącego do Temple Meads.

Stąd Hugo wiedział, że Elizabeth dalej mieszka w Manor House i że Grace rzadko przyjeżdża do domu, odkąd uzyskała stypendium w Cambridge. I że Emma urodziła syna, któremu nadała imiona Sebastian Arthur. Że Giles zaciągnął się do Pułku z Wessex jako szeregowiec i po ukończeniu dwunastotygodniowego szkolenia podstawowego został wysłany do Szkoły Podchorążych Mons.

Zdziwiło to Hugona, bo wiedział, że tuż po wybuchu wojny Giles został uznany przez Pułk z Gloucesteru za niezdolnego do służby czynnej, jako że podobnie jak on i jego ojciec był daltonistą. Hugo to wykorzystał, żeby się uchylić od służby w 1915 roku.

W miarę jak płynęły miesiące, Olga coraz częściej się dopytywała, kiedy sprawa rozwodowa Hugona zostanie sfinalizowana. On zawsze starał się stworzyć wrażenie, że lada chwila, ale postanowił coś z tym zrobić dopiero wtedy, kiedy Olga zasugerowała, żeby przeniósł się z powrotem do swojego mieszkania na Cadogan Square, jeżeli nie zdoła potwierdzić, że sprawa została wniesiona do sądu. Odczekał tydzień, a potem jej powiedział, że jego adwokaci wszczęli postępowanie.

Przez kilka miesięcy panowała harmonia. Hugo nie powiedział Oldze, że właścicielowi mieszkania na Cadogan Square wręczył miesięczne wypowiedzenie w dniu, kiedy się do niej wprowadził. Gdyby go wyrzuciła, nie miałby się gdzie podziać.

Mniej więcej miesiąc później Mitchell zatelefonował do Hugona i oznajmił, że chce się z nim pilnie zobaczyć, co było niezwykłym żądaniem. Umówili się na spotkanie nazajutrz o czwartej po południu, w zwykłym miejscu.

Kiedy Mitchell wkroczył do poczekalni, Hugo już siedział na ławce, zasłonięty płachtą londyńskiej popołudniówki. Czytał o tym, że Rommel zdobył Tobruk; co prawda nie umiałby wskazać Tobruku na mapie. Czytał dalej, kiedy Mitchell przy nim usiadł. Detektyw prywatny mówił cicho i ani razu nie spojrzał w stronę Hugona.

– Pomyślałem, że chciałby pan wiedzieć, że pańska najstarsza córka zatrudniła się jako kelnerka w Grand Hotelu jako panna Dickens.

– Czy to nie tam, gdzie pracuje Maisie Clifton?

– Tak, ona jest kierowniczką restauracji i była szefową pana córki.

Hugo nie rozumiał, dlaczego Emma chciała pracować jako kelnerka.

– Czy jej matka o tym wie?

– Musi wiedzieć, bo Hudson podwoził ją i zostawiał w odległości stu metrów od hotelu codziennie za piętnaście szósta rano. Ale nie z tego powodu chciałem się z panem spotkać.

Hugo przewrócił stronę gazety i zobaczył fotografię generała Auchinlecka przed namiotem na pustyni, przemawiającego do żołnierzy.

– Wczoraj rano pańska córka pojechała taksówką do portu. Z walizką w ręku weszła na pokład statku pasażerskiego *Kansas Star*, gdzie przyjęto ją do pracy w recepcji. Powiedziała matce, że wybiera się do Nowego Jorku w odwiedziny do stryjecznej babki Phyllis, jak przypuszczam, siostry lorda Harveya.

Hugo chętnie by się dowiedział, jak Mitchell zdobył tę akurat informację, ale głowił się nad tym, dlaczego Emma chciała pracować na statku, gdzie Harry Clifton zakończył życie. To wszystko nie trzymało się kupy. Polecił Mitchellowi zbadać głębiej tę sprawę i natychmiast go zawiadomić, gdy się dowie czegoś o zamiarach Emmy.

Zanim Mitchell odszedł, żeby złapać pociąg do Temple Meads, powiedział Hugonowi, że niemieckie bombowce zrównały z ziemią Broad Street. Hugo nie pojmował, dlaczego miałoby go to interesować, dopóki Mitchell mu nie przypomniał, że to ulica, przy której była herbaciarnia „U Panny Tilly". Mitchell uważał, że pan Barrington powinien wiedzieć, że deweloperzy interesują się dawną parcelą pani Clifton. Hugo podziękował Mitchellowi za wiadomość, nie pokazując po sobie, że to go obchodzi.

Gdy Hugo wrócił na Lowndes Square, od razu zatelefonował do pana Prendergasta do banku National Provincial.

– Spodziewam się, że dzwoni pan w sprawie Broad Street – brzmiały pierwsze słowa dyrektora banku.

– Tak, słyszałem, że parcela po herbaciarni może być wystawiona na sprzedaż.

– Cała ulica jest wystawiona na sprzedaż po tym bombardowaniu – powiedział Prendergast. – Większość sklepikarzy utraciła źródło utrzymania, a ponieważ stało się to w wyniku działań wojennych, nie mogą ubiegać się o odszkodowanie.

– Czy wobec tego mógłbym nabyć parcelę herbaciarni za przystępną cenę?

– Prawdę mówiąc, mógłby pan nabyć całą tę ulicę za bezcen. Jeżeli ma pan jakąś wolną gotówkę, panie Barrington, to bym panu to radził jako mądrą inwestycję.

– Pod warunkiem, że wygramy wojnę – zauważył Hugo.

– Przyznaję, że to ryzykowne przedsięwzięcie, ale powinno przynieść spory zysk.

– O jakich kwotach mówimy?

– Myślę, że mógłbym nakłonić panią Clifton, żeby zgodziła się sprzedać swoją parcelę za dwieście funtów. Właściwie, ponieważ połowa handlarzy z tej ulicy ma rachunki w moim banku, to przypuszczam, że mógłby pan ustrzelić tę okazję za jakieś trzy tysiące. To tak, jak grać w Monopol, rzucając podrobioną kostką.

– Zastanowię się nad tym – powiedział Hugo i odłożył słuchawkę. Nie mógł przecież powiedzieć Prendergastowi, że nie ma nawet tyle pieniędzy, żeby usiąść do Monopolu.

Próbował wymyślić jakiś sposób na zgromadzenie takiej sumy w sytuacji, gdy nikt z jego znajomych nie był skłonny pożyczyć mu choćby pięciu funtów. Olgę mógłby prosić o pieniądze tylko wtedy, gdyby zamierzał poprowadzić ją do ołtarza, a to nie wchodziło w grę.

Więcej by się nad tym nie zastanawiał, gdyby na przyjęciu u Archiego nie spotkał Toby'ego Dunstable'a.

Toby i Hugo uczyli się razem w Eton. Hugo pamiętał tylko tyle, że Toby regularnie podjadał słodycze młodszym chłopcom. Kiedy w końcu przyłapano go, jak wyciągał banknot dziesięcioszylingowy z szafki jednego z chłopców, wszyscy myśleli, że zostanie wyrzucony, i prawdopodobnie tak by się stało, gdyby nie to, że był drugim synem hrabiego Dunstable.

Gdy Hugo zagadnął Toby'ego, czym się obecnie zajmuje, ten odpowiedział wymijająco, że para się nieruchomościami. Kiedy jednak Hugo wspomniał mu o okazji do inwestycji, jaką nastręczała Broad Street, nie wydawał się specjalnie zainteresowany. Natomiast trudno było nie zauważyć, że Toby nie odrywa wzroku od brylantowego naszyjnika na szyi Olgi.

Toby wręczył Hugonowi swoją wizytówkę ze słowami:

– Gdyby kiedy zabrakło ci gotówki, stary, nie powinno być z tym kłopotu, jeśli rozumiesz, co mam na myśli.

Hugo rozumiał, co on ma na myśli, ale nie traktował tego serio, dopóki pewnego ranka Olga nie zapytała go przy śniadaniu, czy zna już datę wydania warunkowego wyroku rozwodowego. Hugo ją zapewnił, że nastąpi to lada moment.

Wyszedł z domu, udał się prosto do swojego klubu, spojrzał na wizytówkę Toby'ego i zadzwonił do niego. Umówili się w pubie na Fulham, gdzie usiedli w kącie, żeby pociągać podwójny dżin i gawędzić o tym, jak nasi chłopcy radzą sobie na Bliskim Wschodzie. Zmienili temat dopiero wtedy, kiedy byli pewni, że nikt ich nie podsłucha.

– Wystarczy, jeśli będę miał klucz do mieszkania i wiedział, gdzie jest jej biżuteria – rzekł Toby.

– Z tym nie będzie kłopotu – zapewnił go Hugo.

– Jedyne, co musisz zrobić, stary, to dopilnować, żebyście oboje byli poza domem tak długo, żebym zdążył z robotą.

Gdy Olga przy śniadaniu wspomniała, że chciałaby obejrzeć *Rigoletto* w Sadler's Wells Theatre, Hugo obiecał zarezerwować bilety. Zazwyczaj wykręcał się jakąś wymówką, ale tym razem chętnie się zgodził i nawet zaproponował, żeby uczcili okazję i po spektaklu zjedli kolację w Savoyu.

– Jaką okazję? – spytała Olga.

– Wydano warunkowy wyrok rozwodowy – rzucił od niechcenia.

Olga zarzuciła mu ręce na szyję.

– Jeszcze tylko sześć miesięcy, kochanie, i będziesz panią Barrington.

Hugo wyjął z kieszeni małe skórzane pudełeczko i wręczył Oldze pierścionek zaręczynowy, który poprzedniego dnia kupił w Burlington Arcade z możliwością zwrotu. Olga zaaprobowała pierścionek. Zamierzał go zwrócić przed upływem sześciu miesięcy.

Wydawało się, że opera ciągnie się trzy miesiące, a nie trzy godziny, jak obiecywał program. Jednak Hugo nie miał nic przeciwko temu, wiedział bowiem, że Toby dobrze spożytkuje ten czas.

W Sali nad Rzeką w hotelu Savoy Hugo i Olga rozmawiali o tym, gdzie spędzą miesiąc miodowy, bo nie mogli pojechać za granicę. Olga proponowała Bath, które jak na gust Hugona było trochę za blisko Bristolu, ale skoro to nie miało się wydarzyć, chętnie się zgodził.

W taksówce, którą wracali na Lowndes Square, Hugo się

zastanawiał, ile czasu upłynie, zanim Olga odkryje brak brylantów. Prędzej, niż się spodziewał, bo kiedy otworzyli frontowe drzwi, przekonali się, że całe mieszkanie zostało splądrowane. Na ścianach zostały tylko wyraźne ślady świadczące o rozmiarach wiszących tu kiedyś obrazów.

Olga zaczęła histeryzować, a Hugo podniósł słuchawkę telefonu i wykręcił numer 999. Kilka godzin zajęło policji ułożenie spisu wszystkiego, czego brakowało, bo Olga nie mogła się uspokoić i z przerwami odpowiadała na pytania. Prowadzący sprawę inspektor policji zapewnił ich, że szczegółowy opis skradzionych przedmiotów zostanie w ciągu czterdziestu ośmiu godzin przekazany wszystkim głównym handlarzom diamentów i marszandom w Londynie.

Hugo się wściekł, kiedy po południu następnego dnia dopadł Toby'ego Dunstable'a na Fulham. Stary szkolny kolega, niczym doświadczony bokser, spokojnie przeczekał atak. Kiedy Hugo w końcu się uspokoił, Toby pchnął ku niemu przez blat stolika pudełko do butów.

– Nie potrzebuję nowych butów – warknął Hugo.

– Może nie, ale będziesz mógł kupić cały sklep z butami za to, co jest w środku – powiedział Toby, klepiąc pudełko.

Hugo podniósł pokrywkę i zajrzał do środka; w pudełku nie było butów, wypełniały je szczelnie banknoty pięciofuntowe.

– Nie musisz liczyć – rzucił Toby. – Tam jest dziesięć tysięcy funtów w gotówce.

Hugo się uśmiechnął, nagle znów spokojny.

– Dobry z ciebie kumpel – powiedział, nałożywszy z powrotem pokrywkę. I zamówił dwa podwójne dżiny z tonikiem.

Mijały tygodnie i policja nie znalazła żadnych podejrzanych. Inspektor nie krył przed Hugonem, że jego zdaniem rabunku nie dokonał nikt obcy, i powtarzał to za każdym razem, kiedy się spotykali. Jednak Toby zapewniał Hugona, że nigdy nie odważą się aresztować syna sir Waltera Barringtona, jeżeli nie będą mieć niezbitego dowodu, który mógłby przekonać przysięgłych ponad wszelką wątpliwość.

Olga wypytywała Hugona, skąd ma nowe garnitury i jak mógł sobie pozwolić na nowe bugatti. Pokazał jej dowód rejestracyjny samochodu, z którego wynikało, że był jego właścicielem, zanim się spotkali. Ale nie powiedział, że handlarz samochodów, któremu niechętnie go sprzedał, jeszcze go miał.

Szybko zbliżał się czas ogłoszenia wyroku rozwodowego pełnomocnego i Hugo przygotowywał się do operacji zwanej przez wojskowych strategią odwrotu. Właśnie wtedy Olga obwieściła, że chce się z nim podzielić wspaniałą nowiną.

Wellington powiedział kiedyś pewnemu młodszemu oficerowi, że najważniejszą rzeczą w życiu jest wybór właściwego momentu, a kimże był Hugo, żeby się nie zgodzić ze zwycięzcą spod Waterloo, zwłaszcza że proroctwo wielkiego człowieka miało się spełnić w jego wypadku?

Czytał przy śniadaniu „The Timesa", kiedy zerknąwszy na stronę z nekrologami, zobaczył fotografię ojca. Starał się tak dyskretnie czytać nekrolog, żeby Olga nie odkryła, że życie ich obojga ulegnie zmianie.

Uznał, że „Gromowładny" ładnie pożegnał staruszka, ale najbardziej zainteresowało go ostatnie zdanie nekrologu. „Następcą sir Waltera Barringtona jest jego jedyny żyjący syn, Hugo, który odziedziczy tytuł".

Czego „The Times" nie dodał, to: „i wszystko, co do niego przynależy".

MAISIE CLIFTON

1939–1942

25

Maisie wciąż nie mogła zapomnieć bólu, jaki przeszył jej serce, kiedy mąż nie wrócił do domu po zakończeniu wieczornej zmiany. Wiedziała, że Arthur nie żyje, chociaż miały upłynąć lata, zanim brat Stan wyjawił jej prawdę o tym, jak mąż umarł w porcie tamtego popołudnia.

Ale tamten ból był niczym w porównaniu z rozpaczą wywołaną wieścią, że jej jedynego syna pochowano w morzu po zatopieniu przez niemiecką torpedę statku *Devonian*, kilka godzin po wypowiedzeniu wojny przez Wielką Brytanię.

Maisie ciągle pamiętała ten ostatni raz, gdy widziała Harry'ego. Przyszedł tego czwartkowego ranka do Grand Hotelu, żeby się z nią zobaczyć. Restauracja była pełna ludzi, klienci czekali w długiej kolejce na wolne miejsce. On stanął na końcu, ale kiedy zobaczył, jak matka wpada i wypada z kuchni bez chwili na oddech, wymknął się, przekonany, że go nie zauważyła. Harry był zawsze troskliwym chłopcem i wiedział, że ona nie lubi, kiedy się jej przeszkadza w pracy, i prawdę mówiąc, czuł, że ona nie zechce usłyszeć, iż opuścił Oksford, żeby się zaciągnąć do marynarki.

Sir Walter Barrington wpadł następnego dnia, żeby powiadomić Maisie, że Harry odpłynął rano na S/S *Devonian* jako czwarty oficer i wróci za miesiąc, by dołączyć do załogi HMS *Resolution* jako starszy marynarz, ponieważ zamierza wypłynąć na Atlantyk w poszukiwaniu niemieckich U-botów. Tylko że nie zdawał sobie sprawy, że to one już go szukają.

Maisie planowała, że weźmie wolny dzień, gdy Harry wróci, ale on już nie wrócił. Świadomość, że wiele innych matek straciło dzieci w tej barbarzyńskiej wojnie, nie przynosiła ulgi.

Doktor Wallace, starszy lekarz okrętowy na S/S *Kansas Star*, czekał przy drzwiach jej domu na ulicy Gorzelniczej, kiedy wróciła po pracy tamtego październikowego wieczoru. Nie musiał jej mówić, dlaczego tu jest. Miał to wypisane na twarzy.

Usiedli w kuchni i lekarz jej powiedział, że opiekował się marynarzami wydobytymi z oceanu po zatopieniu *Devonian*. Zapewnił ją, że zrobił wszystko, co było w jego mocy, żeby uratować Harry'emu życie, ale niestety, on nie odzyskał przytomności. W gruncie rzeczy z dziewięciu marynarzy, których doglądał tej nocy, przeżył tylko jeden, Tom Bradshaw, trzeci oficer na *Devonian*, który najwyraźniej był przyjacielem Harry'ego. Bradshaw napisał list z wyrazami współczucia, który doktor Wallace obiecał doręczyć pani Clifton, jak tylko *Kansas Star* przypłynie z powrotem do Bristolu. I dotrzymał słowa. Maisie poczuła się winna w chwili, kiedy doktor wyszedł, żeby wrócić na statek. Nawet nie zaproponowała mu filiżanki herbaty.

Umieściła list Toma Bradshawa na gzymsie nad kominkiem obok ulubionej fotografii Harry'ego śpiewającego w chórze szkolnym.

Kiedy wróciła do pracy następnego dnia, koledzy okazali jej życzliwość i zatroskanie, a pan Hurst, dyrektor hotelu, poradził, żeby wzięła kilka dni wolnego. Odpowiedziała, że to ostatnie, czego jej potrzeba. Natomiast przyjęła tyle nadgodzin, ile była w stanie wytrzymać, w nadziei, że to złagodzi ból.

Ale nie złagodziło.

Wielu młodych mężczyzn, którzy pracowali w hotelu, odchodziło, żeby wstąpić do wojska, a ich miejsce zajmowały kobiety. Nie uważano już, że dla młodej kobiety praca zarobkowa jest czymś hańbiącym, i Maisie przejmowała coraz więcej obowiązków, w miarę jak kurczył się męski personel.

Kierownik restauracji miał wkrótce przejść na emeryturę wraz z ukończeniem sześćdziesiątego roku życia, lecz Maisie przypuszczała, że pan Hurst poprosi go, żeby został na tym stanowisku do końca wojny. Gdy wezwał ją do swojego biura i zaproponował jej tę pracę, nie wierzyła własnym uszom.

– Zasłużyłaś sobie na to, Maisie – zapewnił ją – i naczelna dyrekcja zgadza się ze mną.

– Chciałabym mieć dwa dni do namysłu – powiedziała, wychodząc z biura.

Pan Hurst nie poruszał tego tematu przez cały tydzień, a kiedy to zrobił, Maisie zaproponowała, żeby zatrudnił ją na tym stanowisku na miesiąc na próbę. Dyrektor wybuchnął śmiechem.

– Zwykle to pracodawca, nie pracownik, wysuwa taki warunek – przypomniał jej.

Po tygodniu obydwoje zapomnieli o okresie próbnym, bo wprawdzie nowe obowiązki były uciążliwe i wymagały pracy do późna, lecz Maisie nigdy nie czuła się bardziej usatysfakcjonowana. Wiedziała, że kiedy wojna się skończy i chłopcy wrócą z frontu, znowu będzie kelnerką. Zostałaby znów prostytutką, gdyby tylko Harry był wśród tych, którzy wrócą do domu.

Maisie nie umiała czytać, ale wcale nie musiała sięgać po gazetę, żeby wiedzieć, że japońskie siły powietrzne zniszczyły flotę amerykańską w Pearl Harbor i obywatele Stanów Zjednoczonych stanęli jak jeden przeciw wspólnemu wrogowi i przyłączyli się do sprzymierzonych, bo od wielu dni wszyscy wokół tylko o tym mówili.

Nie minęło wiele czasu, a Maisie spotkała swojego pierwszego Amerykanina.

Tysiące Jankesów trafiło do West Country podczas następnych dwóch lat, a wielu z nich zakwaterowano w obozie wojskowym na przedmieściach Bristolu. Część oficerów zaczęła bywać w restauracji hotelowej, ale ledwo zostali stałymi klientami, znikali, żeby nigdy więcej nie wrócić. Maisie ściskało się serce z bólu, gdyż niektórzy z nich nie byli starsi od Harry'ego.

Ale wszystko się zmieniło, gdy jeden z nich wrócił. Maisie nie od razu go poznała, gdy wtoczył się do restauracji na wózku i poprosił o swój zwykły stolik. Maisie zawsze myślała, że ma dar zapamiętywania nazwisk, a jeszcze lepiej twarzy – to konieczne, kiedy nie umie się czytać ani pisać. Jednak w chwili, gdy usłyszała jego akcent południowca, skojarzyła, kto to taki.

– Porucznik Mulholland, prawda?

– Nie, proszę pani. Obecnie major Mulholland. Odesłali mnie tutaj, żebym wrócił do zdrowia, zanim wyekspediują mnie z powrotem do Karoliny Północnej.

Uśmiechnęła się i powiodła do stolika, który zwykle zajmował, ale on nie pozwolił jej, żeby pomogła mu pchać wózek. Mike, jak nalegał, żeby Maisie do niego mówiła, został stałym klientem i pojawiał się dwa, a nawet trzy razy w tygodniu.

Maisie roześmiała się, kiedy Hurst szepnął:

– Pani wie, że on do pani czuje miętę.

– Myślę, że mój czas na amory minął, proszę pana – odparła.

– Niech pani nie żartuje – zaprzeczył. – Jest pani w pełnym rozkwicie. I mogę pani powiedzieć, że major Mulholland nie jest pierwszym mężczyzną, który mnie pytał, czy pani się z kimś spotyka.

– Proszę nie zapominać, panie Hurst, że jestem babką.

– Na pani miejscu bym mu tego nie mówił – rzucił dyrektor hotelu.

Maisie nie poznała majora, kiedy następnym razem przyszedł o kulach, już bez wózka. Minął miesiąc i kule zostały zastąpione przez laski i wkrótce one też nie były potrzebne.

Któregoś wieczoru major Mullholand zatelefonował z prośbą o rezerwację stolika na osiem osób; jest pewna okazja, którą chce uczcić, jak wyjaśnił Maisie. Pomyślała, że pewno wraca do Karoliny Północnej, i po raz pierwszy uświadomiła sobie, że będzie go jej brakowało.

Mike nie był jej zdaniem przystojny, ale miał niezwykle serdeczny uśmiech i maniery angielskiego dżentelmena, czy też, jak kiedyś powiedział, dżentelmena z południa Stanów. Przyjęło się krytykować Amerykanów, od kiedy przybyli do baz w Wielkiej Brytanii, i kpiarskie powiedzonko – że są zbyt rozbuchani seksualnie, zbyt przepłacani i za bardzo tutaj – było na ustach wielu bristolczyków, którzy nigdy nie widzieli na oczy Amerykanina. Zwłaszcza wieszał na nich psy brat Maisie, Stan, i nic, co mówiła mu siostra, nie mogło zmienić jego opinii.

Kiedy uroczysta kolacja wydana przez majora dobiegała końca, restauracja była prawie pusta. Z wybiciem dziesiątej jeden z oficerów wstał, wzniósł toast za zdrowie Mike'a i pogratulował mu.

Gdy towarzystwo szykowało się do wyjścia, żeby zdążyć do obozu przed apelem wieczornym, Maisie w imieniu personelu powiedziała majorowi, jak bardzo wszyscy się cieszą, że wrócił do zdrowia i może pojechać do domu.

– Ja nie jadę do domu, Maisie – odpowiedział Mike ze śmiechem. – Świętowaliśmy mój awans na zastępcę komendanta bazy. Obawiam się, że będę ci siedział na karku aż do końca wojny.

Maisie była zachwycona tą wiadomością i poczuła się zaskoczona, kiedy Mike dodał:

– W przyszłą sobotę jest zabawa pułkowa i chciałbym zapytać, czy zrobiłabyś mi ten zaszczyt i dała się zaprosić?

Maisie oniemiała. Nie pamiętała, kiedy ostatnio ktoś chciał się z nią umówić. Nie wiedziała, jak długo Mike stoi i czeka na odpowiedź, ale zanim się na nią zdobyła, powiedział:

– Obawiam się, że stanę na parkiecie tanecznym pierwszy raz od kilku lat.

– Ja też – przyznała Maisie.

26

Zawsze w piątek po południu Maisie wpłacała swoją tygodniówkę i napiwki do banku.

Nie zabierała pieniędzy do domu, gdyż nie chciała, żeby Stan się dowiedział, że zarabia więcej niż on. Dwa jej rachunki zawsze były na plusie i zawsze kiedy rachunek bieżący wykazywał dziesięć funtów po stronie „ma", pięć przelewała na konto oszczędnościowe – pieniądze na czarną godzinę, jak to nazywała, na wypadek gdyby coś poszło źle. Po przygodach finansowych z Hugonem Barringtonem zawsze sądziła, że coś może pójść źle.

W ten piątek wysypała zawartość torebki na kontuar i kasjer zaczął układać monety w osobne stosiki jak każdego tygodnia.

– Cztery szylingi i dziewięć pensów, pani Clifton – oznajmił, wpisując kwotę do jej książeczki depozytowej.

– Dziękuję – powiedziała Maisie, kiedy wsunął książeczkę pod szybę.

Wkładała ją do torebki, gdy dodał:

– Pan Prendergast chciałby zamienić z panią kilka słów.

Maisie poczuła skurcz serca. Uważała dyrektorów banku i poborców czynszu wyłącznie za posłańców złych wieści; potwierdzeniem był przypadek pana Prendergasta, bo ostatnio chciał ją zobaczyć tylko po to, żeby przypomnieć, że na jej rachunku brak dostatecznych środków na opłatę za ostatni trymestr nauki Harry'ego w Liceum Bristolskim. Toteż Maisie z ociąganiem podążyła w stronę biura dyrektora.

– Dzień dobry pani – odezwał się Prendergast, podnosząc się zza biurka, kiedy Maisie weszła do gabinetu. Wskazał jej gestem krzesło. – Chcę z panią porozmawiać w sprawie prywatnej.

Maisie ogarnął jeszcze większy niepokój. Próbowała sobie przypomnieć, czy w ciągu ostatnich dwóch tygodni wypisywała jakieś czeki, co by mogło spowodować przekroczenie stanu jej rachunku. Kupiła sobie elegancką sukienkę na zabawę, na którą zaprosił ją Mike Mulholland, ale sukienka była używana i mieściła się w jej budżecie.

– Pewien szacowny klient tego banku – zaczął pan Prendergast – chce się dowiedzieć o parcelę na Broad Street, gdzie kiedyś stała herbaciarnia „U Panny Tilly".

– Ale ja przypuszczałam, że wszystko straciłam, kiedy budynek został zbombardowany.

– Nie wszystko – zaprzeczył Prendergast. – Parcela jest nadal pani własnością.

– Ale jaką ona może mieć wartość – zauważyła Maisie – skoro Niemcy zrównali z ziemią prawie wszystko wokół? Kiedy ostatnio przechodziłam Chapel Street, to po prostu był to lej po bombie.

– Możliwe – rzekł Prendergast – ale mimo to mój klient jest skłonny zapłacić pani dwieście funtów za tytuł własności.

– Dwieście funtów? – powtórzyła Maisie takim tonem, jakby trafiła wygraną w totalizatora.

– Tak, tyle chce dać – potwierdził Prendergast.

– Jak pan myśli, ile ta parcela jest warta? – ku zaskoczeniu dyrektora banku zapytała Maisie.

– Nie mam pojęcia, droga pani – odpowiedział. – Jestem bankierem, nie handlarzem nieruchomości.

Maisie przez kilka chwil milczała.

– Proszę powiedzieć pańskiemu klientowi, że potrzebuję kilku dni na zastanowienie.

– Tak, oczywiście – rzekł Prendergast. – Ale powinna pani wiedzieć, że mój klient polecił mi przekazać, że jego oferta będzie aktualna tylko przez tydzień.

– Więc będę musiała podjąć decyzję do następnego piątku, prawda? – wyzywająco rzuciła Maisie.

– Jak droga pani sobie życzy – powiedział Prendergast, gdy Maisie wstała, żeby odejść. – Będę czekał na panią w przyszły piątek.

Kiedy Maisie opuszczała bank, nie mogła oprzeć się myśli, że dyrektor banku nigdy przedtem nie mówił do niej „droga pani". W drodze powrotnej do domu obok budynków z zaciągniętymi zasłonami – wsiadała do autobusu tylko wtedy, gdy padał deszcz – Maisie zastanawiała się, jak wyda dwieście funtów, ale te rozważania prędko przerwało pytanie, kto mógłby jej poradzić, czy to uczciwa cena.

Pan Prendergast przedstawił to jako sensowną ofertę, ale po czyjej on jest stronie? Może powinna porozmawiać z panem Hurstem, ale na długo przed dotarciem na ulicę Gorzelniczą uznała, że dzielenie się sprawą prywatną z szefem byłoby zachowaniem nieprofesjonalnym. Mike Mulholland sprawia wrażenie bystrego, inteligentnego mężczyzny, ale co on może wiedzieć o wartości gruntu w Bristolu? A już jeśli chodzi o jej brata Stana, to na pewno nie ma sensu pytać go o zdanie, bo na pewno by powiedział: „Bierz forsę, dziewucho, i uciekaj". A zresztą Stan jest ostatnią osobą, która powinna się dowiedzieć o tym nieoczekiwanym przypływie gotówki.

Gdy Maisie skręciła w Merrywood Lane, zapadał zmrok i mieszkańcy przygotowywali się do zaciemnienia. Wciąż nie wiedziała, jak rozwiązać ten problem. Kiedy przechodziła obok dawnej szkoły podstawowej Harry'ego, napłynęło wspomnienie szczęśliwych czasów i Maisie podziękowała w duchu panu Holcombe'owi za wszystko, co uczynił dla jej syna, gdy był dzieckiem. Nagle przystanęła. Pan Holcombe jest mądrym człowiekiem, w końcu skończył studia na Uniwersytecie Bristolskim. On jej na pewno doradzi.

Maisie zawróciła i weszła w bramę szkolną, ale kiedy się znalazła na boisku, nikogo nie było tam widać. Spojrzała na zegarek: kilka minut po piątej. Wszystkie dzieci poszły jakiś czas temu do domu, więc pan Holcombe prawdopodobnie skończył lekcje.

Przecięła boisko, otworzyła drzwi szkoły i weszła do znajomego korytarza. Było tak, jakby czas stanął w miejscu; te same ściany z czerwonej cegły, tylko trochę więcej wyrytych na nich inicjałów, te same kolorowe malowidła przypięte do ścian, tylko przez inne dzieci, te same puchary za zwycięstwa w piłce nożnej, tylko zdobyte przez inne drużyny. Jednakże tam, gdzie kiedyś wisiały czapki szkolne, miejsce zajęły maski przeciwgazowe. Maisie przypomniała sobie, jak pierwszy raz przyszła do pana Holcombe'a, żeby się poskarżyć na czerwone pręgi, które podczas kąpieli zauważyła na pupie Harry'ego. Nauczyciel zachował spokój, kiedy ona straciła panowanie nad sobą, a po godzinie wychodziła ze szkoły ze świadomością, kto tu jest winien.

Spostrzegła odblask światła spod drzwi klasy pana Holcombe'a. Zawahała się, wzięła głęboki oddech i delikatnie zapukała w szybę z marmurkowego szkła.

– Proszę wejść – dał się słyszeć wesoły głos, który tak dobrze pamiętała.

Weszła do pokoju i ujrzała pana Holcombe'a siedzącego za wielką stertą książek, zawzięcie wodzącego piórem po papierze. Już mu chciała przypomnieć, kim jest, kiedy się poderwał i rzekł:

– Co za miła niespodzianka, pani Clifton, zwłaszcza jeśli to mnie pani szuka.

– Tak – odparła Maisie, lekko podenerwowana. – Przepraszam, że przeszkadzam, ale potrzebuję czyjejś rady i nie wiedziałam, do kogo się zwrócić.

– To mi pochlebia – powiedział nauczyciel, podsuwając jej maleńkie krzesełko, zwykle zajmowane przez jakiegoś ośmiolatka. – Jak mógłbym pomóc?

Maisie opowiedziała mu o swoim spotkaniu z Prendergastem i propozycji zapłaty dwustu funtów za parcelę na Broad Street.

– Czy pan myśli, że to uczciwa cena? – spytała.

– Nie mam pojęcia – odrzekł Holcombe, trzęsąc głową. – Brak mi doświadczenia w takich sprawach, a nie chciałbym pani źle doradzić. Właściwie myślałem, że przychodzi pani do mnie w innej sprawie.

– W innej sprawie?

– Tak, miałem nadzieję, że widziała pani ogłoszenie na tablicy przed szkołą i chce się pani zgłosić.

– Zgłosić się na co? – zapytała.

– Na kurs wieczorowy. To nowy program rządu przeznaczony dla ludzi tak inteligentnych jak pani, którzy nie mieli okazji kontynuować nauki.

Maisie nie chciała przyznać, że nawet jeśli zauważyła ogłoszenie, miałaby trudności z jego odczytaniem,

– Jestem zbyt zajęta, żeby w tej chwili myśleć o czymś nowym – powiedziała. – Mam mnóstwo pracy w hotelu i... i...

– Szkoda – zareagował Holcombe – bo myślę, że jest pani wprost idealną kandydatką. Sam będę prowadził większość zajęć i sprawiałoby mi wielką przyjemność, gdybym mógł uczyć matkę Harry'ego Cliftona.

– Ja po prostu...

– To tylko godzina, dwa razy w tygodniu – nie poddawał się nauczyciel. – Zajęcia będą się odbywały wieczorem i zawsze będzie mogła pani zrezygnować, gdyby pani nie odpowiadały.

– To miłe, że pan o mnie pomyślał. Może kiedy nie będę miała tyle spraw na głowie...

Wstała i uścisnęła rękę nauczycielowi.

– Przykro mi, że nie mogłem pani nic doradzić – powiedział Holcombe, odprowadzając ją do drzwi. – Ale przyjemnie mieć taki problem.

– Dziękuję, że poświęcił mi pan tyle czasu – odparła na pożegnanie.

Maisie przemierzyła korytarz, przecięła boisko i wyszła przez bramę szkoły. Stanęła na chodniku i wbiła wzrok w ogłoszenie na tablicy. Och, jak bardzo by chciała umieć czytać.

27

Maisie zamawiała taksówkę tylko dwa razy w życiu: raz na ślub Harry'ego w Oksfordzie, i to tylko z miejscowej stacji, i drugi raz całkiem niedawno, kiedy jechała na pogrzeb ojca. Kiedy więc sztabowy samochód amerykański zajechał pod dom na ulicy Gorzelniczej 27, była trochę zakłopotana i miała nadzieję, że sąsiedzi już zaciągnęli zasłony.

Gdy schodziła ze schodów w nowej jedwabnej czerwonej sukience z poduszkami na ramionach i ściśniętej paskiem w talii – ostatni krzyk mody przed wojną – spostrzegła, że matka i Stan przyglądają się jej przez okno.

Szofer wysiadł z samochodu i zastukał w drzwi. Po jego minie było widać, że nie jest pewien, czy trafił pod właściwy adres. Kiedy jednak Maisie otworzyła, od razu zrozumiał, dlaczego major zaprosił tę piękność na zabawę pułkową. Przytknął dziarsko rękę do czapki i otworzył jej tylne drzwi samochodu.

– Dziękuję – powiedziała – ale wolę usiąść z przodu.

Gdy szofer trafił z powrotem na główną drogę, Maisie spytała, jak długo pracuje u majora Mulhollanda.

– Całe życie, proszę pani. Od małego.

– Chyba nie rozumiem – przyznała Maisie.

– Obaj pochodzimy z Raleigh w Karolinie Północnej. Jak ta wojna się skończy, wrócę do domu do mojej starej pracy w przetwórni majora.

– Nie wiedziałam, że major ma jakąś przetwórnię.

– Kilka, proszę pani. W Raleigh nazywają go Królem Kukurydzianej Kolby.

– Słucham? – spytała Maisie.

– Czegoś takiego w Bristolu pani nie uświadczy. Żeby poznać, jak naprawdę smakuje kukurydza, trzeba ją ugotować, polać roztopionym masłem i jeść świeżo po zerwaniu – i najlepiej w Karolinie Północnej.

– To kto zarządza tymi przetwórniami, kiedy Król Kukurydzianej Kolby wyjechał z kraju, żeby bić Niemców?

– Chyba Joey, jego drugi syn, przy niewielkiej pomocy siostry Sandy.

– To on ma w kraju syna i córkę?

– Miał dwóch synów i córkę, proszę pani, ale, żal powiedzieć, Mike'a juniora zestrzelili nad Filipinami.

Maisie chciała zapytać kaprala o żonę Mike'a seniora, ale czuła, że mogłoby to wprawić młodego człowieka w zakłopotanie, toteż wybrała bezpieczniejszy grunt i zagadnęła go o jego rodzinny stan.

– Najpiękniejszy ze wszystkich czterdziestu ośmiu – powiedział i przestał mówić o Karolinie Północnej, dopiero kiedy dojechali do bramy obozu.

Gdy wartownik spostrzegł samochód, natychmiast podniósł szlaban i energicznie zasalutował Maisie, kiedy wjeżdżali do środka.

– Major kazał mi zawieźć panią prosto do jego kwatery, żeby mogła się pani czegoś napić przed tańcami.

Samochód zatrzymał się przed niewielkim domem z prefabrykatów i oczom Maisie ukazał się Mike, który czekał na progu, żeby ją powitać. Wyskoczyła z samochodu, zanim szofer zdążył otworzyć drzwi, i prędko podążyła ścieżką ku gospodarzowi. Mike się schylił, pocałował ją w policzek i powiedział:

– Wejdź, skarbie, chciałbym, żebyś poznała kilku moich kolegów. – Zdjął jej płaszcz i dodał: – Świetnie wyglądasz.

– Jak kolba kukurydzy? – podsunęła.

– Prędzej jak brzoskwinia z Karoliny Północnej – odrzekł i powiódł ją do gwarnego pokoju, rozbrzmiewającego śmiechem i ożywionymi głosami. – A teraz niech wszyscy skręcą się z zazdrości, bo za chwilę się przekonają, że prowadzę królową balu.

Maisie znalazła się w pokoju pełnym oficerów i ich partnerek. Przyjęto ją tak serdecznie, że nie mogła się czuć milej widzianym gościem. Przyszła jej do głowy myśl, czy też uznano by ją za równą, gdyby była zaproszona przez angielskiego majora do siedziby Pułku z Wessex kilka kilometrów stąd.

Mike oprowadził ją dokoła pokoju i przedstawił wszystkim kolegom oraz komendantowi obozu, który najwyraźniej pochwalił jego wybór. Przechodząc od jednej do drugiej grupy, nie mogła nie zauważyć kilku fotografii ustawionych na stolikach, półkach z książkami i nad kominkiem, przedstawiających najpewniej żonę i dzieci Mike'a.

Tuż po dziewiątej goście udali się na salę gimnastyczną, gdzie miały się odbyć tańce, ale wcześniej troskliwy gospodarz podawał wszystkim paniom płaszcze. Maisie skorzystała z okazji i przyjrzała się bliżej fotografii pięknej młodej kobiety.

– To moja żona Abigail – objaśnił Mike, wróciwszy do pokoju. – Wielka piękność, tak jak ty. Wciąż mi jej brak. Umarła na raka pięć lat temu. To jest wróg, któremu wszyscy powinniśmy wydać wojnę.

– Tak mi przykro – powiedziała Maisie. – Nie chciałam...

– Nie. Teraz się dowiedziałaś, jak dużo mamy wspólnego. Dobrze rozumiem, jak się czujesz, skoro straciłaś męża i syna. Ale, do diabła, dziś wieczór mamy świętować, a nie użalać się nad sobą. Więc chodź, skarbie, wszyscy oficerowie już pękają z zazdrości, teraz pograjmy na nerwach niższym rangom.

Maisie roześmiała się, a on wziął ją pod rękę. Wyszli z domu i włączyli się w strumień hałaśliwych młodych ludzi zmierzających w jednym kierunku.

Kiedy Maisie stanęła na parkiecie tanecznym, poczuła się wśród młodzieńczych i żywiołowych Amerykanów tak, jakby znała ich całe życie. Podczas wieczoru kilku oficerów poprosiło Maisie do tańca, ale Mike rzadko spuszczał ją z oka. Gdy orkiestra zagrała ostatniego walca, Maisie trudno było uwierzyć, że wieczór minął tak szybko.

Gdy ucichły oklaski, wszyscy pozostali na parkiecie. Orkiestra zagrała nieznaną Maisie melodię, która miała przypomnieć wszystkim obecnym, że ich kraj jest w stanie wojny.

Wielu młodych ludzi, którzy stali wyprężeni z ręką na sercu, gromko śpiewając *Gwiaździsty Sztandar*, miało nie dożyć następnych urodzin. Jak Harry. Co za niepotrzebna strata życia, myślała Maisie.

Zeszli z parkietu i Mike zaproponował, żeby wrócili do jego kwatery i wypili po szklaneczce southern comfort, a potem kapral odwiezie ją do domu. To była pierwsza w życiu Maisie whisky, więc nic dziwnego, że szybko rozwiązał się jej język.

– Mike, mam pewien problem – wyznała, ledwo usiedli na kanapie i Mike znów napełnił jej szklaneczkę. – A ponieważ mam tylko tydzień na jego rozwiązanie, to chętnie skorzystam ze zdrowego rozsądku Południowca.

– Strzelaj, skarbie – zachęcił ją Mike. – Ale ostrzegam, że gdy chodzi o Angoli, to nigdy nie udało mi się dostroić do ich częstotliwości. Ty jesteś pierwszą Angielką, przy której mogę się odprężyć. Czy na pewno nie jesteś Amerykanką?

Maisie się roześmiała.

– Jesteś uroczy, Mike.

Pociągnęła kolejny łyk whisky i była gotowa na o wiele więcej niż tylko zwierzenia o problemach.

– To wszystko się zaczęło wiele lat temu, kiedy byłam właścicielką herbaciarni „U Panny Tilly" na Broad Street. Teraz to tylko opuszczone gruzowisko, ale ktoś chce mi za nie zapłacić dwieście funtów.

– To w czym problem? – zapytał Mike.

– Nie mam pojęcia, ile to jest rzeczywiście warte.

– Hm, jedno jest pewne: dopóki jest możliwe, że Niemcy wrócą i ponowią bombardowania, nikt nie będzie próbował budować w tym miejscu, przynajmniej do zakończenia wojny.

– Pan Prendergast powiedział, że jego klient jest handlarzem nieruchomości.

– Wygląda mi raczej na spekulanta – zauważył Mike. – Kogoś, kto skupuje za bezcen opuszczony teren, żeby się obłowić, kiedy wojna się skończy. Prawdę mówiąc, taki kombinator jest zdolny do wszystkiego, żeby zarobić szmal, i zasługuje na szubienicę.

– Ale czy nie jest możliwe, że dwieście funtów to uczciwa cena?

– To zależy, za ile on będzie chciał cię kupić.

Maisie usiadła prosto, niepewna, czy się nie przesłyszała.

– Nie rozumiem, co masz na myśli.

– Mówisz, że cała Broad Street została zbombardowana i nie ocalał ani jeden budynek?

– Tak, ale czemu moja mała parcela miałaby przez to stać się bardziej cenna?

– Jeżeli ten handlarz już położył łapę na wszystkich innych parcelach na tej ulicy, to masz wszelkie dane po temu, żeby dobić targu. W gruncie rzeczy powinnaś zażądać tyle, ile ci się zamarzy, bo twój kawałek ziemi może być ostatnim, który, jeżeli go nie sprzedasz, uniemożliwi mu zabudowę kwartału ulic, chociaż to ostatnia rzecz, którą by ci wyjawił.

– To jak odkryję, ile naprawdę powinnam dostać za tę moją małą parcelę?

– Powiedz dyrektorowi banku, że nie zgadzasz się na mniej niż czterysta funtów, to się prędko dowiesz.

– Dziękuję, Mike – powiedziała Maisie. – To dobra rada.

Uśmiechnęła się, pociągnęła jeszcze łyk whisky i nieprzytomna osunęła się Mike'owi w ramiona.

28

Kiedy Maisie zeszła na śniadanie następnego ranka, nie pamiętała, kto ją przywiózł do domu i jak weszła na górę do swojego pokoju.

– Ja położyłam cię do łóżka – powiedziała matka, nalewając jej herbaty. – Miły młody kapral przywiózł cię do domu. Nawet mi pomógł zaprowadzić cię na górę po schodach.

Maisie opadła na krzesło i opowiedziała matce, jak przebiegł cały wieczór, nie ukrywając, jak dobrze się bawiła w towarzystwie Mike'a.

– A jesteś pewna, że on nie jest żonaty? – zainteresowała się matka.

– Powoli, mamo, to była nasza pierwsza randka.

– Czy mu na tobie zależy?

– Chyba zaprosił mnie do teatru w przyszłym tygodniu, ale nie jestem pewna, jakiego dnia i do jakiego teatru – odparła.

W tym momencie do pokoju wszedł brat Maisie, Stan.

Ciężko opadł na krzesło na końcu stołu i czekał na miskę owsianki, a kiedy ją przed nim postawiono, pochłonął ją łapczywie niczym pies chłepcący wodę w upalny dzień. Kiedy skończył, zerwał zakrętkę z butelki piwa Bass i jednym łykiem wypił całą zawartość.

– Wypiję jeszcze jedną – oznajmił. – Dziś niedziela – dodał, głośno bekając.

Maisie nigdy się nie odzywała podczas porannego obrządku Stana i zwykle zmykała do pracy, zanim brat zdążył wyrazić swoje zdanie na jakikolwiek temat. Wstała i już zbierała się do wyjścia na poranną mszę w kościele Najświętszej Marii Panny, kiedy Stan wrzasnął:

– Siadaj, kobieto! Muszę z tobą pogadać, zanim wyjdziesz do kościoła.

Maisie miała ochotę wyjść bez odpowiedzi, ale bała się, że Stan wciągnie ją z powrotem i podbije jej oko, jeśli przyjdzie mu ochota. Więc usiadła.

– To co zrobisz z tymi dwiema stówkami, jak je dostaniesz?

– Skąd wiesz?

– Mama mi wszystko opowiedziała wczoraj wieczorem, jak pokładałaś się z tym amerykańskim gachem.

Maisie spojrzała krzywo na matkę, która miała zakłopotaną minę, ale nie zareagowała.

– Dla twojej wiadomości, Stan: major Mulholland jest dżentelmenem, a to, co ja robię w wolnym czasie, to nie twój interes.

– Lepiej mnie posłuchaj, ty głupia dziwko: to Amerykanin, a oni nie czekają, aż się ich poprosi, bo myślą, że wszystko się im należy.

– Mówisz to jak zwykle na podstawie niewątpliwie bogatego osobistego doświadczenia – rzuciła Maisie, usiłując zachować spokój.

– Wszyscy Jankesi są tacy sami – stwierdził Stan. – Oni chcą tylko jednego, a jak to dostaną, spylają z powrotem do domu i zostawiają nam całą robotę, tak jak było w pierwszej wojnie.

Maisie zdała sobie sprawę, że nie ma sensu przeciągać tej rozmowy, więc siedziała cicho, z nadzieją, że burza szybko minie.

– Nie mówisz, co zrobisz z tą forsą – przypomniał jej Stan.

– Jeszcze nie zdecydowałam – odparła Maisie. – Zresztą nie powinno cię obchodzić, jak wydam moje pieniądze.

– Bardzo mnie to obchodzi, bo połowa jest moja – rzekł Stan.

– A to z jakiej racji?

– A choćby z takiej, że mieszkasz w moim domu i dlatego mi się należy. A jakbyś spróbowała wystawić mnie do wiatru, to ostrzegam, że jak nie dostanę mojej doli, to tak cię stłukę, że nawet amerykański czarnuch na ciebie nie spojrzy.

– Stan, przyprawiasz mnie o mdłości – powiedziała Maisie.

– Dopiero dostaniesz mdłości, jak cię spiorę, kiedy nie dasz mi tej forsy...

Maisie wstała, wyszła z kuchni, przebiegła przez hol, schwyciła płaszcz i znalazła się za drzwiami, zanim Stan zdążył skończyć swoją tyradę.

Gdy Maisie sprawdziła, kto zarezerwował lunch tej niedzieli, prędko sobie uświadomiła, że musi dopilnować, aby dwóch spośród gości umieścić jak najdalej od siebie. Posadziła Mike'a Mulhollanda przy tym co zwykle stoliku, a Patricka Caseya w głębi sali, tak żeby nie mogli wpaść na siebie.

Nie widziała Patricka od blisko trzech lat i była ciekawa, czy się zmienił. Czy wciąż jest tak nieodparcie przystojny i pełen irlandzkiego wdzięku, który tak ją podbił, kiedy go pierwszy raz spotkała?

Na jedno z pytań otrzymała odpowiedź w chwili, gdy wszedł do restauracji.

– Jak miło pana zobaczyć po tylu latach, panie Casey – powiedziała i zaprowadziła go do stolika.

Kilka kobiet w średnim wieku obejrzało się za przystojnym Irlandczykiem, gdy przemierzał salę.

– Czy długo pan z nami zostanie tym razem? – spytała Maisie, podając mu kartę dań.

– To zależy od ciebie – powiedział Patrick. Otworzył kartę, ale nie czytał spisu dań.

Maisie miała nadzieję, że nikt nie zauważył, że się zarumieniła. Odwróciła się i spostrzegła Mike'a Mulhollanda czekającego przy recepcji; nigdy nie pozwalał nikomu prócz Maisie zaprowadzić się do stolika. Pospiesznie do niego podeszła i szepnęła:

– Witaj, Mike. Zarezerwowałam twój zwykły stolik. Proszę, chodź ze mną.

– Z przyjemnością, skarbie.

Kiedy Mike zajął się kartą dań – chociaż zawsze w niedzielę zamawiał te same potrawy: zupę dnia, gotowaną wołowinę i Yorkshire pudding – Maisie przemierzyła z powrotem salę i przyjęła zamówienie od Patricka.

Podczas następnych dwóch godzin Maisie pilnie obserwowała

obu mężczyzn, zarazem mając na oku stu innych gości. Kiedy zegar w restauracji wybił trzecią, na sali zostało tylko dwóch mężczyzn; John Wayne i Gary Cooper, pomyślała Maisie, ciekawa, który pierwszy wyjmie colta w korralu OK. Złożyła rachunek Mike'a, umieściła na tacy i mu podała. Zapłacił, nie sprawdzając.

– Znowu wspaniały posiłek – powiedział i dodał szeptem: – Mam nadzieję, że nasza wizyta w teatrze we wtorek wieczorem jest aktualna?

– Jasne, skarbie – rzuciła Maisie, drocząc się z nim.

– Więc do zobaczenia w Old Vic o ósmej – powiedział w chwili, gdy kelnerka przechodziła obok stolika.

– Bardzo chętnie, proszę pana, i może być pan pewien, że przekażę pańskie wyrazy uznania szefowi kuchni.

Mike stłumił śmiech, wstał od stolika i wymaszerował z restauracji. Obejrzał się i uśmiechnął do Maisie.

Kiedy już go nie było widać, Maisie zaniosła rachunek Patrickowi. Sprawdził każdą pozycję i zostawił suty napiwek.

– Czy robisz coś szczególnego jutro wieczorem? – zagadnął, obdarzając ją uśmiechem, który tak dobrze pamiętała.

– Tak, jestem na kursie wieczorowym.

– Chyba żartujesz – powiedział Patrick.

– Nie, i nie mogę się spóźnić, bo to pierwsza lekcja dwunastotygodniowego kursu.

Nie powiedziała mu, że jeszcze ostatecznie nie zdecydowała, czy iść na kurs czy nie.

– Wobec tego spotkajmy się we wtorek.

– We wtorek jestem już umówiona.

– Poważnie, czy po prostu chcesz mnie spławić?

– Nie, idę do teatru.

– A co ze środą? Czy wtedy wieczorem rozwiązujesz może równania algebraiczne?

– Nie, przygotowuję wypracowanie i czytam na głos.

– Czwartek? – spytał Patrick, tłumiąc irytację.

– Tak, w czwartek jestem wolna – powiedziała Maisie, kiedy druga kelnerka przemknęła koło stolika.

– Co za ulga – westchnął Patrick. – Już myślałem, że będę musiał przedłużyć pobyt o następny tydzień, żeby się z tobą umówić na spotkanie.

Maisie się roześmiała.

– To co chcesz robić?

– Myślę, że na początek...

– Pani Clifton. – Maisie odwróciła się i zobaczyła, że stoi za nią pan Hurst, dyrektor hotelu. – Kiedy pani załatwi tego klienta – powiedział – proszę przyjść do mnie do biura.

Maisie sądziła, że jest ostrożna, ale teraz się zlękła, że mogą ją nawet zwolnić, ponieważ utrzymywanie przez personel bliższych stosunków z klientami było wbrew zasadom firmy. Tak właśnie straciła poprzednią pracę i klientem, o którego wtedy chodziło, był Pat Casey.

Była wdzięczna Patrickowi, że bez słowa wyszedł z restauracji, i kiedy podliczyła kasę, zgłosiła się do biura pana Hursta.

– Proszę usiąść. Mam z panią do omówienia dość ważną sprawę.

Maisie usiadła i mocno uchwyciła poręcze fotela, żeby opanować drżenie.

– Zauważyłem, że miała pani znowu pracowity dzień.

– Wydałam sto czterdzieści dwa nakrycia – oznajmiła Maisie. – To prawie rekord.

– Nie wiem, kim ja panią zastąpię – powiedział Hurst – ale to zarząd podejmuje decyzje, nie ja, rozumie pani. Nie mam na to wpływu.

– Ale ja lubię swoją pracę – rzekła Maisie.

– Możliwe, ale muszę pani powiedzieć, że tym razem zgadzam się z szefostwem.

Maisie odchyliła się w fotelu, gotowa pogodzić się z losem.

– Wyraźnie mi oznajmiono, że nie chcą, aby pani dalej pracowała w restauracji hotelowej, i zażądano, żebym jak najszybciej znalazł kogoś na pani miejsce.

– Ale dlaczego?

– Bo im zależy, żeby pani przeszła do dyrekcji. Szczerze

mówiąc, Maisie, gdyby była pani mężczyzną, już by pani zarządzała jednym z naszych hoteli. Gratulacje!

– Dziękuję – powiedziała Maisie, zastanawiając się, co wyniknie z tego awansu.

– Załatwmy formalności, dobrze? – zagadnął pan Hurst i z szuflady biurka wyjął list. – Powinna to pani dokładnie przeczytać – stwierdził. – Są tu podane nowe warunki pani zatrudnienia. Po przeczytaniu proszę list podpisać, zwrócić mi, a ja odeślę go do dyrekcji.

W tym momencie Maisie podjęła decyzję.

29

Maisie bała się, że wyjdzie na kretynkę.

Kiedy znalazła się przed bramą szkolną, o mało nie zawróciła, i pewno by to zrobiła, gdyby nie zobaczyła innej, starszej od siebie kobiety, która wchodziła do budynku. Podążyła za nią, przemierzyła korytarz i zatrzymała się przed klasą. Zajrzała do środka z nadzieją, że sala będzie pełna i nikt nie zwróci na nią uwagi. Ale było tam tylko siedem osób: dwóch mężczyzn i pięć kobiet.

Wśliznęła się do klasy i usiadła z tyłu za dwoma mężczyznami, licząc, że tam nie będzie widziana. Natychmiast pożałowała tej decyzji, bo gdyby zajęła miejsce przy drzwiach, mogłaby łatwiej się wymknąć.

Schyliła głowę, gdy otworzyły się drzwi i do klasy wkroczył pan Holcombe. Zajął miejsce za biurkiem przed tablicą, uchwycił wyłogi swojej czarnej togi i obrzucił wzrokiem uczniów. Uśmiechnął się, kiedy spostrzegł siedzącą w przedostatniej ławce panią Clifton.

– Na początek wypiszę wszystkie dwadzieścia sześć liter alfabetu – zaczął – i proszę, żebyście głośno je wymawiali, w miarę jak będę pisał.

Chwycił kredę i odwrócił się tyłem do klasy. Napisał na tablicy literę A i wymówiło ją kilka głosów, B – powtórzył ją prawdziwy chór, C – wszyscy oprócz Maisie. Kiedy dotarł do Z, Maisie wypowiedziała literę bezgłośnie.

– Teraz będę wskazywał literę na chybił trafił i zobaczymy, czy potraficie ją nazwać.

Za drugim razem Maisie rozpoznała ponad połowę liter, a za trzecim przewodziła chórowi. Kiedy godzina się skończyła, tylko pan Holcombe zdawał sobie sprawę, że to była jej pierwsza lekcja od dwudziestu lat i Maisie nie spieszyło się do domu.

– Do naszego następnego spotkania w środę – oznajmił Holcombe – nauczcie się pisać dwadzieścia sześć liter alfabetu we właściwej kolejności.

Maisie zamierzała opanować cały alfabet do wtorku, żeby nie popełnić żadnej pomyłki.

– Tych, którzy nie mogą wpaść ze mną do pubu, żegnam do środy.

Maisie pomyślała, że trzeba być specjalnie zaproszonym przez pana Holcombe'a do pubu, więc wstała z krzesła i skierowała się do drzwi, podczas gdy inni uczniowie podeszli do biurka nauczyciela i zasypali go pytaniami.

– Pani Clifton, czy nie wybierze się pani do pubu? – rzucił pytanie nauczyciel w chwili, gdy Maisie dotarła do drzwi.

– Dziękuję, chętnie – usłyszała Maisie swój głos.

Razem z grupą opuściła klasę i przeszła na drugą stronę ulicy do pubu „Pod Żaglem".

Ludzie powoli, jeden po drugim, rozeszli się i tylko oni dwoje zostali przy barze.

– Czy pani ma pojęcie, jaka pani jest zdolna? – spytał Holcombe, stawiając przed nią drugi sok pomarańczowy.

– Ale ja opuściłam szkołę w wieku dwunastu lat i wciąż nie umiem czytać ani pisać.

– Może opuściła pani szkołę za wcześnie, ale nigdy nie przestała się pani uczyć. Ponieważ jest pani matką Harry'ego Cliftona, to przypuszczalnie skończy się tak, że to pani będzie mnie uczyć.

– Harry pana uczył?

– Codziennie, nie zdając sobie z tego sprawy. Ale ja bardzo wcześnie odkryłem, że on jest bystrzejszy niż ja. Miałem tylko nadzieję, że umieszczę go w Liceum Bristolskim, zanim na to wpadnie.

– I zdążył pan? – spytała Maisie z uśmiechem.

– Ledwo, ledwo – przyznał Holcombe.

– Ostatnie zamówienia! – krzyknął kelner.

Maisie popatrzyła na zegar za barem. Nie mogła uwierzyć, że już jest wpół do dziesiątej i zbliża się pora zaciemnienia.

Wydawało się naturalne, że pan Holcombe odprowadza ją do domu; w końcu znali się już tyle lat. Kiedy wędrowali przez ciemne ulice, opowiedział jej więcej historyjek o Harrym, co im obojgu sprawiło radość i przysporzyło smutku. Widać było, że panu Holcombe brakuje Harry'ego, i Maisie poczuła przypływ winy, że przed laty nie podziękowała nauczycielowi.

Gdy stanęli przed drzwiami domu na ulicy Gorzelniczej, Maisie powiedziała:

– Nie wiem, jak pan ma na imię.

– Arnold – odparł nieśmiało.

– Pasuje do pana – orzekła. – Czy mogę tak panu mówić?

– Tak, oczywiście.

– A mnie proszę mówić Maisie. – Wyjęła klucz i wsadziła do zamka. – Dobranoc, Arnoldzie. Do zobaczenia w środę.

Wieczór w teatrze przywołał wiele szczęśliwych wspomnień; czasy, kiedy Patrick Casey zabierał ją do teatru Old Vic, ilekroć odwiedzał Bristol. Lecz akurat gdy pamięć o Patricku zbladła i Maisie zaczęła się widywać z innym mężczyzną, z którym mogłaby się związać na przyszłość, ten przeklęty irlandzki czaruś znów się pojawił w jej życiu. Już jej powiedział, że ma powód, żeby się z nią spotkać, i Maisie nie miała wątpliwości, co to za powód. Nie chciała, żeby znów skomplikował jej życie. Pomyślała o Mike'u, jednym z najmilszych i najprzyzwoitszych mężczyzn, jakich spotkała, i tak prostolinijnym w okazywaniu uczuć.

Jedna z zasad, jaką wpoił jej Patrick, brzmiała: nigdy nie spóźniaj się do teatru. Uważał, że nie ma nic bardziej kłopotliwego niż deptanie ludziom po nogach, kiedy przedzierasz się w ciemności do środka rzędu po podniesieniu kurtyny.

Mike stał już w foyer z programem w ręku, kiedy Maisie weszła do teatru na dziesięć minut przed rozpoczęciem spektaklu. Gdy go zobaczyła, uśmiechnęła się i pomyślała, że jego widok zawsze podnosi ją na duchu. Odpowiedział uśmiechem i pocałował ją delikatnie w policzek.

– Nie wiem dużo o Noëlu Cowardzie – przyznał, wręczając jej program – ale przeczytałem właśnie streszczenie sztuki i okazuje się, że opowiada o mężczyźnie i kobiecie, którzy nie mogą się zdecydować, kogo poślubić.

Maisie nic nie mówiła, kiedy weszli na parter. Odliczała od końca alfabetu, aż doszła do litery H. Gdy usiedli w środku rzędu, dziwiła się, jak Mike'owi udało się zdobyć tak znakomite miejsca, skoro wszystkie bilety były wyprzedane.

Gdy zgasły światła i kurtyna poszła w górę, Mike ujął jej dłoń. Puścił ją dopiero wtedy, gdy Owen Nares pojawił się na scenie i publiczność powitała go burzą oklasków. Maisie chłonęła treść sztuki, chociaż nie czuła komfortu psychicznego ze względu na podobieństwo z własną sytuacją osobistą. Ale czar prysł, kiedy ryk syren zagłuszył słowa aktora. Publiczność wydała chóralny jęk, kiedy aktorzy zbiegli ze sceny, a w ich miejsce pojawił się dyrektor teatru, który tak sprawnie zorganizował ewakuację, że wprawiłby w zachwyt samego starszego sierżanta sztabowego. Bristolczycy od dawna przywykli do przelotnych wizyt Niemców, którzy nie mieli bynajmniej zamiaru płacić za bilety do teatru.

Mike i Maisie opuścili teatr i zeszli schodami do obskurnego, ale swojskiego schronu, który był drugim domem dla teatromanów. Ludzie zajmowali każde dostępne miejsce na czas spektaklu, na który nie trzeba było biletów. Wielkie zrównanie klasowe, jak Clement Attlee nazwał życie w schronie podczas nalotów.

– Nie taki jest mój ideał randki – mruknął Mike, rozkładając marynarkę na kamiennej podłodze.

– Kiedy byłam młoda – zauważyła Maisie – wielu chłopaków próbowało mnie skusić, żebym położyła się na kocyku, ale tobie pierwszemu to się udało.

Mike się roześmiał, a ona zaczęła coś bazgrać na okładce programu.

– Pochlebiasz mi – powiedział, delikatnie obejmując ją ramieniem, kiedy ziemia zatrzęsła się od wybuchów bomb, które zdawały się niebezpiecznie bliskie.

– Maisie, nigdy nie byłaś w Ameryce, prawda? – zagadnął, próbując odciągnąć jej uwagę od nalotu.

– Ja nigdy nie byłam w Londynie – przyznała Maisie. – Właściwie najdalej wyprawiłam się do Weston-super-Mare i do Oksfordu, a ponieważ obydwie wycieczki skończyły się katastrofą, to pewno lepiej, żebym siedziała w domu.

Mike się roześmiał.

– Bardzo bym chciał pokazać ci Amerykę – powiedział – a szczególnie Południe.

– Chyba w tym celu musielibyśmy poprosić Niemców, żeby sobie wzięli kilka wieczorów wolnego – odparła Maisie.

W tym momencie odwołano alarm.

W schronie rozległy się oklaski i po nieplanowanej przerwie wszyscy skierowali się z powrotem do teatru. Kiedy usiedli na swoich miejscach, na scenę wkroczył dyrektor.

– Przedstawienie odbędzie się bez żadnej przerwy – ogłosił. – Gdyby jednak Niemcy postanowili złożyć nam jeszcze jedną wizytę, będziemy zmuszeni je odwołać. Przykro mi, ale za bilety nie zwracamy. Niemieckie zarządzenie.

Kilka osób się zaśmiało.

Ledwo kurtyna poszła w górę, Maisie wciągnęła akcja sztuki, a gdy aktorzy ukłonili się ostatni raz, wszyscy wstali i nagrodzili ich brawami, nie tylko za przedstawienie, ale za kolejne małe zwycięstwo nad Luftwaffe, jak to ujął Mike.

– Harvey czy Pantry? – spytał Mike, biorąc do ręki program, na którym wszystkie litery tytułu sztuki były przekreślone i spisane na dole w porządku alfabetycznym: A E E I I L P R S T V V*.

– Pantry – powiedziała Maisie, nie chcąc przyznać, że kiedy raz była „U Harveya" z Patrickiem, przez cały wieczór rozglądała się ze strachem, czy lord Harvey i jego córka Elizabeth nie jedzą kolacji w towarzystwie Hugona Barringtona.

---

* *Private Lives* (*Życie prywatne*), 1930 r., sztuka autorstwa Noëla Cowarda, angielskiego twórcy rewii, komedii i musicali (przyp. tłum.).

Mike bardzo długo studiował kartę dań, co zdumiało Maisie, bo przecież wybór potraw był ograniczony. Zwykle opowiadał, co się dzieje w obozie, czy raczej w forcie, jak lubił mówić, ale dzisiaj nie wspomniał o tym ani słówkiem. Nie narzekał też na Angoli, którzy nie rozumieją baseballu. Zaczynała już myśleć, że coś mu dolega.

– Czy wszystko w porządku, Mike? – spytała.

Podniósł wzrok.

– Wysyłają mnie z powrotem do Stanów – powiedział.

W tym momencie zjawił się kelner i zapytał, czy chcą coś zamówić. Ależ wybrał moment, pomyślała Maisie, lecz przynajmniej dało jej to trochę czasu do zastanowienia, i to nie nad wyborem potrawy. Gdy zamówili i kelner się oddalił, Mike spróbował znów:

– Przydzielili mnie do pracy biurowej w Waszyngtonie.

Maisie pochyliła się nad stolikiem i ujęła jego rękę.

– Nalegałem, żeby pozwolili zostać jeszcze sześć miesięcy... żebym mógł być z tobą, ale odmówili.

– Przykro mi to słyszeć, ale... – zaczęła Maisie.

– Maisie, proszę, nic nie mów, bo mnie i tak jest ciężko. Jeden Bóg wie, ile o tym myślałem. – Na długo zamilkł. – Zdaję sobie sprawę, że znamy się bardzo krótko, ale moje uczucia nie zmieniły się od pierwszego dnia, kiedy cię zobaczyłem.

Maisie się uśmiechnęła.

– I zastanawiam się – ciągnął – mam nadzieję, modlę się, czy chciałabyś pojechać ze mną do Ameryki... jako moja żona.

Maisie oniemiała.

– To mi pochlebia – w końcu wyjąkała, ale nie wiedziała, co więcej powiedzieć.

– Oczywiście zdaję sobie sprawę, że musisz to przemyśleć. Przykro mi, że okrutny czas wojny nie pozwala na dłuższe konkury.

– Kiedy wracasz do kraju?

– Z końcem miesiąca. Więc jeżeli powiesz tak, możemy wziąć ślub w bazie i polecieć do Stanów jako mąż i żona. – Pochylił się i wziął ją za rękę. – Nigdy w życiu niczego nie byłem bardziej pewny – powiedział.

W tym momencie stanął przy nich kelner.

– To komu podać siekaną wątróbkę? – zapytał.

Tej nocy Maisie nie spała, a gdy rano zeszła na śniadanie, powiedziała matce, że Mike jej się oświadczył.

– Łap okazję! – natychmiast zareagowała pani Tancock. – Nie będziesz miała lepszej szansy, żeby zacząć nowe życie. I powiedzmy to – dodała, spojrzawszy ze smutkiem na zdjęcie Harry'ego nad kominkiem – nie masz już żadnego powodu, żeby tu tkwić.

Maisie już chciała wyrazić jedno zastrzeżenie, kiedy do pokoju wpadł Stan. Maisie wstała od stołu.

– Lepiej już pójdę, bo inaczej spóźnię się do pracy.

– Nie myśl sobie, żem zapomniał o tej stówce, coś mi jest winna! – krzyknął, kiedy wychodziła.

Maisie siedziała na brzeżku krzesła w pierwszym rzędzie, kiedy pan Holcombe wszedł do klasy o siódmej tego wieczoru.

W ciągu następnej godziny kilka razy podnosiła rękę jak nieznośna uczennica, która zna wszystkie odpowiedzi i chce, żeby nauczyciel ją zauważył. Jeśli rzeczywiście zauważył, to nie dał tego po sobie poznać.

– Maisie, czy mogłabyś w przyszłości przychodzić we wtorki i czwartki? – zapytał Holcombe, kiedy wędrowali do pubu z całą klasą.

– Dlaczego? – zdziwiła się Maisie. – Czym nie jest dość dobra?

– Czy nie jestem dość dobra – poprawił ją automatycznie nauczyciel. – Wręcz przeciwnie, postanowiłem przenieść cię do grupy średnio zaawansowanej, zanim ci tutaj – pokazał gestem jej kolegów i koleżanki z klasy – całkiem zostaną za tobą w tyle.

– Ale czy ja się tam całkiem nie pogubię, Arnoldzie?

– Mam taką nadzieję, ale nie wątpię, że do końca miesiąca nadgonisz braki i wtedy będę musiał cię przenieść do klasy zaawansowanej.

Maisie nie zareagowała, wiedziała bowiem, że niedługo będzie musiała powiedzieć Arnoldowi, że na koniec miesiąca ma inne plany.

I znowu skończyło się na tym, że siedzieli sami w barze i znów on ją odprowadził na ulicę Gorzelniczą, tyle że kiedy tym razem Maisie wyjęła z torebki klucz do drzwi, pomyślała, że on wygląda tak, jakby zbierał się na odwagę, by ją pocałować. Co to, to nie. Mało ma na głowie innych problemów?

– Właśnie się zastanawiałem – powiedział – jaką książkę powinnaś najpierw przeczytać.

– To nie będzie książka – odparła Maisie, wkładając klucz do zamka. – To będzie list.

30

Patrick Casey jadł śniadanie, lunch i kolację w hotelowej restauracji w poniedziałek, wtorek i środę.

Maisie przypuszczała, że zabierze ją na kolację do Plimsoll Line w nadziei, że w tym miejscu odżyją dawne wspomnienia. Nie była w tej restauracji, od kiedy Patrick wyjechał do Irlandii. Nie myliła się i istotnie nie oparła się wspomnieniom. Maisie twardo postanowiła, że nie da się znowu uwieść czarowi i urodzie Patricka, i zamierzała mu powiedzieć o Mike'u i ich wspólnych planach na przyszłość. Ale im dłużej trwał wieczór, tym trudniej było jej poruszyć ten temat.

– Co robiłaś od czasu, kiedy ostatnio byłem w Bristolu? – spytał Patrick, kiedy przed kolacją poszli na drinka do baru. – Zresztą trudno nie zauważyć, że kierujesz najlepszą restauracją hotelową w mieście i w dodatku uczęszczasz na zajęcia wieczorowe.

– Tak, będzie mi tego brakowało, kiedy... – westchnęła ze smutkiem.

– Kiedy co? – wpadł jej w słowo Patrick.

– Ten kurs potrwa tylko dwanaście tygodni – powiedziała Maisie, próbując zatuszować wyznanie.

– Założę się, że za dwanaście tygodni ty będziesz prowadziła zajęcia – zauważył Patrick.

– A co u ciebie? Co ty robiłeś? – zapytała, gdy podszedł do nich kierownik sali, żeby powiedzieć, że stolik jest gotowy.

Patrick odpowiedział na jej pytanie, dopiero gdy usiedli przy stoliku w zacisznym miejscu w kącie sali.

– Pewno pamiętasz, że dostałem awans na wicedyrektora firmy jakieś trzy lata temu i dlatego musiałem wrócić do Dublina.

– Ja nie zapomniałam, dlaczego musiałeś wracać do Dublina – powiedziała Maisie z naciskiem.

– Kilkakrotnie próbowałem przyjechać do Bristolu, ale kiedy wybuchła wojna, było to prawie niemożliwe, a niestety, nie mogłem nawet do ciebie napisać.

– Cóż, ten problem w najbliższej przyszłości będzie rozwiązany.

– Wtedy będziesz mogła mi czytać w łóżku.

– A jak radzi sobie twoja firma w tych ciężkich czasach? – spytała Maisie, kierując rozmowę na bezpieczniejszy grunt.

– Tak naprawdę dużo irlandzkich firm wyszło dość dobrze na wojnie. Dzięki neutralności kraju możemy prowadzić interesy z obydwiema stronami.

– Jesteście skłonni wchodzić w interesy z Niemcami? – spytała z niedowierzaniem Maisie.

– Nie, moja firma zawsze wyraźnie deklarowała, wobec kogo jest lojalna, ale sporo moich rodaków chętnie robi interesy z Niemcami. Z tego powodu mieliśmy ciężkie dwa lata, ale gdy Amerykanie przystąpili do wojny, nawet Irlandczycy zaczęli wierzyć, że alianci mogą wygrać.

Teraz Maisie miała okazję, żeby powiedzieć Patrickowi o jednym Amerykaninie, ale z niej nie skorzystała.

– To co teraz sprowadza cię do Bristolu? – spytała.

– Odpowiedź jest prosta – ty.

– Ja? – Maisie usiłowała prędko wymyślić przekonujący sposób sprowadzenia rozmowy na mniej osobiste tory.

– Tak. Nasz dyrektor naczelny przechodzi na emeryturę pod koniec roku i prezes poprosił, żebym objął jego stanowisko.

– Gratuluję – powiedziała Maisie, czując ulgę, że znów są na bezpiecznym gruncie. – I pewno chcesz, żebym została twoją zastępczynią – próbowała bagatelizować.

– Nie, chcę, żebyś została moją żoną.

Teraz odezwała się innym tonem:

– A nie przyszło ci do głowy, Patricku, choć raz w ciągu tych trzech lat, że w moim życiu zjawił się ktoś inny?

– Codziennie o tym myślałem – odparł Patrick – i dlatego przyjechałem, żeby się dowiedzieć, czy jest taki ktoś.

– Owszem, jest – przyznała Maisie po chwili wahania.
– A czy poprosił, żebyś za niego wyszła?
– Tak – szepnęła.
– Czy przyjęłaś jego oświadczyny?
– Nie, ale obiecałam mu dać odpowiedź przed jego wyjazdem do Ameryki pod koniec miesiąca – powiedziała bardziej zdecydowanie.
– Czy to znaczy, że ja mam jeszcze szanse?
– Szczerze mówiąc, masz niewiele szans, Patricku. Nie odzywałeś się przez trzy lata i nagle się zjawiasz jakby nigdy nic.
Patrick nie próbował się bronić, a tymczasem kelner podał im główne danie.
– Chciałbym, żeby to było takie proste – w końcu powiedział.
– To zawsze było proste. Gdybyś mnie poprosił trzy lata temu, żebym za ciebie wyszła, chętnie bym wskoczyła w pierwszy statek płynący do Irlandii.
– Wtedy nie mogłem cię poprosić.
Maisie odłożyła nóż i widelec, nie biorąc ani kęsa do ust.
– Zawsze się zastanawiałam, czy nie jesteś żonaty.
– Dlaczego wtedy nic nie mówiłaś?
– Tak bardzo cię kochałam, Patricku, że byłam gotowa znieść to upokorzenie.
– I pomyśleć, że wróciłem do Irlandii tylko dlatego, że nie mogłem ci zaproponować, żebyś została moją żoną.
– Czy to się zmieniło?
– Tak, Bryony odeszła ode mnie ponad rok temu. Spotkała kogoś, kto okazał jej większe zainteresowanie niż ja, co nie było takie trudne.
– O mój Boże – westchnęła Maisie. – Dlaczego moje życie jest zawsze takie skomplikowane?
Patrick się uśmiechnął.
– Przykro mi, że znów wtargnąłem w twoje życie, ale teraz tak łatwo się nie poddam, przynajmniej dopóki będę uważał, że mam choćby najmniejszą szansę. – Pochylił się i wziął ją za rękę.

Chwilę później stanął przy nich kelner i z niepokojem spojrzał na dwa nietknięte dania, które zdążyły ostygnąć.

– Czy wszystko w porządku, proszę pana? – zapytał.

– Nie – powiedziała Maisie. – Wcale nie.

Maisie nie spała, tylko myślała o dwóch mężczyznach w jej życiu. Mike, taki solidny, taki dobry, który, jak wiedziała, będzie wierny aż do śmierci, i Patrick, tak podniecający, tak pełen życia, z którym ani chwili by się nie nudziła. W ciągu nocy kilka razy zmieniła zdanie, a to, że miała tak mało czasu na podjęcie decyzji, nie ułatwiało sytuacji.

Kiedy rano zeszła na śniadanie, matka nie owijała w bawełnę, gdy ją zapytała, którego z mężczyzn by wybrała na męża.

– Mike'a – odparła bez wahania. – Na niego można o wiele bardziej liczyć na dalszą metę, a małżeństwo jest na dalszą metę. Zresztą – dodała – ja nigdy nie ufałam Irlandczykom.

Maisie zastanawiała się nad słowami matki i zamierzała zadać jej jeszcze jedno pytanie, kiedy do pokoju wpadł Stan. Ledwo pochłonął swoją owsiankę, zaatakował Maisie, wyrywając ją z zamyślenia.

– Czy widzisz się dziś z dyrektorem banku?

Maisie nie odpowiedziała.

– Tak myślałem. Tylko pamiętaj, wracaj prosto do domu z moją stówką. Bo jak nie, to sam cię znajdę, dziewczyno.

– Jak miło znowu widzieć szanowną panią – powiedział pan Prendergast, wskazując Maisie fotel o czwartej tego popołudnia. Poczekał, aż Maisie usiądzie, a potem rzucił pytanie: – Czy zastanawiała się pani nad hojną ofertą mojego klienta?

Maisie się uśmiechnęła. Tym jednym słówkiem pan Prendergast zdradził, o czyje dba interesy.

– Jak najbardziej – odparła Maisie – i będę zobowiązana, jeżeli pan powie swojemu klientowi, że nie zgodzę się na mniej niż czterysta funtów.

Pan Prendergast otworzył usta.

– A ponieważ jest możliwe, że wyjadę z Bristolu pod koniec miesiąca, to zechce pan łaskawie przekazać swojemu klientowi, że moja hojna oferta będzie aktualna tylko przez tydzień.

Pan Prendergast zamknął usta.

– Postaram się wpaść do pana o tej samej porze w przyszłym tygodniu i wtedy przekaże mi pan decyzję swojego klienta. – Maisie wstała, słodko się uśmiechnęła do dyrektora banku i rzuciła: – Mam nadzieję, drogi panie, że miło spędzi pan weekend.

Maisie trudno było się skupić na słowach pana Holcombe'a, i to nie dlatego, że klasa średnio zaawansowana okazała się o wiele bardziej wymagająca niż ta dla początkujących, której już żałowała. Jeżeli podnosiła rękę, to częściej po to, żeby zadawać pytania, a nie odpowiadać.

Entuzjazm Arnolda do jego przedmiotu był zaraźliwy i z prawdziwym talentem umiał on sprawić, że wszyscy czuli się równi i najdrobniejszy przyczynek wydawał się ważny.

Po dwudziestu minutach przypominania podstaw, jak to określił, poprosił, żeby wszyscy otworzyli *Małe kobietki* na siedemdziesiątej drugiej stronie. Liczby nie sprawiały Maisie trudności, więc prędko znalazła właściwą stronę. Teraz pan Holcombe poprosił kobietę z trzeciego rzędu, żeby wstała i przeczytała pierwszy akapit, gdy tymczasem pozostali uczniowie śledzili słowo po słowie każde zdanie. Maisie położyła palec na górze strony i rozpaczliwie usiłowała podążać za opowiadaniem, ale prędko się zgubiła.

Kiedy nauczyciel polecił starszemu mężczyźnie z pierwszego rzędu, żeby przeczytał ten sam fragment drugi raz, Maisie rozpoznała niektóre słowa, ale modliła się, żeby Arnold jej nie wyrwał. Odetchnęła z ulgą, kiedy kogoś innego poproszono znów o odczytanie tego fragmentu. Kiedy uczeń usiadł, Maisie spuściła głowę, ale to nie pomogło.

– I na koniec chcę poprosić panią Clifton, żeby wstała i przeczytała nam ten sam akapit.

Maisie niepewnie podniosła się z miejsca i postarała się skupić. Wyrecytowała cały fragment prawie słowo w słowo, ani razu nie spojrzawszy w otwartą książkę. Ale ona przez wiele lat musiała zapamiętywać długie, skomplikowane zamówienia w restauracji.

Kiedy siadała, pan Holcombe ciepło się do niej uśmiechnął.

– Jaką pani ma wspaniałą pamięć, pani Clifton – powiedział.

Nikt oprócz Maisie nie podchwycił sensu jego słów.

– A teraz chciałbym pójść dalej i przedyskutować znaczenie pewnych słów w tym fragmencie. Na przykład w drugim wierszu mamy słowo „zrękowiny", to staromodne słowo. Czy ktoś może mi podać współczesny termin, który to samo znaczy?

Kilka rąk wystrzeliło w górę i Maisie też by podniosła swoją, gdyby nie usłyszała odgłosu znajomych ciężkich kroków zbliżających się do drzwi klasy.

– Panna Wilson – wskazał nauczyciel.

– Zaręczyny – powiedziała panna Wilson.

W tym momencie drzwi otworzyły się z hukiem i do pomieszczenia wpadł brat Maisie. Zatrzymał się przed tablicą i omiótł spojrzeniem klasę.

– Czy mogę panu pomóc? – spytał uprzejmie pan Holcombe.

– Nie – odburknął Stan. – Przyszłem po to, co mi się należy, a ty, panie nauczycielu, lepiej się nie odzywaj i pilnuj swojego nosa. – Wzrok Stana spoczął na Maisie.

Maisie zamierzała powiedzieć mu przy śniadaniu, że dopiero za tydzień się dowie, czy szacowny klient pana Prendergasta zgodził się na jej ofertę. Ale kiedy Stan zbliżał się do niej zdecydowanym krokiem, wiedziała, że nie przekona go, że nie ma pieniędzy.

– Gdzie moja forsa? – spytał, zanim podszedł do jej ławki.

– Nie mam tych pieniędzy – powiedziała. – Musisz poczekać do następnego tygodnia.

– Jeszcze czego! – wrzasnął, schwycił ją za włosy i szarpnął, wywlekając z ławki. Kiedy ciągnął ją do drzwi, cała klasa siedziała jak zahipnotyzowana. Tylko jeden mężczyzna stanął mu na drodze.

– Zejdź mi z drogi, chłopie.

– Radzę, żeby puścił pan swoją siostrę, panie Tancock, jeżeli nie chce pan narobić sobie jeszcze większych kłopotów.

– A niby kto miałby mi ich narobić, ty i inne takie łamagi? – zarechotał Stan. – Jak się nie odwalisz, chłopie, to tak rozkwaszę ci mordę, że rodzona matka cię nie pozna.

Stan nie spostrzegł wzniesionej pięści i gdy trafiła w jego splot słoneczny, zgiął się wpół, więc nie zdążył się zasłonić, kiedy drugi cios trafił go w szczękę. Trzeci rzucił go na podłogę, na którą padł jak zwalony dąb.

Stan leżał na podłodze, trzymając się za brzuch, spodziewając się kopniaka. Nauczyciel stał nad nim i czekał, aż dojdzie do siebie. Kiedy w końcu Stan odzyskał siły, niepewnie podniósł się na nogi i nie spuszczając oka z nauczyciela, powoli powlókł się ku drzwiom. Gdy uznał, że jest w bezpiecznej odległości, spojrzał na Maisie, która leżała skulona na podłodze, cicho szlochając.

– Lepiej nie pokazuj się w domu bez mojej forsy – warknął – jak nie chcesz narobić sobie biedy. – I bez dalszych słów wypadł na korytarz.

Chociaż Maisie usłyszała trzaśnięcie drzwi, była za bardzo wystraszona, żeby się poruszyć. Pozostali uczniowie zebrali książki i po cichu wyśliznęli się z klasy. Tego wieczoru nikt nie pójdzie do pubu.

Pan Holcombe prędko przemierzył pokój, ukląkł przy swojej podopiecznej i wziął ją drżącą w ramiona. Po dłuższej chwili powiedział:

– Lepiej dziś wieczór chodź do mnie, Maisie. Przygotuję ci łóżko w wolnym pokoju. Możesz u mnie zostać tak długo, jak zechcesz.

EMMA BARRINGTON

1941–1942

31

– Róg Sześćdziesiątej Czwartej i Park Avenue – rzuciła Emma, wskakując do taksówki przed biurem Seftona Jelksa na Wall Street.

Siedziała z tyłu i próbowała wymyślić, co powie stryjecznej babce Phyllis, kiedy, i jeżeli, przestąpi próg jej domu, ale radio w samochodzie tak ryczało, że nie mogła się skupić. Chciała poprosić taksówkarza, żeby je trochę ściszył, ale już zdążyła się przekonać, że nowojorscy taksówkarze są głusi, kiedy im to odpowiada, chociaż rzadko bywają tępi i nigdy milczący. Przysłuchując się komentatorowi relacjonującemu ze wzburzeniem, co się wydarzyło w miejscu o nazwie Pearl Harbor, Emma doszła do wniosku, że niewątpliwie najpierw stryjeczna babka zapyta, co cię sprowadza do Nowego Jorku, młoda damo, a potem jak długo tu jesteś i wreszcie dlaczego dopiero teraz przychodzisz się ze mną zobaczyć. Na żadne z tych pytań Emma nie miała wiarygodnie brzmiącej odpowiedzi, chyba że opowiedziałaby Phyllis wszystko – a tego właśnie chciała uniknąć, bo nawet własnej matce nie wyznała wszystkiego.

Ona może nawet nie wiedzieć, że jej brat ma jakąś wnuczkę, pomyślała Emma. A może rodzina była od dawna zwaśniona, o czym Emma nie słyszała? Albo może stryjeczna babka jest samotniczką, rozwódką, powtórną mężatką albo wariatką?

Emma tylko pamiętała, że kiedyś widziała kartkę świąteczną podpisaną przez Phyllis, Gordona i Alistaira. Czy ten pierwszy to mąż, a drugi to syn? Co gorsza, Emma nie miała żadnego dowodu, że jest naprawdę spokrewniona z Phyllis.

Emma poczuła się jeszcze mniej pewnie, gdy taksówka zajechała pod drzwi domu.

Wręczyła kierowcy dwudziestopięciocentówkę, wysiadła z samochodu i zadarłszy głowę, spojrzała na okazały, czterokondygnacyjny budynek z elewacją z piaskowca. Kilkakrotnie zmieniała zdanie, czy zastukać do drzwi czy nie. W końcu postanowiła przejść się dokoła, w nadziei, że poczuje przypływ odwagi. Kiedy szła Sześćdziesiątą Czwartą Ulicą, rzuciło się jej w oczy, że nowojorczycy pędzą tam i z powrotem w niezwykle gorączkowym tempie, a ich twarze wyrażają niepokój i zaskoczenie. Niektórzy wpatrywali się w niebo. Chyba nie sądzili, że obiektem następnego nalotu będzie Manhattan?

Gazeciarz stojący na rogu Park Avenue wykrzykiwał tytuł z pierwszej strony gazety:

– Ameryka przystępuje do wojny! Czytajcie najnowsze wiadomości!

Gdy Emma wróciła pod drzwi domu Phyllis, doszła do wniosku, że nie mogła wybrać gorszego dnia na wizytę u stryjecznej babki. Może rozsądniej byłoby wrócić do hotelu i przyjść tu jutro. Ale czy jutrzejszy dzień będzie inny? Pieniądze prawie się jej skończyły, a jeżeli Ameryka jest teraz w stanie wojny, to jak ona wróci do Anglii i co ważniejsze, do Sebastiana, z którym nigdy nie chciała się rozstawać na dłużej niż dwa tygodnie?

Bezwiednie weszła pięcioma schodami do góry i stanęła przed lśniącymi czarnymi drzwiami z wielką, błyszczącą mosiężną kołatką. Może stryjecznej babki nie ma w domu. Może się przeprowadziła. Emma już chciała zastukać, kiedy spostrzegła dzwonek w murze z napisem poniżej: „Dostawcy". Nacisnęła dzwonek, cofnęła się o krok i czekała, zadowolona, że będzie miała do czynienia z osobą, która przyjmuje handlarzy.

Kilka chwil później drzwi otworzył wysoki, szykownie ubrany mężczyzna w czarnej marynarce, spodniach w prążki, białej koszuli i popielatym krawacie.

– Czym mogę pani służyć? – zapytał, najwyraźniej uznawszy, że Emma nie należy do dostawców.

– Nazywam się Emma Barrington – powiedziała. – Chciałabym się dowiedzieć, czy zastałam moją babkę stryjeczną Phyllis.

– Tak, panno Barrington. W poniedziałek po południu

zawsze gra w brydża. Zechce pani wejść, a ja powiem pani Stuart, że pani czeka.

– Mogę przyjść jutro, jeśli to nie jest dogodny moment – wyjąkała Emma, ale mężczyzna zdążył zamknąć za nią drzwi i był już w połowie korytarza.

Gdy Emma czekała w holu, nie mogła nie zauważyć, skąd wywodzą się Stuartowie: portret, na którym namalowany był Bonnie Prince Charcie, pysznił się nad skrzyżowanymi mieczami, a w głębi holu na ścianie widniała tarcza herbowa klanu. Emma chodziła tam i z powrotem, podziwiając obrazy pędzla Peploe, Fergussona, McTaggarta i Raeburna. Pamiętała, że jej dziadek, lord Harvey, miał obraz Lawrence'a, który wisiał w salonie Zamku Mulgelrie. Nie wiedziała, jak zarabiał na życie mąż Phyllis, ale widać zarabiał doskonale.

Kamerdyner wrócił po chwili z tym samym obojętnym wyrazem twarzy. Pewno nie słyszał wiadomości o Pearl Harbor.

– Pani przyjmie panią w salonie – oznajmił.

Jakiż był podobny do Jenkinsa: żadnych zbędnych słów, godny, równy krok i okazywanie szacunku, ale bez uniżoności. Emma miała ochotę go spytać, z jakich stron Anglii pochodzi, ale wiedziała, że wziąłby to za wścibstwo, więc podążała za nim w milczeniu.

Już chciała wchodzić na schody, kiedy kamerdyner przystanął, otworzył drzwi windy i usunął się na bok, żeby ją przepuścić. Winda w prywatnym domu? Emma pomyślała, że może stryjeczna babka Phyllis jest inwalidką. Winda szarpnęła i zatrzymała się na drugim piętrze. Emma wyszła z niej i znalazła się w pięknie umeblowanym salonie. Gdyby nie hałas ruchu ulicznego, odgłosy klaksonów i syren policyjnych dobiegające z ulicy poniżej, mogłaby pomyśleć, że jest w Edynburgu.

– Zechce pani tu poczekać – rzekł kamerdyner.

Emma została przy drzwiach, natomiast kamerdyner podszedł do czterech starszych pań, które siedziały wokół płonącego kominka, pijąc herbatę, zajadając słodkie placuszki i słuchając z uwagą cicho nastawionego radia.

Kiedy kamerdyner zaanonsował: – Panna Emma Barrington – wszystkie kobiety obróciły się i skierowały na nią wzrok. Emma nie mogła się pomylić, która z nich, jeszcze nim wstała, jest siostrą lorda Harveya: miała ogniście czerwone włosy, figlarny uśmiech i charakterystyczny wygląd kogoś, kto nie jest arystokratą świeżej daty.

– To nie może być mała Emma – oświadczyła, opuszczając grupę i sunąc przez pokój ku wnuczce. W jej głosie wciąż się słyszało zaśpiew typowy dla regionu Highlands. – Kiedy ostatnio cię widziałam, miła dziewczyno, byłaś w kostiumie gimnastycznym, białych skarpetkach i tenisówkach, a w ręku trzymałaś kij hokejowy. Bałam się o chłopców grających w przeciwnej drużynie.

Emma się uśmiechnęła. To samo poczucie humoru, co u dziadka, pomyślała.

– A teraz proszę, jaka z ciebie wyrosła piękność!

Emma się zarumieniła.

– Co cię sprowadza do Nowego Jorku, moja droga?

– Przepraszam za to wtargnięcie, stryjeczna babko – zaczęła Emma, zerkając nerwowo na trzy starsze panie.

– Nie przejmuj się nimi – szepnęła Phyllis. – Po obwieszczeniu prezydenta mają się czym zająć. Ale gdzie są twoje bagaże?

– Moja walizka jest w hotelu Mayflower – odparła Emma.

– Parker – powiedziała pani domu, zwracając się do kamerdynera – wyślij kogoś po rzeczy panny Emmy do hotelu, a potem przygotuj główny pokój gościnny, bo po wysłuchaniu dzisiejszych wiadomości mam wrażenie, że dziewczyna zostanie u nas przez jakiś czas.

Kamerdyner znikł.

– Ale stryjeczna babko...

– Żadne ale – powiedziała tamta, unosząc rękę. – I nalegam, żebyś przestała mnie nazywać stryjeczną babką, bo wtedy się czuję jak stara hetera. Możliwe, że nią jestem, ale nie chcę, żeby mi o tym wciąż przypominano, więc proszę, mów mi Phyllis.

– Dziękuję, stryjeczna babko Phyllis – rzekła Emma.

Phyllis wybuchnęła śmiechem.

– Jak ja kocham Anglików – powiedziała. – A teraz chodź i przywitaj się z moimi przyjaciółkami. Będą zachwycone spotkaniem takiej niezależnej młodej kobiety. Tak szalenie nowoczesnej.

„Jakiś czas" trwało ponad rok i z każdym dniem Emma bardziej rozpaczliwie pragnęła wrócić do Sebastiana, lecz o tym, jak rośnie jej syn, mogła się dowiadywać tylko z listów pisanych przez matkę i od czasu do czasu Grace. Rozpłakała się na wieść o śmierci dziadka, bo myślała, że będzie żył wiecznie. Próbowała nie myśleć o tym, kto przejmie firmę, i uznała, że jej ojciec nie będzie miał czelności pokazać się w Bristolu.

Phyllis nie mogłaby stworzyć Emmie bardziej domowej atmosfery, nawet gdyby była jej matką. Emma prędko odkryła, że stryjeczna babka jest typową przedstawicielką rodziny Harveyów – hojna bez granic, a strona z definicjami słów „niemożliwe", „nieprawdopodobne" i „niewykonalne" została przypuszczalnie w dzieciństwie wydarta z jej słownika. Pokój gościnny, jak nazwała go Phyllis, był kilkupokojowym apartamentem wychodzącym na Central Park, co było miłą niespodzianką po ciasnej jednoosobowej klitce w hotelu Mayflower.

Druga niespodzianka spotkała Emmę, gdy pierwszego wieczoru zeszła na kolację i ujrzała stryjeczną babkę w sukni w kolorze płomiennej czerwieni, popijającą whisky i palącą papierosa w długiej cygarniczce. Uśmiechnęła się na myśl, że ta kobieta nazwała ją nowoczesną.

– Mój syn Alistair będzie na kolacji – obwieściła Phyllis, zanim Parker miał szansę nalać Emmie kieliszek sherry Harvey's Bristol Cream. – Jest prawnikiem i kawalerem – dodała. – To dwie wady, z których się już raczej nie uleczy. Ale czasem potrafi być zabawny, chociaż dość sarkastyczny.

Kuzyn Alistair przybył kilka minut później odziany w smoking, w ten sposób uosabiając „Brytyjczyków za granicą".

Emma przypuszczała, że jest około pięćdziesiątki, a dobry krawiec zamaskował krojem jego nadmierną tuszę. Może jego dowcip był istotnie podszyty sarkazmem, ale Alistair był niewątpliwie inteligentny, zabawny i dobrze poinformowany, nawet jeżeli trochę za bardzo się rozgadał na temat sprawy, którą aktualnie prowadził. Nie było zaskoczeniem, kiedy przy kolacji matka z dumą powiedziała Emmie, że Alistair został najmłodszym wspólnikiem w kancelarii adwokackiej po śmierci jej męża. Emma przypuszczała, że Phyllis wie, dlaczego się nie ożenił.

Emma nie była pewna, czy to wyśmienite jedzenie, doskonałe wino, czy po prostu amerykańska gościnność sprawiły, że tak się rozkrochmaliła, że opowiedziała im wszystko, co się jej przydarzyło od czasu, kiedy stryjeczna babka Phyllis widziała ją na boisku hokejowym Red Maids' School.

Kiedy Emma tłumaczyła, dlaczego przepłynęła Atlantyk mimo czyhających niebezpieczeństw, oboje patrzyli na nią jak na przybysza z innej planety.

Gdy Alistair pochłonął ostatni kęs ciasta owocowego i zajął się dużą brandy, przez następne pół godziny zadawał pytania niespodziewanemu gościowi, jakby był adwokatem strony przeciwnej, a ona wrogim świadkiem.

– Cóż, matko, muszę powiedzieć – odezwał się, składając serwetkę – że ta sprawa wygląda o wiele bardziej obiecująco niż Amalgamated Wire przeciwko New York Electric. Nie mogę się doczekać, kiedy skrzyżuję miecze z Seftonem Jelksem.

– Po co tracić czas na Jelksa – powiedziała Emma – kiedy o wiele ważniejsze jest odnalezienie Harry'ego i oczyszczenie jego imienia?

– Jak najbardziej się z tym zgadzam – przyznał Alistair. – Ale mam wrażenie, że jedno doprowadzi do drugiego. – Wziął do ręki książkę *Dziennik więźnia*, ale jej nie otworzył, tylko oglądał grzbiet.

– Kto ją wydał? – spytała Phyllis.

– Viking Press – odparł Alistair, zdejmując okulary.

– Nie kto inny jak Harold Guinzburg.

– Czy myślisz, że on razem z Maksem Lloydem maczał palce w tym oszustwie? – spytał Alistair, zwróciwszy się do matki.

– Na pewno nie – odparła. – Twój ojciec kiedyś mi powiedział, że występował przeciw Guinzburgowi w sądzie. Pamiętam, że nazwał go budzącym respekt przeciwnikiem, ale człowiekiem, który nigdy nie poważyłby się nagiąć prawa, a co dopiero je łamać.

– Zatem mamy szanse – stwierdził Alistair – bo jeżeli tak jest, to nie będzie szczęśliwy, gdy się dowie, czego się dopuszczono w jego imieniu. Jednakże zanim doprowadzę do spotkania z wydawcą, muszę przeczytać książkę. – Alistair spojrzał na Emmę i uśmiechnął się do niej. – To będzie fascynujące dowiedzieć się, jak pan Guinzburg obejdzie się z tobą, młoda damo.

– A dla mnie – powiedziała Phyllis – będzie równie fascynujące dowiedzieć się, jak Emma się obejdzie z Haroldem Guinzburgiem.

– Właśnie, matko – przyznał Alistair.

Kiedy Parker nalał Alistairowi drugi kieliszek brandy i zapalił mu zgasłe cygaro, Emma odważyła się spytać kuzyna, jakie może mieć szanse odwiedzenia Harry'ego w Lavenham.

– Jutro w twoim imieniu złożę wniosek w tej sprawie – między jednym a drugim pyknięciem powiedział Alistair. – Zobaczymy, czy powiedzie mi się lepiej niż temu uczynnemu policjantowi.

– Uczynnemu policjantowi? – powtórzyła Emma.

– Niezwykle uczynnemu – zapewnił ją Aistair. – Dziwię się, że inspektor Kolowski w ogóle zgodził się z tobą spotkać, kiedy się dowiedział, że jest w to wmieszany Jelks.

– A ja się nie dziwię, że chciał ci pomóc – rzuciła Phyllis, mrugnąwszy do Emmy.

32

– I pani mówi, że to pani mąż napisał tę książkę?

– Nie, proszę pana – odparła Emma. – Harry Clifton i ja nie jesteśmy małżeństwem, chociaż jestem matką jego dziecka. Ale tak, Harry napisał *Dziennik więźnia*, kiedy był zamknięty w Lavenham.

Harold Guinzburg zdjął półokrągłe szkła i przyjrzał się bliżej młodej kobiecie siedzącej po drugiej stronie biurka.

– Jest tu pewien mały problem – powiedział. – Uważam, że powinienem zwrócić pani uwagę, że każde zdanie dziennika zostało napisane ręką pana Lloyda.

– Przepisał rękopis Harry'ego słowo w słowo.

– Żeby to było możliwe, pan Lloyd musiałby dzielić celę z Tomem Bradshawem, co nie będzie trudne do sprawdzenia.

– Albo mogli pracować razem w bibliotece – podsunął Alistair.

– Gdybyście państwo byli w stanie tego dowieść – rzekł Guinzburg – postawiłoby to moją firmę, czyli mnie osobiście, w trudnej sytuacji, delikatnie mówiąc, i w takim razie musiałbym zasięgnąć rady adwokata.

– Chcemy na wstępie wyraźnie stwierdzić – wtrącił Alistair siedzący po prawej stronie Emmy – że przychodzimy tutaj z misją dobrej woli, gdyż uznaliśmy, że będzie pan chciał usłyszeć opowieść mojej kuzynki.

– Tylko dlatego zgodziłem się z państwem spotkać, że czułem wielki podziw dla pana ojca.

– Nie zdawałem sobie sprawy, że pan go znał.

– Nie znałem – powiedział Guinzburg. – Występował po innej stronie w sporze, w jakim uczestniczyła moja firma, i wyszedłem z sali sądowej z żalem, że nie mnie reprezentuje. Jednakże jeżeli mam uwierzyć w opowieść pana kuzynki, to mam nadzieję, że nie będzie miał pan nic przeciwko temu, że zadam pannie Barrington kilka pytań.

– Chętnie panu odpowiem na wszystkie pytania – odezwała się Emma. – Ale chciałam spytać: czy czytał pan książkę Harry'ego?

– Staram się czytać każdą książkę, jaką wydajemy, proszę pani. Nie będę udawał, że wszystkie mi się podobają albo że czytam każdą do końca, ale jeżeli chodzi o *Dziennik więźnia*, to kiedy przeczytałem pierwszy rozdział, już wiedziałem, że to będzie bestseller. Zaznaczyłem też zdanie na marginesie strony dwieście jedenastej. – Guinzburg wziął do ręki książkę, przerzucił stronice i odczytał: – „Zawsze chciałem być pisarzem i obecnie pracuję nad szkicem fabuły pierwszej z serii powieści detektywistycznych z akcją w Bristolu".

– Bristol – Emma wpadła w słowo starszemu panu. – Skąd Max Lloyd może cokolwiek wiedzieć o Bristolu?

– Jest Bristol w Illinois, rodzinnym stanie pana Lloyda – powiedział Guinzburg – o czym Max mi powiedział, kiedy mu oznajmiłem, że chętnie przeczytam pierwszą książkę z cyklu.

– Nie przeczyta pan – zapewniła go Emma.

– Już nam przedstawił pierwsze rozdziały *Zamiany tożsamości* – stwierdził Guinzburg – i muszę przyznać, że są całkiem dobre.

– A czy te rozdziały są pisane w tym samym stylu co dziennik?

– Tak. I zanim mnie pani o to zapyta, powiem, że napisane zostały tym samym charakterem pisma, chyba że pani znowu zasugeruje, że zostały przepisane.

– Raz mu się udało, to dlaczego nie miałby spróbować ponownie?

– Ale czy pani ma jakiś prawdziwy dowód świadczący, że pan Lloyd nie napisał *Dziennika więźnia*? – spytał Guinzburg z lekką irytacją.

– Tak, proszę pana. To ja jestem Emmą z tej książki.

– Jeżeli tak, to zgadzam się z opinią autora, że jest pani kobietą wielkiej urody i, że go zacytuję, osobą pełną werwy i wojowniczą.

– A pan jest wytrawnym pochlebcą – powiedziała Emma z uśmiechem.

– Jak pisze, pełną werwy i wojowniczą – powtórzył Guinzburg, z powrotem zakładając okulary. – Jednakże wątpię, żeby sąd dał pani wiarę, ponieważ Sefton Jelks może powołać na świadków kilka osób o imieniu Emma, które będą się zarzekały, że całe życie znają Lloyda. Potrzebuję czegoś bardziej przekonującego.

– Czy nie wydaje się panu przesadnym zbiegiem okoliczności, że dzień, w którym Thomas Bradshaw przybywa do Lavenham, jest też pierwszym dniem dziennika?

– Pan Lloyd wyjaśnił, że zaczął pisać dziennik, dopiero kiedy został bibliotekarzem więziennym, bo miał więcej wolnego czasu.

– Ale jak pan wytłumaczy, że w dzienniku nie wspomina o swojej ostatniej nocy w więzieniu ani o poranku, kiedy został zwolniony? Zjada śniadanie w stołówce i zgłasza się na następny dzień pracy w bibliotece.

– A jak to pani tłumaczy? – spytał Guinzburg, patrząc na Emmę sponad okularów.

– Ten, kto napisał dziennik, jest nadal w Lavenham i prawdopodobnie pracuje nad następnym tomem.

– To nie będzie trudno państwu sprawdzić – rzekł Guinzburg, unosząc brwi.

– Zgadzam się – powiedział Alistair. – Już złożyłem podanie w imieniu panny Barrington z prośbą o zgodę na odwiedziny pana Bradshawa z powodów osobistych i czekam na przychylną odpowiedź naczelnika więzienia.

– Czy pozwoli pani, że zadam jeszcze kilka pytań, żeby pozbyć się reszty wątpliwości? – spytał Guinzburg.

– Tak, oczywiście – zgodziła się Emma.

Starszy pan uśmiechnął się, obciągnął kamizelkę, popchnął do góry okulary i spojrzał na listę pytań w notesie, który przed nim leżał.

– Kto to jest kapitan Jack Tarrant, czasem zwany Old Jackiem?

– Najstarszy przyjaciel mojego dziadka. Razem walczyli w wojnie burskiej.

– Którego dziadka?

– Sir Waltera Barringtona.

Wydawca skinął głową.

– Czy uważała pani kapitana Tarranta za człowieka honoru?

– Był bez skazy – jak żona Cezara. Przypuszczalnie wywarł największy wpływ na życie Harry'ego.

– Ale czy to nie jego wina, że pani i Harry nie jesteście poślubieni?

– Czy to pytanie jest istotne? – wtrącił się Alistair.

– Podejrzewam, że za chwilę się tego dowiemy – powiedział Guinzburg, nie spuszczając wzroku z Emmy.

– Jack uważał, że jest jego obowiązkiem ostrzec kapelana, że mój ojciec Hugo Barrington może także być ojcem Harry'ego – powiedziała łamiącym się głosem Emma.

– Czy to było konieczne, proszę pana? – rzucił Alistair.

– O tak – odparł wydawca, biorąc do ręki *Dziennik więźnia*. – Teraz jestem przekonany, że to Harry Clifton, a nie Max Lloyd napisał tę książkę.

Emma się uśmiechnęła.

– Dziękuję panu – powiedziała – chociaż nie wiem, co ja mogę z tym zrobić.

– Za to ja dobrze wiem, co z tym zrobię – zawyrokował Guinzburg. – Najpierw opublikuję tak szybko, jak uwiną się drukarnie, wydanie poprawione z dwiema głównymi zmianami: zamiast nazwiska Maksa Lloyda na okładce będzie nazwisko Harry'ego Cliftona, a z tyłu jego fotografia, o ile pani jakąś ma.

– Kilka – powiedziała Emma – w tym jedną na statku *Kansas Star* wpływającym do portu nowojorskiego.

– A, to by też tłumaczyło... – zaczął Guinzburg.

– Ale jeżeli pan to zrobi – wpadł mu w słowo Alistair – to rozpęta się piekło. Jelks wystąpi w imieniu swojego klienta z pozwem o zniesławienie i z żądaniem odszkodowania.

– Miejmy nadzieję – powiedział Guinzburg – bo jeżeli tak

postąpi, to książka bez wątpienia znajdzie się na pierwszym miejscu listy bestsellerów i pozostanie tam przez kilka miesięcy. Jednakże jeżeli nie zrobi nic, jak przypuszczam, to będzie znaczyć, że jest jedyną osobą, która widziała ten brakujący zeszyt, w którym Harry Clifton opisał, jak trafił do Lavenham.

– Wiedziałam, że jest taki – rzuciła Emma.

– Na pewno – przytaknął Guinzburg. – To pani słowa o *Kansas Star* uświadomiły mi, że rękopis, który pan Lloyd przedstawił jako początkowe rozdziały *Zamiany tożsamości*, to nic innego jak opowieść o tym, co przydarzyło się Harry'emu Cliftonowi, zanim został skazany za zbrodnię, której nie popełnił.

– Czy będę mogła to przeczytać? – poprosiła Emma.

W chwili gdy Emma weszła do biura Alistaira, zorientowała się, że coś jest nie w porządku. Ani śladu zwykłego serdecznego powitania i miłego uśmiechu, tylko zmarszczone brwi.

– Nie pozwolą mi odwiedzić Harry'ego, prawda? – zapytała.

– Nie – potwierdził Alistair. – Dostałaś odmowę.

– Ale dlaczego? Przecież mówiłeś, że mam do tego prawo.

– Dziś rano dzwoniłem do naczelnika więzienia i zadałem mu to samo pytanie.

– I jaki podał powód?

– Możesz sama usłyszeć – odparł Alistair – ponieważ nagrałem tę rozmowę. Słuchaj uważnie, bo daje trzy bardzo ważne wskazówki.

Nie dodał nic więcej, tylko się pochylił i wcisnął guzik odtwarzania w swoim grundigu. Dwie szpule zaczęły się obracać.

– Zakład Karny Lavenham.

– Chciałbym rozmawiać z naczelnikiem więzienia.

– Kto mówi?

– Alistair Stuart. Adwokat z Nowego Jorku.

Cisza, sygnał telefonu, dłuższa cisza, a potem:

– Łączę pana.

Emma ledwo mogła usiedzieć, gdy odezwał się głos naczelnika.

– Dzień dobry panu, panie Stuart. Mówi naczelnik Swanson. W czym mogę panu pomóc?

– Dzień dobry panu, panie Swanson. Dziesięć dni temu złożyłem podanie w imieniu panny Emmy Barrington z prośbą o zgodę na odwiedziny więźnia Thomasa Bradshawa z powodów osobistych, w możliwie najkrótszym terminie. Dziś rano otrzymałem z pańskiego biura list, że podanie zostało załatwione odmownie. Nie widzę żadnego prawnego uzasadnienia...

– Proszę pana, pańskie podanie zostało rozpatrzone zgodnie z przyjętą procedurą, ale nie mogłem uwzględnić pańskiej prośby, ponieważ pana Bradshawa nie ma już w tutejszym zakładzie.

Nastąpiła kolejna długa cisza, chociaż Emma widziała, że taśma nadal się kręci.

W końcu Alistair spytał:

– A gdzie został przeniesiony?

– Nie jestem upoważniony do ujawnienia tej informacji, proszę pana.

– Ale zgodnie z przepisami moja klientka ma prawo do...

– Więzień podpisał dokument, w którym zrzeka się swoich praw. Chętnie prześlę panu kopię.

– Ale dlaczego miałby to zrobić? – spytał Alistair, zarzucając wędkę.

– Nie jestem upoważniony do ujawnienia tej informacji – powtórzył naczelnik, nie dając się złowić.

– Czy jest pan upoważniony do wyjawienia czegokolwiek, co dotyczy Thomasa Bradshawa? – zapytał Alistair, starając się ukryć irytację.

Znowu długie milczenie i chociaż taśma wciąż się kręciła, Emma nie była pewna, czy naczelnik nie odłożył słuchawki. Alistair położył palec na ustach i nagle głos znów się odezwał:

– Harry Clifton został zwolniony z więzienia, ale nadal odbywa karę. – Dłuższa pauza. – A ja straciłem najlepszego bibliotekarza, jakiego kiedykolwiek miałem.

Połączenie zostało przerwane.

Alistair wcisnął guzik „stop", a potem powiedział:

– Naczelnik posunął się najdalej jak mógł, żeby nam pomóc.

– Wymieniając nazwisko Harry'ego? – spytała Emma.

– Tak, ale też powiadamiając nas, że do ostatka pracował w bibliotece więziennej. To wyjaśnia, jak Lloyd dostał dzienniki w swoje ręce.

Emma skinęła głową.

– Ale mówiłeś, że są trzy ważne wskazówki – przypomniała kuzynowi. – Jaka była trzecia?

– Że Harry został zwolniony z Lavenham, ale nadal odbywa karę.

– Czyli że musi być w innym więzieniu – stwierdziła Emma.

– Nie sądzę – rzekł Alistair. – Teraz, gdy przystąpiliśmy do wojny, założę się, że Tom Bradshaw odbywa resztę kary, służąc w marynarce.

– Na jakiej podstawie tak sądzisz?

– To wszystko jest w dzienniku – powiedział Alistair. – Wziął do ręki *Dziennik więźnia*, otworzył na stronie zaznaczonej zakładką i przeczytał: „Pierwsze, co zrobię, kiedy wrócę do Bristolu, to wstąpię do marynarki i będę walczył z Niemcami".

– Ale oni nigdy by mu nie pozwolili wrócić do Anglii, póki nie odbędzie całej kary.

– Ja nie mówiłem, że on wstąpił do marynarki brytyjskiej.

– O Boże! – wykrzyknęła Emma, kiedy dotarł do niej sens słów Alistaira.

– Przynajmniej wiemy, że Harry żyje – pogodnie zauważył Alistair.

– Wolałabym, żeby nadal siedział w więzieniu.

HUGO BARRINGTON

1942–1943

33

Nabożeństwo żałobne za spokój duszy sir Waltera odprawiono w kościele Najświętszej Marii Panny na Redcliffe i zmarły prezes Linii Żeglugowej Barringtona byłby dumny, gdyby mógł widzieć tłum wiernych i słyszeć płynącą prosto z serca mowę pogrzebową wygłoszoną przez biskupa Bristolu.

Po nabożeństwie żałobnicy ustawili się w kolejce, żeby złożyć kondolencje sir Hugonowi, który stał w północnych drzwiach kościoła obok matki. Tym, którzy o to pytali, tłumaczył, że jego córka Emma utknęła w Nowym Jorku, chociaż nie potrafił powiedzieć, dlaczego tam się wybrała, a jego syn Giles, z którego był niezmiernie dumny, jest internowany w niemieckim obozie jenieckim w Weinsbergu, o czym dowiedział się od matki poprzedniego wieczoru.

Podczas nabożeństwa lord i lady Harvey, była żona Hugona Elizabeth i ich córka Grace siedzieli w pierwszym rzędzie, po przeciwnej stronie nawy niż Hugo. Wszyscy oni złożyli uszanowanie wdowie pogrążonej w bólu, a później ostentacyjnie wyszli, ignorując jego osobę.

Maisie Clifton siedziała z tyłu z pochyloną głową i wyszła zaraz potem, jak biskup udzielił ostatniego błogosławieństwa.

Kiedy Bill Lockwood, dyrektor naczelny firmy Barringtona, wystąpił do przodu, żeby przywitać się z nowym prezesem i złożyć mu kondolencje, tamten miał do powiedzenia tylko tyle:

– Oczekuję pana w moim biurze jutro o dziewiątej.

Pan Lockwood lekko się skłonił.

Po pogrzebie odbyło się przyjęcie żałobne w Barrington Hall i Hugo rozmawiał z obecnymi na nim osobami, z których kilka się dowiedziało, że już nie pracują w firmie. Kiedy ostatni z gości wyszedł, Hugo udał się do sypialni i przebrał się do kolacji.

Wkroczył do pokoju jadalnego, prowadząc matkę pod rękę.

Gdy usiadła, zajął miejsce ojca u szczytu stołu. W trakcie kolacji, przy której nie było nikogo ze służby, powiedział matce, że wbrew obawom ojca zmienił się na lepsze.

Zapewnił ją, że firma jest w dobrych rękach i że on ma fantastyczne plany na przyszłość.

Nazajutrz o dziewiątej dwadzieścia trzy Hugo przejechał swoim bugatti przez bramę stoczni Barringtona pierwszy raz od ponad dwóch lat. Zaparkował na miejscu dla prezesa i skierował się do dawnego biura ojca.

Gdy wysiadł z windy na czwartym piętrze, ujrzał Billa Lockwooda, który z czerwoną teczką pod pachą chodził tam i z powrotem korytarzem. Ale Hugo zawsze chciał, żeby on wyczekiwał pod drzwiami, zanim pozwoli mu wejść.

– Dzień dobry, Hugo – odezwał się Lockwood, robiąc krok do przodu.

Hugo minął go bez słowa.

– Dzień dobry, panno Potts – powiedział do swojej dawnej sekretarki, jakby nigdy się nie rozstawali. – Powiem pani, kiedy będę gotów przyjąć Lockwooda – dodał, wchodząc do nowego biura.

Usiadł za biurkiem ojca – zawsze tak o nim myślał i zastanawiał się, jak długo to będzie trwać – i sięgnął po „The Timesa". Odkąd Amerykanie i Rosjanie uczestniczą w wojnie, o wiele więcej ludzi wierzy w zwycięstwo sprzymierzonych. Odłożył gazetę.

– Panno Potts, teraz może pani wezwać Lockwooda.

Dyrektor naczelny wkroczył do gabinetu prezesa z uśmiechem na twarzy.

– Witaj, Hugo – powiedział.

Hugo wbił w niego wzrok i rzucił:

– Panie prezesie.

– Przepraszam, panie prezesie – powiedział człowiek, który zasiadał w zarządzie firmy Barringtona, kiedy Hugo jeszcze chodził w krótkich spodenkach.

– Chciałbym, Lockwood, żebyś mnie pan zapoznał z obecną sytuacją finansową firmy.

– Oczywiście, panie prezesie.

Lockwood otworzył czerwoną teczkę, którą trzymał pod pachą. Ponieważ prezes nie poprosił go, żeby usiadł, nadal stał.

– Pański ojciec – zaczął – przeprowadził firmę rozważnie przez trudne czasy i mimo kilku komplikacji, zwłaszcza w wyniku nieustannych niemieckich bombardowań portu podczas nocnych nalotów w pierwszej fazie wojny, z pomocą kontraktów rządowych zdołaliśmy przetrwać najgorsze, więc powinniśmy być w dobrej formie, kiedy ta okropna wojna się skończy.

– Dość tego wodolejstwa – ofuknął go Hugo. – Przejdźmy do finansów.

– W zeszłym roku – ciągnął dyrektor naczelny, odwracając kartkę – firma osiągnęła zysk w wysokości trzydziestu siedmiu tysięcy czterystu funtów i dziesięciu szylingów.

– Nie zapominajmy o tych dziesięciu szylingach, prawda? – rzucił Hugo.

– Pański ojciec zawsze był skrupulatny – zauważył Lockwood, nie zważając na sarkazm.

– A w tym roku?

– Dane z połowy roku wskazują, że mamy wszelkie dane po temu, żeby dorównać zeszłorocznemu wynikowi, a może nawet go przewyższyć. – Lockwood przewrócił następną kartkę.

– Ile w tej chwili jest wolnych miejsc w radzie nadzorczej? – spytał Hugo.

Zmiana tematu zaskoczyła Lockwooda i musiał przewrócić kilka kartek, zanim mógł odpowiedzieć:

– Trzy, bo niestety lord Harvey, sir Derek Sinclair i kapitan Havens zrezygnowali po śmierci pańskiego ojca.

– Miło mi to słyszeć – rzekł Hugo. – Wobec tego nie muszę zadać sobie trudu, żeby ich wyrzucić.

– Sądzę, panie prezesie, że nie życzy pan sobie, żeby odnotować to zdanie w protokole z naszego spotkania?

– Rób pan, co chcesz, mam to gdzieś – odparł Hugo.

Dyrektor naczelny skłonił głowę.

– A kiedy przechodzisz pan na emeryturę, Lockwood? – padło następne pytanie Hugona.

– Za dwa miesiące skończę sześćdziesiąt lat, ale gdyby pan prezes uważał, że w tych okolicznościach...

– Jakich okolicznościach?

– Skoro będzie się pan dopiero oswajał z nowymi obowiązkami, to mógłbym się zgodzić zostać jeszcze dwa lata.

– To ładnie z pana strony – powiedział Hugo i dyrektor naczelny uśmiechnął się po raz drugi tego ranka. – Ale nie rób pan sobie kłopotu z mojego powodu. Dwa miesiące – to mi odpowiada. A zatem jakie obecnie czeka nas najważniejsze wyzwanie?

– Ostatnio wystąpiliśmy o duży rządowy kontrakt na wydzierżawienie marynarce wojennej naszej floty handlowej – odpowiedział Lockwood, kiedy ochłonął. – Nie jesteśmy faworytami, ale pański ojciec dobrze się zaprezentował, kiedy inspektorzy odwiedzili firmę na początku tego roku, więc powinniśmy zostać potraktowani poważnie.

– Kiedy się dowiemy?

– Obawiam się, że nie tak szybko. Urzędnicy administracji państwowej to nie żadni sprinterzy – dodał, chichocząc z własnego żarciku. – Przygotowałem dla pana wprowadzenie do dyskusji, żeby pan się zorientował przed pierwszym posiedzeniem rady nadzorczej, któremu będzie pan przewodniczył.

– Nie przewiduję w przyszłości wielu posiedzeń rady nadzorczej – powiedział Hugo. – Wierzę w dowodzenie z pierwszej linii, samodzielne podejmowanie decyzji i trwanie przy nich. Ale niech pan zostawi te papiery mojej sekretarce, zajrzę do nich, jak znajdę czas.

– Jak pan sobie życzy, panie prezesie.

Ledwo Lockwood wyszedł z gabinetu, Hugo wstał, szykując się do wyjścia.

– Wybieram się do mojego banku – oznajmił, przechodząc obok biurka panny Potts.

– Czy mam zatelefonować do pana Prendergasta i powiadomić go, że chce się pan z nim widzieć? – zapytała panna Potts, biegnąc za nim korytarzem.

– Ależ nie – rzucił Hugo. – Chcę mu zrobić niespodziankę.

– Czy chciałby pan, żebym coś załatwiła przed pana powrotem? – spytała panna Potts, kiedy Hugo był już w windzie.

– Tak, proszę dopilnować, żeby zmieniono imię na drzwiach, zanim wrócę.

Panna Potts obróciła się i spojrzała na drzwi biura. „Sir Walter Barrington, prezes" – głosił napis złotymi literami.

Zamknęły się drzwi windy.

Jadąc do centrum Bristolu, Hugo myślał, że jego pierwsze godziny jako prezesa nie mogły być bardziej udane. W końcu wszystko dobrze się ułożyło. Zaparkował bugatti przed bankiem National Provincial na Corn Street, sięgnął pod fotel pasażera i wyjął stamtąd paczkę.

Wkroczył do banku i skierował się prosto do biura dyrektora, lekko zastukał w drzwi i wszedł do środka. Zaskoczony pan Prendergast poderwał się, kiedy Hugo postawił mu na biurku pudełko od butów i zagłębił się w fotelu naprzeciwko.

– Mam nadzieję, że nie przeszkadzam w niczym ważnym – rzekł Hugo.

– Naturalnie, że nie, sir Hugo – powiedział Prendergast ze wzrokiem utkwionym w pudełku. – Zawsze jestem do pańskich usług.

– Dobrze to wiedzieć, panie Prendergast. Może zechce mnie pan oświecić, jak wygląda sprawa Broad Street?

Dyrektor banku pomknął na drugi koniec pokoju, otworzył szufladę w szafie na dokumenty i wyjął grubą teczkę, którą położył na stole. Przejrzał papiery i po chwili się odezwał:

– Ach, tak. Tego właśnie szukałem.

Hugo niecierpliwie stukał w poręcz fotela.

– Spośród właścicieli dwudziestu dwóch sklepów, które przestały działać od czasu bombardowania, siedemnastu już przyjęło pańską ofertę dwustu albo mniej funtów za tytuł własności, mianowicie kwiaciarz Roland, rzeźnik Bates, Makepeace...

– A pani Clifton? Czy zgodziła się na moją propozycję?

– Obawiam się, że nie, sir Hugo. Pani Clifton oświadczyła, że nie zgodzi się na mniej niż czterysta funtów, i dała panu czas tylko do następnego piątku na przyjęcie tej oferty.

– Też coś, niech ją diabli. Hm, niech pan jej powie, że dwieście funtów to moja ostateczna cena. Ta kobieta nigdy nie miała pensa przy duszy, toteż nie sądzę, żebyśmy długo musieli czekać, aż zmądrzeje.

Prendergast lekko zakasłał: sygnał, który Hugo dobrze pamiętał.

– Jeżeli uda się panu nabyć wszystkie parcele na tej ulicy z wyjątkiem kawałka gruntu pani Clifton, czterysta funtów może się okazać całkiem sensowną ceną.

– Ona blefuje. Musimy tylko trochę poczekać.

– Jeżeli pan tak uważa.

– Tak właśnie uważam. Znam właściwego człowieka, który przekona tę Clifton, żeby lepiej się zgodziła na dwieście funtów.

Prendergast nie wyglądał na przekonanego, ale zadowolił się pytaniem:

– Czy jeszcze w czymś mógłbym być panu pomocny?

– Tak – odparł Hugo, zdejmując pokrywkę z pudełka od butów. – Proszę wpłacić te pieniądze na mój rachunek osobisty i wydać mi nową książeczkę czekową.

– Naturalnie, sir Hugo – powiedział Prendergast, zajrzawszy do pudełka. – Policzę banknoty i dam panu pokwitowanie i książeczkę czekową.

– Ale muszę od razu podjąć część pieniędzy, bo mam na oku lagondę V12.

– Zwyciężczynię wyścigu Le Mans – powiedział Prendergast – no ale pan zawsze był pionierem w tej szczególnej dziedzinie.

Hugo się uśmiechnął, podnosząc się z fotela.

– Proszę zadzwonić, gdy tylko pani Clifton dojdzie do wniosku, że dwieście funtów to wszystko, co dostanie.

– Panno Potts, czy my nadal zatrudniamy Stana Tancocka? – spytał Hugo, wkraczając z powrotem do biura.

– Tak, sir Hugo – odparła sekretarka, idąc za nim do gabinetu. – Pracuje jako ładowacz.

– Chcę go natychmiast zobaczyć – oznajmił prezes, siadając za biurkiem.

Panna Potts wybiegła z pokoju.

Hugo spojrzał na piętrzące się na biurku teczki, które miał przejrzeć przed najbliższym posiedzeniem rady nadzorczej. Otworzył pierwszą na górze: lista żądań związków zawodowych po ostatnim spotkaniu z dyrekcją. Dotarł do pozycji numer cztery na liście: dwa tygodnie płatnego urlopu rocznie, kiedy rozległo się pukanie do drzwi.

– Tancock czeka, panie prezesie.

– Proszę go wpuścić, panno Potts.

Stan Tancock wszedł do pokoju, zdjął płócienną czapkę i stanął przed biurkiem prezesa.

– Chciał mnie pan widzieć, szefie? – zapytał. Miał zalęknioną minę.

Hugo obrzucił spojrzeniem krępego, nieogolonego dokera; jego brzuch piwosza zdradzał, gdzie topi większość zarobków w wieczory piątkowe.

– Mam dla ciebie zajęcie, Tancock.

– Tak jest, szefie – powiedział Stan, przybierając pogodniejszą minę.

– Chodzi o twoją siostrę, Maisie Clifton, i parcelę, jaką ma na Broad Street, gdzie kiedyś była herbaciarnia panny Tilly. Czy coś o tym wiesz?

– Tak, szefie. Jakiś dziwak chce jej dać za to dwie stówki.

– Naprawdę? – powiedział Hugo, wyjmując portfel z wewnętrznej kieszeni marynarki. Wyciągnął szeleszczący banknot pięciofuntowy i położył na biurku. Hugo pamiętał takie samo oblizywanie warg i te same świńskie oczka, kiedy ostatnio przekupywał tego człowieka. – Chcę, Tancock, żebyś dopilnował, aby twoja siostra przyjęła tę ofertę, ale ma nie wiedzieć, że ja mam z tym coś wspólnego.

Pchnął banknot przez blat biurka.

– To żaden problem – rzekł Stan, nie patrząc dłużej na prezesa, tylko na pięciofuntowy banknot.

– Będzie jeszcze jeden taki sam – oznajmił Hugo, klepiąc portfel – w dniu, kiedy ona podpisze umowę.

– Załatwione, szefie.

Hugo dodał od niechcenia:

– Przykro mi było, jak usłyszałem o twoim siostrzeńcu.

– A co mi tam – mruknął Stan. – Miał przewrócone we łbie.

– Pochowano go w morzu, jak słyszałem.

– Ano, będzie więcej niż dwa lata temu.

– Skąd wiesz?

– Doktor okrętowy odwiedził moją siostrę, no nie?

– I on potwierdził, że młodego Cliftona pochowali w morzu?

– No pewnie. Przyniósł nawet list od jakiegoś kumpla, co był na statku, jak Harry umarł.

– List? – Hugo wychylił się do przodu. – I co było w tym liście?

– Nie wiem, szefie. Maisie go nie otwarła.

– To co zrobiła z tym listem?

– A stoi nad kominkiem, no nie?

Hugo wyjął następny banknot pięciofuntowy.

– Chciałbym zobaczyć ten list.

34

Hugo nacisnął hamulec w swojej nowej lagondzie, gdy usłyszał, że gazeciarz wykrzykuje jego nazwisko na rogu ulicy.

– Syn sir Hugona Barringtona odznaczony za męstwo w Tobruku. Tu o tym przeczytacie!

Hugo wyskoczył z samochodu, wręczył gazeciarzowi półpensówkę i ujrzał na pierwszej stronie gazety dużą fotografię syna z czasów, kiedy był kapitanem szkoły w Liceum Bristolskim. Wsiadł do samochodu, wyłączył silnik i zaczął czytać:

> Podporucznik Giles Barrington z pierwszego batalionu Pułku z Wessex, syn sir Hugona Barringtona, baroneta, został odznaczony Krzyżem Wojennym za akcję pod Tobrukiem. Podporucznik Barrington poprowadził pluton przez osiemdziesiąt metrów otwartej pustyni, zabijając niemieckiego oficera i pięciu innych żołnierzy, następnie zdobył bunkier wroga i wziął do niewoli sześćdziesięciu trzech niemieckich żołnierzy piechoty z elitarnego Afrika Korps Rommla. Podpułkownik Robertson z Pułku z Wessex uznał, że wyczyn podporucznika Barringtona świadczy o niezwykłej umiejętności dowodzenia i bezinteresownej odwadze w obliczu przytłaczającej przewagi nieprzyjaciela.
>
> Dowódca plutonu podporucznika Barringtona, kapitan Alex Fisher, brał udział w tej samej akcji i został wymieniony w rozkazie dziennym, jak i kapral Terry Bates, tutejszy rzeźnik z Broad Street. Porucznik Giles Barrington, kawaler Krzyża Wojennego, został później wzięty do niewoli przez Niemców, kiedy Rommel zdobył Tobruk. Ani Barrington, ani Bates nie wiedzą, że zostali odznaczeni za męstwo, ponieważ obaj są obecnie w obozie jenieckim w Niemczech. Kapitan Fisher został uznany za zaginionego podczas akcji. Szczegółowa relacja na stronie 6 i 7.

Hugo pospieszył do domu, żeby podzielić się tą wiadomością z matką.

– Walter byłby taki dumny – powiedziała matka, kiedy skończył jej czytać artykuł. – Muszę natychmiast zatelefonować do Elizabeth, bo może o tym nie słyszała.

Po raz pierwszy od dłuższego czasu ktoś wymienił przy nim imię jego byłej żony.

– Myślę, że zainteresuje pana wiadomość, że pani Clifton nosi pierścionek zaręczynowy – powiedział Mitchell.

– Kto chciałby ożenić się z tą dziwką?

– Chyba niejaki Arnold Holcombe.

– Kto to jest?

– Nauczyciel. Uczy angielskiego w Merrywood Elementary. Kiedyś uczył Harry'ego Cliftona, zanim chłopak poszedł do Szkoły Świętego Bedy.

– Ale to było wiele lat temu. Dlaczego pan nie wspomniał o nim wcześniej?

– Oni dopiero niedawno znów się spotkali, kiedy pani Clifton zaczęła chodzić na kurs wieczorowy.

– Kurs wieczorowy?

– Tak – potwierdził Mitchell. – Uczy się czytać i pisać. Zdaje się, że jest z tej samej gliny, co jej syn.

– Co pan przez to rozumie?

– Kiedy pod koniec kursu odbyły się egzaminy, zajęła pierwsze miejsce.

– Czyżby? – rzucił Hugo. – Chyba powinienem odwiedzić tego Holcombe'a i opowiedzieć mu, czym się trudniła jego narzeczona w czasie, kiedy stracił z nią kontakt.

– Może powinienem wspomnieć, że Holcombe był w drużynie bokserskiej Uniwersytetu Bristolskiego, o czym Stan Tancock przekonał się na własnej skórze.

– Poradzę sobie – powiedział Hugo. – A tymczasem chcę, żeby pan miał na oku inną kobietę, która może się okazać tak samo groźna dla mojej przyszłości jak Maisie Clifton.

Mitchell wyciągnął mikroskopijny notatnik i ołówek z kieszeni marynarki.

– Nazywa się Olga Piotrovska, mieszka w Londynie przy Lowndes Square numer czterdzieści dwa. Chcę wiedzieć o każdym, kto się z nią kontaktuje, a zwłaszcza czy jest przesłuchiwana przez osoby z pana dawnej profesji. Proszę mi nie szczędzić szczegółów, jakkolwiek nieprzyjemne czy trywialne by się panu wydawały.

Kiedy Hugo skończył mówić, notesik i ołówek zniknęły. Potem Hugo podał Mitchellowi kopertę, co oznaczało koniec spotkania. Mitchell wsunął kopertę z zapłatą do kieszeni marynarki, wstał i oddalił się, kulejąc.

Ku swojemu zaskoczeniu Hugo prędko się znudził funkcją prezesa Linii Żeglugowej Barringtona. Niekończące się spotkania, na których musiał być obecny, pliki papierów, które należało przeczytać, protokoły do rozesłania i okólniki do rozpatrzenia oraz stosy korespondencji, na którą trzeba było odpowiadać odwrotną pocztą. A na dobitkę co wieczór, przed wyjściem z biura, panna Potts wręczała mu teczkę wypchaną kolejnymi papierami, jakie należało przejrzeć, nim nazajutrz o ósmej rano znowu zasiądzie za biurkiem.

Hugo zaprosił trzech kolegów do rady nadzorczej, w tym Archiego Fenicka i Toby'ego Dunstable'a, licząc, że ulżą mu w obowiązkach. Z rzadka pojawiali się na posiedzeniach, ale mimo to spodziewali się wynagrodzenia.

Z biegiem tygodni Hugo zaczął coraz później przychodzić do biura i kiedy Bill Lockwood przypomniał prezesowi, że tylko kilka dni dzieli go od sześćdziesiątych urodzin, kiedy przejdzie na emeryturę, Hugo się poddał i oznajmił mu, iż może pełnić funkcję dyrektora naczelnego jeszcze przez dwa lata.

– To uprzejme z pańskiej strony, że pan o mnie pomyślał, panie prezesie – powiedział Lockwood – ale uważam, że skoro pracowałem w tej firmie prawie czterdzieści lat, wypada, żebym ustąpił miejsca komuś młodszemu.

Hugo odwołał przyjęcie pożegnalne Lockwooda.

Tym kimś młodszym był Ray Compton, zastępca Lockwooda, który pracował w firmie dopiero kilka miesięcy i na pewno jeszcze się nie oswoił z nowymi obowiązkami. Kiedy przedstawił radzie nadzorczej roczny bilans Linii Żeglugowej Barringtona, Hugo pierwszy raz przyjął do wiadomości, że firma ledwo wychodzi na czysto, i zgodził się z Comptonem, że pora zacząć zwalniać część dokerów, zanim się okaże, że firma nie będzie w stanie im płacić.

Podczas gdy sytuacja firmy Barringtona się pogarszała, przyszłość kraju rysowała się bardziej optymistycznie.

Wraz z odwrotem armii niemieckiej spod Stalingradu Brytyjczycy pierwszy raz uwierzyli, że alianci mogą zwyciężyć. Budziła się wiara w przyszłość, w całym kraju otwierały się ponownie teatry, kluby i restauracje.

Hugo tęsknił do życia w metropolii i do ludzi ze swojego kręgu towarzyskiego, jednakże z raportów Mitchella jasno wynikało, że Londyn jest miastem, od którego powinien trzymać się z daleka.

Rok 1943 nie zaczął się dobrze dla Linii Żeglugowej Barringtona.

Unieważniono kilka kontraktów, gdyż klientów zirytowało, że prezes nie zadał sobie trudu, żeby odpowiedzieć na ich listy, niektórzy wierzyciele zaczęli się domagać zwrotu należności, a kilku nawet zagroziło pozwami. A potem jednego ranka pojawił się promyk nadziei, który, jak wierzył Hugo, miał rozwiązać wszystkie najpilniejsze kłopoty z płynnością finansową.

To telefon od Prendergasta wzbudził nadzieje Hugona.

Do dyrektora banku zgłosiła się firma handlu nieruchomościami United Dominion, zainteresowana kupnem gruntów na Broad Street.

– Uważam, sir Hugo, że roztropniej będzie nie wymieniać kwoty przez telefon – lekko pompatycznym tonem wyrecytował Prendergast.

Czterdzieści minut później Hugo siedział w biurze Prendergasta i nawet on nie mógł opanować okrzyku zdumienia, gdy usłyszał, ile United Dominion chce zaoferować.

– Dwadzieścia cztery tysiące funtów? – powtórzył za Prendergastem.

– Tak – odparł bankier. – I jestem pewien, że to ich oferta wyjściowa i że będę mógł podnieść cenę do blisko trzydziestu tysięcy. Jeśli pamiętać, że pana nakłady wyniosły mniej niż trzy tysiące funtów, to możemy to uznać za trafną inwestycję. Ale jest łyżka dziegciu w tej beczce miodu.

– Co takiego? – spytał z niepokojem Hugo.

– Chodzi o panią Clifton – powiedział Prendergast. – Ta oferta jest uzależniona od tego, czy uzyska pan tytuł własności całego terenu, z jej parcelą włącznie.

– Zaproponuj jej pan osiemset funtów – rzucił gniewnie Hugo.

Prendergast zakasłał, chociaż nie przypomniał swojemu klientowi, że gdyby posłuchał jego rady, mogliby zawrzeć transakcję z panią Clifton kilka miesięcy temu za czterysta funtów, a gdyby przypadkiem się dowiedziała o ofercie United Dominion...

– Dam panu znać, jak tylko do mnie się odezwie – jedynie tyle powiedział.

– Dobrze – rzekł Hugo. – A skoro tu jestem, chciałbym wycofać trochę gotówki z mojego osobistego rachunku.

– Przykro mi, sir Hugo, ale na tym rachunku jest obecnie debet...

Hugo siedział na przednim fotelu lśniącej, szafirowej lagondy, kiedy Holcombe wyłonił się z drzwi szkoły i skierował w stronę boiska. Przystanął, żeby porozmawiać z robotnikiem, który malował bramę w barwach szkoły, lila i zieleni.

– Dobra robota, Alf.

– Dziękuję, panie Holcombe – Hugo usłyszał słowa robotnika.

– Ale chciałbym, żebyś się bardziej skupił na czasownikach i postaraj się nie spóźnić w środę.

Alf uniósł rękę do czapki.

Holcombe ruszył chodnikiem i udał, że nie widzi Hugona siedzącego za kierownicą samochodu. Hugo pozwolił sobie na uśmieszek: wszyscy oglądali się za jego lagondą V12. Trzej chłopcy, którzy pętali się na chodniku naprzeciwko, od pół godziny nie odrywali od niej oczu.

Hugo wysiadł z samochodu i stanął na środku trotuaru, ale Holcombe nadal go ignorował. Był już o krok od Hugona, gdy ten go zagadnął:

– Proszę pana, czy możemy zamienić słowo? Nazywam się...

– Dobrze wiem, kim pan jest – powiedział Holcombe i przeszedł obok, jakby nigdy nic.

Hugo pobiegł za nim.

– Po prostu uznałem, że powinien pan wiedzieć...

– Co mianowicie? – rzucił Holcombe, stanął i ku niemu się obrócił.

– Czym nie tak dawno temu trudniła się pana narzeczona.

– Została zmuszona do prostytucji, bo pan nie chciał płacić czesnego za naukę jej syna – Holcombe spojrzał Hugonowi prosto w oczy – pańskiego syna, kiedy miał jeszcze dwa lata do skończenia Liceum Bristolskiego.

– Nie ma żadnego dowodu, że Harry Clifton jest moim synem – rzucił wyzywająco Hugo.

– Kapelan, który odmówił udzielenia ślubu Harry'emu i pańskiej córce, był innego zdania.

– Skąd pan wie? Przecież pana tam nie było.

– Skąd pan wie? Przecież pan uciekł.

– Wobec tego powiem panu coś, o czym pan na pewno nie wie – Hugo prawie krzyczał. – Ten ideał, z którym zamierza pan spędzić życie, wyłudził ode mnie kawałek ziemi na Broad Street, którego byłem właścicielem.

– To ja panu powiem coś, o czym pan dobrze wie – odparował Holcombe. – Maisie spłaciła co do pensa pańską pożyczkę, z procentami, a pan w podzięce zostawił ją z dziesięcioma funtami przy duszy.

– Ta ziemia jest teraz warta czterysta funtów – powiedział Hugo, natychmiast żałując swoich słów – i ona należy do mnie.

– Gdyby należała do pana – rzekł Holcombe – nie próbowałby pan kupić parceli za dwukrotnie wyższą sumę.

Hugo był na siebie wściekły, że zdradził, jak bardzo zależy mu na parceli, ale jeszcze nie skończył.

– A jak pan śpisz z Maisie Clifton, to jej za to płacisz? Bo ja na pewno nie płaciłem.

Holcombe podniósł pięść.

– No dalej, uderz – wyzywał go Hugo. – Ja nie jestem Stan Tancock, zaskarżę cię do sądu i puszczę z torbami.

Holcombe opuścił pięść i odszedł, zły na siebie, że dał się sprowokować Barringtonowi.

Hugo uśmiechnął się pod nosem. Czuł, że znokautował Holcombe'a.

Odwrócił się i zobaczył, że chłopaki po drugiej ulicy się zaśmiewają. Ale oni nigdy dotąd nie widzieli liliowo-zielonej lagondy.

35

Kiedy pierwszy raz odmówiono realizacji czeku, Hugo po prostu to zignorował, odczekał kilka dni, a potem przedstawił go drugi raz. Kiedy znów odmówiono jego realizacji i odesłano ze stemplem „zwrot do wystawcy", musiał pogodzić się z tym, co nieuniknione.

Podczas kilku następnych tygodni Hugo znalazł parę różnych sposobów radzenia sobie z najpilniejszymi problemami finansowymi.

Najpierw przeszukał biurowy sejf i wyszperał sto funtów, które ojciec zawsze tam trzymał na wszelki wypadek. To był dramatyczny moment, a starszy pan z pewnością nigdy nie musiał sięgać po zaskórniaka, żeby wypłacić pensję sekretarce. Kiedy te pieniądze się rozeszły, Hugo musiał niechętnie rozstać się z lagondą. Jednakże handlarz samochodami grzecznie zwrócił mu uwagę, że lila i zieleń to nie są kolory roku i że jeżeli Hugo potrzebuje gotówki, to on może mu zaproponować tylko połowę pierwotnej ceny, bo farbę z karoserii trzeba zdrapać i położyć nowy lakier.

Hugonowi starczyło pieniędzy na miesiąc.

Ponieważ nie miał nic wartościowego do zbycia, zaczął okradać matkę. Najpierw jakieś drobniaki, które leżały tu i ówdzie w domu, potem monety z portmonetki i banknoty z torebki.

Nie minęło dużo czasu, a upolował srebrnego bażanta, który od lat ozdabiał stół w jadalni, a potem inne ptaszki do kompletu; wkrótce wszystkie odfrunęły do pobliskiego lombardu.

Potem Hugo zajął się biżuterią matki. Zaczął od drobiazgów, których mogła nie zauważyć. Po szpilce do kapelusza i wiktoriańskiej broszce prędko przyszła kolej na rzadko noszony bursztynowy naszyjnik i brylantowy diadem należący do rodziny od ponad stu lat i używany tylko podczas ślubów i innych uroczystych okazji. Hugo nie spodziewał się jednych ani drugich w najbliższej przyszłości.

W końcu zainteresował się kolekcją sztuki ojca, wpierw zdejmując ze ściany portret swego dziadka pędzla młodego Johna Singera Sargenta, ale dopiero wtedy, kiedy gospodyni i kucharka, które nie dostawały wypłaty od trzech miesięcy, wręczyły wypowiedzenie. Jenkins taktownie odszedł z tego świata miesiąc później.

Wkrótce znikł z domu zakupiony przez dziadka obraz Constable'a *Młyn przy śluzie Dunning*, a później pamiątka po pradziadku – obraz Turnera *Łabędzie na rzece Avon*. Oba były w rodzinie ponad wiek.

Hugo przekonał siebie, że to nie jest kradzież. Wszak w testamencie ojca zapisano: „i wszystko, co do niego przynależy".

Ów nieregularny dopływ funduszy zapewnił, że firma przetrwała i wykazała tylko niewielkie straty za pierwszy kwartał roku, to jest, jeżeli nie liczyć rezygnacji trzech dalszych członków rady nadzorczej i kilku osób z kierownictwa, które nie dostały wypłaty pod koniec miesiąca. Kiedy go o to pytano, Hugo przypisywał chwilowe trudności wojnie. Jeden ze starszych, odchodzących członków rady powiedział na pożegnanie:

– Pański ojciec nigdy nie uznał za konieczne użyć takiej wymówki.

Wkrótce nawet ruchomości stopniały.

Hugo wiedział, że gdyby wystawił Barrington Hall z siedemdziesięcioma dwoma akrami parku na sprzedaż, tym samym obwieściłby światu, że firma, która dłużej niż wiek była dochodowa, jest niewypłacalna.

Matka Hugona wciąż ufała jego zapewnieniom, że trudności są tylko przejściowe i że z czasem wszystko jakoś się ułoży. Po pewnym czasie on sam zaczął w to wierzyć. Kiedy znowu przestano honorować jego czeki, pan Prendergast mu przypomniał, że nadal jest aktualna oferta trzech tysięcy pięciuset funtów za grunty na Broad Street, z czego miałby sześćset funtów zysku.

– A co z obiecanymi trzydziestoma tysiącami? – krzyknął Hugo do słuchawki.

– Ta oferta też jest aktualna, sir Hugo, ale pod warunkiem, że zakupi pan parcelę pani Clifton.

– Zaproponuj jej pan tysiąc funtów – rzucił Hugo.

– Jak pan sobie życzy, sir Hugo.

Hugo trzasnął słuchawką telefonu i zadał sobie pytanie, co też złego może się jeszcze wydarzyć. Telefon zadzwonił ponownie.

Hugo zaszył się w niszy w hotelu „Pod Semaforem", w którym nigdy nie był i nigdy więcej nie będzie. Spoglądał co chwilę nerwowo na zegarek, czekając na Mitchella.

Detektyw prywatny zjawił się o jedenastej trzydzieści cztery, kilka minut po tym, jak ekspres z Paddington wjechał na stację Temple Meads. Mitchell zajął krzesło naprzeciw swojego jedynego klienta, chociaż od miesięcy nie otrzymywał od niego wynagrodzenia.

– Co jest takie pilne, że nie mogło poczekać? – spytał Hugo, kiedy przed detektywem postawiono małe piwo.

– Przykro mi to mówić – powiedział Mitchell, pociągnąwszy łyk – ale policja aresztowała pańskiego przyjaciela Toby'ego Dunstable'a.

Hugo poczuł dreszcz na plecach.

– Oskarżyli go o kradzież brylantów Piotrovskiej i kilku jej obrazów, w tym jednego pędzla Picassa i jednego Moneta. Próbował to sprzedać w galerii Agnew, marszanda w Mayfair.

– Toby będzie milczeć – rzucił Hugo.

– Boję się, że nie, proszę pana. Mam wiarygodne informacje, że zgodził się wystąpić jako świadek koronny w zamian za lżejszy wyrok. Wydaje się, że Scotland Yard jest bardziej zainteresowany aresztowaniem człowieka, który stoi za tym przestępstwem.

Hugo nie tknął swojego piwa, przetrawiając słowa Mitchella. Po długim milczeniu prywatny detektyw znowu się odezwał:

– Myślę, że powinien pan też wiedzieć, że pani Piotrovska zatrudniła radcę królewskiego sir Francisa Mayhewa, żeby ją reprezentował.

– Czemu nie zostawi tej sprawy policji?

– Ona nie zwróciła się do sir Francisa o poradę w sprawie kradzieży z włamaniem, tylko w dwóch innych sprawach.

– Dwóch innych sprawach? – zdziwił się Hugo.

– Tak. Jak rozumiem, adwokat wystąpi przeciwko panu z pozwem o złamanie obietnicy małżeństwa, Piotrovska wnosi również sprawę o ustalenie ojcostwa, twierdząc, że jest pan ojcem jej córki.

– Nigdy nie zdoła tego udowodnić.

– Między dowodami, które mają być przedstawione w sądzie, jest pokwitowanie za pierścionek zaręczynowy zakupiony u jubilera w Burlington Arcade i zarówno jej stała gosposia, jak i pokojówka złożyły pisemne oświadczenie, że mieszkał pan w domu numer czterdzieści dwa przy Lowndes Square dłużej niż rok.

Pierwszy raz od dziesięciu lat Hugo poprosił Mitchella o radę.

– Jak pan myśli, co powinienem zrobić? – zapytał niemal szeptem.

– Gdybym był na pana miejscu, jak najszybciej wyjechałbym z kraju.

– Ile mam czasu, pana zdaniem?

– Tydzień, najwyżej dziesięć dni.

Stanął przy nich kelner.

– To będzie jeden szyling i dziewięć pensów, proszę pana – powiedział.

Hugo się nie poruszył, więc Mitchell podał kelnerowi monetę dwuszylingową i nie zażądał reszty.

Gdy prywatny detektyw odszedł, żeby wrócić do Londynu, Hugo siedział sam przez pewien czas, zastanawiając się, jaki ma wybór. Podszedł do niego kelner i zapytał, czy chce się jeszcze czegoś napić, ale Hugo nawet nie raczył odpowiedzieć. W końcu podźwignął się z krzesła i wyszedł z baru.

Skierował się do centrum miasta, zwalniając z każdym krokiem, aż wreszcie zdecydował, co ma teraz zrobić. Kilka minut później wkroczył do banku.

– Czy mogę panu pomóc? – spytał młody człowiek w recepcji. Ale zanim zdążył zadzwonić do dyrektora i uprzedzić go, że sir Hugo Barrington jest w drodze do jego biura, Hugo był już w połowie holu.

Prendergast nie był zaskoczony, że sir Hugo zawsze uważa, że on go natychmiast przyjmie, ale doznał szoku, gdy zobaczył, że prezes Linii Żeglugowej Barringtona nie ogolił się tego ranka.

– Mam pewien problem, który wymaga pilnego załatwienia – powiedział Hugo, siadając w fotelu naprzeciwko dyrektora banku.

– Tak, sir Hugo, jak mogę pomóc?

– Ile najwyżej mógłby pan wyciągnąć z moich gruntów na Broad Street?

– Przecież zaledwie w zeszłym tygodniu wysłałem panu list z informacją, że pani Clifton odrzuciła pańską ostatnią ofertę.

– Dobrze o tym wiem – rzucił Hugo. – Ile bym dostał bez jej parceli?

– Oferta opiewająca na trzy tysiące pięćset wciąż jest aktualna, ale mam podstawy przypuszczać, że gdyby zaproponował pan pani Clifton trochę wyższą cenę, toby się zgodziła sprzedać panu swoją parcelę i wtedy byśmy uzyskali trzydzieści tysięcy.

– Nie mam już czasu – powiedział Hugo bez wyjaśnienia.

– Skoro tak, to jestem pewien, że mógłbym nakłonić mojego klienta, żeby podniósł oferowaną cenę do czterech tysięcy, co przyniosłoby panu spory zysk.

– Gdybym miał przyjąć tę ofertę, chciałbym, żeby mnie pan zapewnił co do jednej rzeczy.

Pan Prendergast uniósł brwi.

– Że pański klient nie ma i nigdy nie miał nic wspólnego z panią Clifton.

– Mogę pana o tym zapewnić, sir Hugo.

– Gdyby pański klient miał mi zapłacić cztery tysiące, to ile by wtedy zostało na moim bieżącym rachunku?

Pan Prendergast otworzył teczkę sir Hugona i sprawdził bilans.

– Osiemset dwadzieścia dwa funty i dziesięć szylingów – odpowiedział.

Hugo już nie żartował z dziesięciu szylingów.

– Wobec tego proszę o natychmiastowe wypłacenie ośmiuset funtów. A później pana powiadomię, gdzie należy przesłać dochód ze sprzedaży.

– Ze sprzedaży? – powtórzył Prendergast.

– Tak – odparł Hugo. – Zdecydowałem się wystawić na sprzedaż Barrington Hall.

36

Nikt nie widział, jak wychodził z domu.

Niósł walizkę i był ubrany w ciepły garnitur z tweedu, solidne brązowe buty, gruby ciepły płaszcz i brązowy filcowy kapelusz. Na pierwszy rzut oka wyglądał jak komiwojażer.

Powędrował na najbliższy przystanek autobusowy, odległy o półtora kilometra – prawie cały ten teren należał do jego posiadłości. Czterdzieści minut później wsiadł do zielonego, jednopiętrowego autobusu – nigdy przedtem nie jechał takim środkiem lokomocji. Usiadł z tyłu i nie spuszczał oka z walizki. Podał konduktorce banknot dziesięcioszylingowy, chociaż poproszono go tylko o trzy pensy; pierwszy błąd, jeżeli nie chciał zwrócić na siebie uwagi.

Autobus jechał do Bristolu: ten dystans Hugo pokonywał w swojej lagondzie w ciągu dwunastu minut, ale dzisiaj podróż trwała ponad godzinę, zanim w końcu dotarli na dworzec autobusowy. Hugo nie wysiadł pierwszy ani ostatni. Spojrzał na zegarek: druga trzydzieści osiem po południu. Miał dość czasu.

Ruszył w górę do stacji Temple Meads – nigdy nie zauważył wzniesienia, ale też nigdy przedtem nie musiał nieść walizki – ustawił się w długiej kolejce i kupił bilet trzeciej klasy do Fishguard. Spytał o peron, z którego odjedzie pociąg, a gdy tam dotarł, stanął na samym końcu pod niezapaloną gazową latarnią.

Kiedy w końcu nadjechał pociąg, wsiadł i znalazł miejsce w środku przedziału trzeciej klasy, który szybko się zapełnił. Umieścił walizkę na półce naprzeciwko i rzadko spuszczał z niej wzrok. Jakaś kobieta otworzyła drzwi i zajrzała do przedziału pełnego pasażerów, ale nie ustąpił jej miejsca.

Gdy pociąg ruszył, odetchnął z ulgą, szczęśliwy, że Bristol zostaje z tyłu. Oparł się wygodnie i zagłębił się w myślach o decyzji, jaką podjął. Jutro o tej porze będzie w Cork. Nie będzie się czuł bezpieczny, dopóki jego stopa nie stanie na irlandzkiej ziemi. Ale powinni przybyć do Swansea o czasie, jeżeli ma zdążyć na pociąg do Fishguard.

Pociąg zajechał do Swansea pół godziny wcześniej; czas na filiżankę herbaty i drożdżówkę z rodzynkami w stacyjnym bufecie. Nie był to earl grey ani herbata od Carwardine'a, ale on był zbyt zmęczony, żeby się tym przejmować. Kiedy się skończył posilać, opuścił bufet, zaszył się na kolejnym ledwo oświetlonym peronie i czekał na pociąg do Fishguard.

Pociąg był opóźniony, ale on był pewien, że prom nie odpłynie z portu, dopóki wszyscy pasażerowie nie znajdą się na pokładzie. Po nocy w Cork zarezerwuje bilet na statek, obojętnie jaki statek, który będzie płynął do Ameryki. Tam rozpocznie nowe życie, korzystając z pieniędzy po sprzedaży Barrington Hall.

Myśl o tym, że jego gniazdo rodzinne pójdzie pod młotek, po raz pierwszy nasunęła mu skojarzenie z matką. Gdzie ona się podzieje, kiedy dom zostanie sprzedany? Zawsze może się przenieść do Elizabeth do Manor House. W końcu jest tam aż nadto miejsca. A jeżeli nie, to sprowadzi się do Harveyów, którzy mają trzy domy, nie wspominając o licznych chatach wiejskich w ich posiadłościach.

Potem jego myśli zwróciły się ku Linii Żeglugowej Barringtona – firmie, którą budowały dwa pokolenia rodziny, a trzecie potrafiło ją błyskawicznie doprowadzić do upadku.

Przez moment pomyślał o Oldze Piotrovskiej, szczęśliwy, że nigdy więcej jej nie zobaczy. Przemknął mu przez myśl również Toby Dunstable, sprawca wszystkich jego kłopotów.

Emma i Grace nie zagościły dłużej w jego myślach, ale córki nigdy nie były dla niego ważne. A potem pomyślał o Gilesie, który go unikał po ucieczce z obozu jenieckiego w Weinsbergu i powrocie do Bristolu. Ludzie ciągle pytali Hugona o syna, bohatera wojennego, i Hugo za każdym razem musiał wymyślać coś nowego. To nie będzie dłużej konieczne, bo gdy znajdzie się w Ameryce, więzy w końcu się rozluźnią, chociaż z czasem –

Hugo zrobi wszystko, żeby to był długi czas – Giles odziedziczy tytuł, nawet jeżeli „wszystko, co do niego przynależy" nie jest warte nawet tyle, ile papier, na którym to zostało napisane.

Jednakże głównie Hugo myślał o sobie; pozwalał sobie na tę słabostkę aż do przyjazdu pociągu do Fishguard. Odczekał, aż wszyscy opuszczą przedział, i dopiero wtedy zdjął z półki walizkę i wysiadł z pociągu.

Kierował się wskazówkami płynącymi z megafonu: „Autobusy do portu, autobusy do portu!". Było ich cztery. Wybrał trzeci. Podróż była tym razem krótka i mimo zaciemnienia trafił do terminalu promowego: i znów kolejka po bilety trzeciej klasy, teraz na prom do Cork.

Z biletem w jedną stronę wszedł schodnią na pokład i znalazł kącik, którym by pogardził każdy szanujący się kot. Nie czuł się bezpieczny, dopóki nie usłyszał dwóch sygnałów syreny mgłowej i nie poczuł łagodnego kołysania statku odbijającego od nabrzeża.

Gdy prom wypłynął z portu, pierwszy raz się odprężył, a był tak wyczerpany, że oparł głowę na walizce i zapadł w głęboki sen.

Hugo nie wiedział, jak długo spał, kiedy poczuł klepnięcie w ramię. Spojrzał w górę i zobaczył nad sobą dwóch mężczyzn.

– Sir Hugo Barrington? – spytał jeden z nich.

Nie było sensu zaprzeczać. Schwycili go pod ręce i poderwali do góry, po czym oznajmili, że jest aresztowany. Nie spiesząc się, odczytali mu długą listę zarzutów.

– Ale ja jestem w drodze do Cork – zaprotestował. – Przecież chyba już wypłynęliśmy poza dwunastomilowy pas wód terytorialnych.

– Nie, proszę pana – powiedział drugi policjant. – Jest pan w drodze powrotnej do Fishguard.

Kilku pasażerów wychyliło się przez reling, żeby przyjrzeć się zakutemu w kajdanki, sprowadzanemu schodnią mężczyźnie, który był powodem ich opóźnienia.

Hugo został wepchnięty na tylne siedzenie czarnego wolseleya, który po chwili uwiózł go w długą podróż z powrotem do Bristolu.

Otworzyły się drzwi celi i mężczyzna w mundurze wniósł na tacy śniadanie – nie do takiego śniadania ani do takiej tacy, a już z pewnością nie do widoku tak umundurowanego mężczyzny przywykł rano sir Hugo Barrington. Rzucił jedno spojrzenie na ociekającą oliwą grzankę z pomidorami i odsunął tacę na bok. Zastanowił się, ile czasu potrwa, zanim to będzie jego podstawowe pożywienie. Posterunkowy wrócił kilka minut później, zabrał tacę i zatrzasnął drzwi.

Kiedy znów się otworzyły, do celi weszło dwóch policjantów i zaprowadzili więźnia kamiennymi schodami do sali prokuratorskiej na pierwszym piętrze. Czekał tam na niego radca prawny firmy Barringtona, Ben Winshaw.

– Tak mi przykro, panie prezesie – powiedział.

Hugo potrząsnął głową z miną pełną rezygnacji i spytał:

– Co teraz mnie czeka?

– Nadinspektor policji oznajmił mi, że za kilka minut postawią panu zarzut. Następnie zawiozą pana do sądu, gdzie stanie pan przed sędzią pokoju. Powinien pan tylko powiedzieć, że nie przyznaje się pan do winy. Nadinspektor wyraźnie stwierdził, że oni sprzeciwią się wnioskowi o zwolnienie za kaucją i zwrócą uwagę sędziemu, że został pan aresztowany podczas próby opuszczenia kraju z walizką zawierającą osiemset funtów. Obawiam się, że prasa będzie miała używanie.

Hugo i jego adwokat siedzieli sami w pokoju i czekali na nadinspektora. Prawnik uprzedził Hugona, że powinien być przygotowany na spędzenie kilku tygodni w więzieniu, zanim rozpocznie się proces. Podsunął nazwiska czterech radców królewskich, których można by zaangażować do obrony. Właśnie zdecydowali się na sir Gilberta Graya, kiedy otworzyły się drzwi i do środka wszedł sierżant policji.

– Jest pan wolny – oznajmił, jakby Hugo popełnił jakieś drobne wykroczenie drogowe.

Minęło trochę czasu, zanim Winshaw ochłonął na tyle, żeby spytać:

– Czy mój klient ma wrócić dzisiaj o późniejszej porze?
– Nic mi o tym nie wiadomo, proszę pana.
Hugo opuścił posterunek policji jako wolny człowiek.

To wydarzenie zasłużyło tylko na małą notatkę na dziewiątej stronie „Bristol Evening News": „Czcigodny Toby Dunstable, drugi syn jedenastego hrabiego Dunstable, przebywający w areszcie w komendzie policji w Wimbledonie, zmarł na atak serca".

Dopiero Derek Mitchell podał później szczegóły tej sprawy. Opowiedział, że hrabia odwiedził syna w celi dwie godziny wcześniej, nim Toby odebrał sobie życie. Pełniący służbę policjant usłyszał, że między ojcem i synem doszło do ostrej wymiany zdań, podczas której hrabia wielokrotnie mówił o honorze, reputacji rodziny i o tym, jak należy postąpić w takich okolicznościach. Podczas dochodzenia przed sądem koronnym w Wimbledonie, które odbyło się dwa tygodnie później, sędzia spytał wspomnianego policjanta, czy podczas wizyty hrabiego widział jakieś tabletki podawane przez jednego mężczyznę drugiemu.

– Nie, panie sędzio, nie widziałem – padła odpowiedź.

Śmierć z przyczyn naturalnych – brzmiało wydane po południu orzeczenie zespołu sędziowskiego w sądzie koronnym.

37

– Panie prezesie, pan Prendergast telefonował kilka razy dziś rano – informowała panna Potts, idąc za sir Hugonem do jego gabinetu – a ostatnim razem mówił, że to pilne.

Jeżeli była zaskoczona, widząc prezesa nieogolonego i w tweedowym ubraniu, które wyglądało, jakby w nim spał, to nic nie powiedziała.

Gdy Hugo usłyszał, że Prendergast chce z nim pilnie rozmawiać, to najpierw przyszło mu do głowy, że transakcja dotycząca Broad Street nie doszła do skutku i bank zażąda niezwłocznego zwrotu ośmiuset funtów. Niech się lepiej Prendergast zastanowi.

– I Tancock mówi – panna Potts sprawdziła w notatniku – że ma wiadomości, jakie będzie pan chciał usłyszeć.

Prezes nie zareagował.

– Ale najważniejsze – ciągnęła panna Potts – to list, który położyłam panu na biurku. Mam wrażenie, że zechce pan go natychmiast przeczytać.

Hugo zabrał się do czytania listu, zanim jeszcze usiadł. Potem przeczytał go drugi raz, ale wciąż nie wierzył. Podniósł wzrok na sekretarkę.

– Gratuluję panu.

– Proszę mnie połączyć z Prendergastem – warknął Hugo – a potem chcę się widzieć z dyrektorem naczelnym i z Tancockiem. W tej kolejności.

– Tak, panie prezesie – powiedziała panna Potts i wybiegła z pokoju.

Podczas gdy Hugo czekał na połączenie z Prendergastem, trzeci raz zaczął czytać list ministra żeglugi.

Szanowny Panie,

miło mi Pana poinformować, że Linii Żeglugowej Barringtona przyznano kontrakt na...

Na biurku Hugona zadzwonił telefon.

– Łączę z panem Prendergastem – oznajmiła panna Potts.

– Dzień dobry, sir Hugo. – W głosie zabrzmiał dawny szacunek. – Myślę, że zechce się pan dowiedzieć, że pani Clifton ostatecznie się zgodziła sprzedać swoją parcelę na Broad Street za tysiąc funtów.

– Ale ja już podpisałem kontrakt na sprzedaż reszty moich gruntów na tej ulicy firmie United Dominion za cztery tysiące.

– I ten kontrakt nadal jest na moim biurku – rzekł Prendergast. – Pechowo dla nich i szczęśliwie dla pana, najwcześniej mogli się ze mną spotkać dziś o dziesiątej rano.

– Zawarł pan kontrakt?

– Tak, sir Hugo. Tak zrobiłem.

Hugonowi ścisnęło się serce.

– Ten za czterdzieści tysięcy funtów.

– Nie rozumiem.

– Kiedy mogłem zapewnić tych z United Dominion, że jest pan właścicielem parceli pani Clifton, jak również, że posiada pan akty własności wszystkich innych gruntów na tej ulicy, oni wypisali czek na pełną kwotę.

– Dobra robota, Prendergast. Wiedziałem, że mogę na panu polegać.

– Dziękuję panu. Wszystko, co pan powinien teraz zrobić, to złożyć swój podpis na umowie z panią Clifton, wtedy będę mógł uregulować czek United Dominion na pańską korzyść...

Hugo spojrzał na zegarek.

– Ponieważ jest już po czwartej, to wpadnę do banku jutro z samego rana.

Prendergast kaszlnął.

– Z samego rana, sir Hugo, to dziewiąta rano. I czy wolno

mi zapytać, czy ma pan jeszcze te osiemset funtów, które wypłaciłem panu wczoraj gotówką?

– Tak, mam. Ale jakie to ma znaczenie?

– Myślę, sir Hugo, że byłoby rozważnie zapłacić pani Clifton należne jej tysiąc funtów, zanim zrealizujemy czek United Dominion na czterdzieści tysięcy. Lepiej uniknąć później kłopotliwych pytań z centrali.

– Słusznie – potaknął Hugo, spojrzał na swoją walizkę i poczuł ulgę, że nie wydał ani pensa z ośmiuset funtów.

– Nie mam nic więcej do dodania – rzekł Prendergast – poza gratulacjami z okazji zawarcia niezwykle korzystnego kontraktu.

– Skąd pan wie o tym kontrakcie?

– Przepraszam, sir Hugo? – powiedział Prendergast, trochę zdziwiony.

– Och, myślałem, że pan mówi o czymś innym – odparł Hugo. – To bez znaczenia. Niech pan zapomni, że o tym wspomniałem – dodał i odłożył słuchawkę.

Panna Potts weszła do pokoju.

– Dyrektor naczelny czeka, żeby się z panem zobaczyć – oznajmiła.

– Niech go pani poprosi.

– Słyszałeś dobrą nowinę, Ray – zagadnął Hugo, kiedy Compton przekroczył próg gabinetu.

– Tak, panie prezesie. I nie mogła nadejść w lepszym momencie.

– Chyba nie rozumiem – powiedział Hugo.

– Na posiedzeniu rady nadzorczej w przyszłym miesiącu ma pan przedstawić roczny bilans firmy i chociaż musimy wykazać duże straty poniesione w tym roku, to nowy kontrakt gwarantuje, że w przyszłym roku będziemy mieli zysk.

– I potem co roku przez pięć lat – przypomniał mu Hugo, triumfalnie wymachując listem ministra. – Zabierz się do przygotowania porządku obrad posiedzenia rady, ale nie włączaj informacji o kontrakcie rządowym. Wolałbym sam o tym oznajmić.

– Jak pan sobie życzy, panie prezesie. Postaram się, żeby wszystkie ważne dokumenty były na pana biurku jutro przed dwunastą – dodał Compton i wyszedł z pokoju.

Hugo przeczytał list ministra po raz czwarty.

– Trzydzieści tysięcy rocznie – powiedział na głos. W tym momencie zadzwonił telefon.

– Dzwoni pan Foster z agencji nieruchomości Savills – zapowiedziała panna Potts.

– Proszę połączyć.

– Dzień dobry, sir Hugo. Nazywam się Foster, jestem starszym wspólnikiem agencji Savills. Myślę, że powinniśmy się spotkać i przedyskutować sprawę sprzedaży Barrington Hall. Może wpadłby pan na lunch do mojego klubu?

– Nie kłopocz się pan, panie Foster. Rozmyśliłem się. Barrington Hall nie jest już na sprzedaż – powiedział Hugo i odłożył słuchawkę.

Przez resztę popołudnia Hugo podpisywał stertę listów i czeków, które sekretarka położyła mu na biurku, i dopiero kilka minut po szóstej nałożył nasadkę na pióro.

Kiedy panna Potts wróciła, żeby zabrać całą korespondencję, Hugo oznajmił:

– Teraz chcę widzieć Tancocka.

– Tak, proszę pana – powiedziała panna Potts z lekką przyganą w głosie.

Czekając na Tancocka, Hugo ukląkł i otworzył walizkę. Objął wzrokiem osiemset funtów, które miały mu pozwolić przeżyć w Ameryce podczas oczekiwania na fundusze ze sprzedaży rezydencji Barrington Hall. Teraz te osiemset funtów zapewnią mu fortunę za grunty na Broad Street.

Gdy usłyszał pukanie do drzwi, zatrzasnął wieko walizki i prędko usiadł za biurkiem.

– Tancock do pana – powiedziała panna Potts i zamknęła za sobą drzwi.

Doker wmaszerował śmiało do pokoju i zbliżył się do biurka prezesa.

– Co to za wiadomość, która nie może czekać? – spytał Hugo.

– Przyszedłem po te drugie pięć funciaków, co mi jest pan winien – oznajmił Tancock z triumfalnym spojrzeniem.

– Nic ci nie jestem winien – odparł Hugo.

– Ale ja namówiłem siostrę, żeby sprzedała panu tę ziemię, co pan chciał. Może nie?

– Zgodziliśmy się na dwieście funtów, a w końcu musiałem zapłacić pięć razy tyle, a więc nic ci nie jestem winien. Wynoś się z mojego biura i wracaj do roboty.

Stan ani drgnął.

– I przyniosłem ten list, co go pan chciał zobaczyć.

– Jaki list?

– Ten list, co Maisie dostała od doktora z amerykańskiego statku.

Hugo całkiem zapomniał o liście kondolencyjnym od marynarza, który służył na tym samym statku co Harry Clifton, i nie wyobrażał sobie, żeby to było ważne teraz, kiedy Maisie zgodziła się na sprzedaż.

– Dam ci za niego funta.

– Pan mówił, że da piątaka.

– Lepiej zmyj się z mojego biura, Tancock, póki jeszcze masz pracę.

– No, dobra – rzucił Stan, dając za wygraną. – Bierz go pan za funta. Po co mi on?

Stan wydobył pogniecioną kopertę z tylnej kieszeni spodni i podał prezesowi. Hugo wyjął z portfela banknot dziesięcioszylingowy i położył na biurku.

Stan nie ruszał się z miejsca, a tymczasem Hugo schował portfel do kieszeni i spojrzał wyzywająco na dokera.

– Bierz list albo banknot. Wybieraj.

Stan porwał banknot i wyszedł z pokoju, mrucząc pod nosem.

Hugo odłożył kopertę na bok, rozparł się w krześle i oddał się rozmyślaniom, jak wyda część pieniędzy, które zarobił na transakcji w sprawie Broad Street. Kiedy już odwiedzi bank i podpisze wszystkie niezbędne dokumenty, przejdzie na drugą stronę ulicy do salonu sprzedaży samochodów. Miał chrapkę na dwulitrowego, czteroosobowego aston martina z 1937 roku. Pojedzie nim na drugi koniec miasta i wpadnie do swojego krawca – odkąd pamięć sięga, nie miał nowego garnituru – a po wzięciu miary odwiedzi klub, gdzie ureguluje zaległy rachunek w barze. Po południu zajmie się uzupełnieniem piwnicy z winem w Barrington Hall i może nawet odwiedzi właściciela lombardu, żeby wykupić część biżuterii, której matce tak bardzo jest brak. Wieczorem... Tok myśli przerwało mu stuknięcie w drzwi.

– Właśnie wychodzę – oznajmiła panna Potts. – Chcę zdążyć przed siódmą na pocztę, żeby odebrać najnowszą korespondencję. Czy pan jeszcze czegoś potrzebuje?

– Nie, panno Potts. Ale jutro mogę się trochę spóźnić, bo o dziewiątej mam spotkanie z panem Prendergastem.

– Oczywiście, panie prezesie – powiedziała panna Potts.

Gdy zamknęły się za nią drzwi, wzrok Hugona zatrzymał się na wygniecionej kopercie. Schwycił srebrny nóż do papieru, przeciął kopertę i wyjął pojedynczy arkusik. Niecierpliwie przebiegł wzrokiem list, wyławiając istotne zdania.

Nowy Jork
8 września 1939

Najdroższa mamo.

...nie umarłem, kiedy Devonian *został zatopiony... Amerykański statek wyratował mnie z morza... łudząc się nadzieją, iż w jakimś momencie w przyszłości będę w stanie dowieść, że to Arthur Clifton, a nie Hugo Barrington był moim ojcem... muszę Cię prosić, żebyś dochowała mojego sekretu tak wytrwale, jak strzegłaś swojego przez tyle lat.*

Twój kochający syn Harry

Ta wiadomość zmroziła Hugonowi krew w żyłach. Wszystkie sukcesy tego dnia w sekundę przestały się liczyć. To był list, którego nie chciał czytać drugi raz i, co ważniejsze, nie chciał, żeby inni go poznali.

Otworzył górną szufladę biurka i wyjął pudełko zapałek Swan Vestas. Uniósł list nad koszem do śmieci, podpalił go i trzymał, dopóki nie spopielił się do cna. To w jego życiu najlepiej wydane dziesięć szylingów.

Hugo był pewien, że jest jedyną osobą, która wie, że Clifton żyje, i chciał, żeby tak było dalej. W końcu jeśli Clifton dotrzyma słowa i będzie nadal występował pod nazwiskiem Toma Bradshawa, to jak ktoś może poznać prawdę?

Nagle zrobiło mu się niedobrze, gdy sobie przypomniał, że Emma wciąż jest w Ameryce. Czy w jakiś sposób odkryła, że Clifton żyje? Przecież to niemożliwe, jeśli nie czytała tego listu. Trzeba się dowiedzieć, dlaczego wybrała się do Ameryki.

Sięgnął po telefon i zaczął wykręcać numer Mitchella, kiedy mu się wydało, że słyszy kroki na korytarzu. Odłożył słuchawkę, przypuszczając, że to musi być nocny strażnik, który sprawdza, dlaczego jeszcze pali się światło.

Otworzyły się drzwi i stanęła w nich kobieta, której miał nadzieję nigdy nie zobaczyć.

– Jak udało ci się przejść obok wartownika, który stoi w bramie?

– Powiedziałam mu, że mamy spotkanie z prezesem, bardzo spóźnione spotkanie.

– My? – zdziwił się Hugo.

– Tak. Przyniosłam ci mały podarunek. Chociaż nie można dać komuś czegoś, co już jest jego. – Postawiła koszyk z wikliny na biurku Hugona i zdjęła cienki muślin, odsłaniając śpiące niemowlę. – Uznałam, że pora, żebyś poznał swoją córkę – powiedziała Olga, usuwając się na bok, żeby Hugo mógł podziwiać dziecko.

– Dlaczego myślisz, że mógłbym w ogóle interesować się twoim bękartem?

– Bo to również twój bękart – spokojnie odpowiedziała Olga – więc się spodziewam, że umożliwisz jej taki sam start w życiu jak Emmie i Grace.

– Dlaczego miałbym zdobyć się na taki idiotyczny gest?

– Ponieważ, Hugo, zrujnowałeś mnie i teraz ty powinieneś podjąć swoje obowiązki. Nie myśl, że zawsze ci się uda wywinąć.

– Jedyne, od czego zdołałem się wywinąć, to ty – rzucił Hugo z uśmieszkiem. – A teraz spieprzaj stąd i zabierz to dziecko, bo nie kiwnę palcem, żeby mu pomóc.

– To może będę się musiała zwrócić do kogoś, kto zechce kiwnąć palcem, żeby mu pomóc?

– To znaczy? – warknął Hugo.

– Najpierw do twojej matki, chociaż to chyba jedyna osoba na świecie, która wciąż wierzy w każde twoje słowo.

Hugo poderwał się z krzesła, ale Olga ani drgnęła.

– A gdybym jej nie przekonała – mówiła dalej – udałabym się do Manor House na popołudniową herbatkę z twoją byłą żoną i mogłybyśmy pomówić o tym, że ona się z tobą rozwiodła na długo przedtem, nim się spotkaliśmy.

Hugo wyszedł zza biurka, ale to nie powstrzymało potoku wymowy Olgi.

– A gdybym nie zastała Elizabeth, to zawsze mogłabym złożyć wizytę w Zamku Mulgelrie i przedstawić lordowi i lady Harveyom jeszcze jednego twojego potomka.

– Dlaczego mieliby ci uwierzyć?

– A dlaczego nie?

Hugo podszedł bliżej i zatrzymał się dopiero wtedy, gdy dzieliło ich zaledwie kilkanaście centymetrów. Ale Olga jeszcze nie skończyła.

– I na koniec czuję, że powinnam odwiedzić Maisie Clifton, kobietę, którą bardzo podziwiam, bo jeżeli wszystko, co o niej słyszałam...

Hugo schwycił Olgę za ramiona i potrząsnął nią. Był zdziwiony, że wcale nie próbuje się bronić.

– Teraz posłuchaj mnie, ty Żydówo! – krzyknął. – Jeśli komuś piśniesz słówko, że jestem ojcem tego dziecka, to tak cię urządzę, że będziesz żałowała, że Gestapo nie wywlokło cię razem z rodzicami.

– Nie boję się ciebie, Hugo – powiedziała z rezygnacją Olga. – Tylko jedno mnie interesuje, mianowicie to, żeby drugi raz nie uszło ci na sucho.

– Drugi raz? – powtórzył Hugo.

– Myślisz, że nie wiem o Harrym Cliftonie i o tym, że ma prawo do tytułu rodzinnego?

Hugo puścił ją i cofnął się o krok, wyraźnie wstrząśnięty.

– Clifton nie żyje. Pochowali go w morzu. Wszyscy o tym wiedzą.

– Choćbyś nie wiem, jak chciał, żeby wszyscy myśleli, że umarł, to ty wiesz, że on żyje.

– Ale skąd możesz wiedzieć...

– Bo się nauczyłam myśleć jak ty, zachowywać jak ty i, co ważniejsze, postępować jak ty i dlatego wynajęłam prywatnego detektywa.

– Ale to by potrwało lata... – zaczął Hugo.

– Nie wtedy, jeśli się trafi na człowieka, który jest bez pracy, którego klient drugi raz uciekł i który od sześciu miesięcy nie dostawał zapłaty.

Olga się uśmiechnęła, kiedy Hugo zacisnął pięści – znak, że jej słowa go ugodziły. Nawet kiedy podniósł rękę, nie drgnęła, stała nieruchomo.

Gdy pierwszy cios z miażdżącą siłą trafił ją w twarz, zachwiała się do tyłu, chwytając się za złamany nos, i w tym momencie dostała drugi cios, teraz w brzuch, i zgięła się wpół.

Hugo cofnął się i rechotał, kiedy Olga chwiała się z boku na bok, usiłując utrzymać się na nogach. Zamierzał uderzyć ją trzeci raz, ale nogi się pod nią ugięły i klapnęła na ziemię jak marionetka, której odcięto nitki.

– Teraz wiesz, co cię czeka, jeśli będziesz taka głupia i znowu spróbujesz zawracać mi głowę! – krzyknął Hugo, stojąc nad nią. – I jak nie chcesz, żebym ci jeszcze przyłożył, wynoś się stąd, póki możesz. I tego bękarta weź ze sobą do Londynu.

Olga powoli podźwignęła się z podłogi na kolana. Z nosa ciekła jej krew. Próbowała wstać, ale była tak słaba, że zatoczyła się do przodu i uniknęła upadku, chwyciwszy się brzegu biurka. Przez chwilę trwała tak bez ruchu i oddychała głęboko, usiłując dojść do siebie. Kiedy wreszcie podniosła głowę, jej uwagę zwrócił wąski srebrny przedmiot połyskujący w kręgu światła lampy na biurku.

– Słyszałaś, co powiedziałem? – wrzasnął Hugo, zrobił krok do przodu, schwycił ją za włosy i szarpnął jej głowę do tyłu.

Olga zebrała wszystkie siły, poderwała nogę do tyłu i wymierzyła mu kopniaka, trafiając obcasem buta w pachwinę.

– Ty dziwko! – wrzasnął Hugo, puścił jej włosy i cofnął się; w tym ułamku sekundy Olga schwyciła nóż do papieru i ukryła w rękawie sukienki. Odwróciła się i stanęła twarzą w twarz ze swoim katem. Ledwo Hugo złapał oddech, znowu na nią ruszył. Mijając stolik, chwycił ciężką szklaną popielnicę i uniósł ją wysoko nad głową, zdecydowany zadać cios, po którym Olga tak łatwo się nie podniesie.

Kiedy zbliżył się na odległość kroku, Olga podciągnęła rękaw, obiema rękami uchwyciła nóż i wymierzyła ostrze w serce Hugona. W chwili gdy miał roztrzaskać popielnicę na jej głowie, spostrzegł nóż, spróbował gwałtownie odchylić się na bok, potknął się, stracił równowagę i ciężko upadł na kobietę.

Przez chwilę panowała cisza, a potem Hugo wolno osunął się na kolana i wydał okrzyk, który by obudził cały Hades. Olga patrzyła, jak on chwyta trzonek noża. Stała jak zahipnotyzowana, jakby oglądała urywek filmu w zwolnionym tempie. Musiało to trwać tylko moment, chociaż wydawało się wiecznością, kiedy Hugo w końcu upadł i osunął się u jej stóp.

Spojrzała na ostrze noża. Jego szpic wystawał z tyłu szyi Hugona i krew tryskała na wszystkie strony, jak z porzuconego hydrantu przeciwpożarowego.

– Pomóż mi – wyszeptał Hugo, usiłując podnieść głowę.

Olga uklękła przy nim i ujęła rękę mężczyzny, którego kiedyś kochała.

– Nie mogę ci pomóc, kochany – powiedziała – przecież nigdy nie było to możliwe.

Hugon oddychał urywanym oddechem, ale dalej mocno ściskał rękę Olgi. Schyliła się, żeby słyszał każde jej słowo.

– Masz jeszcze kilka chwil życia – szepnęła – i nie chcę, żebyś umarł, nie znając treści ostatniego raportu Mitchella.

Hugo chciał jeszcze coś powiedzieć, ale poruszył tylko bezdźwięcznie ustami.

– Emma znalazła Harry'ego – powiedziała Olga – i wiem, że się ucieszysz, kiedy usłyszysz, że on żyje i jest zdrów.

Hugo ani na chwilę nie spuszczał z niej wzroku, kiedy jeszcze bardziej się schyliła, aż ustami niemal dotykała jego ucha.

– I wraca do Anglii, żeby ubiegać się o należne mu dziedzictwo.

Dopiero kiedy poczuła, że ręka Hugona jest bezwładna, dodała:

– Ach, zapomniałam ci powiedzieć, że nauczyłam się kłamać jak ty.

Nazajutrz gazety „Bristol Evening Post" i „Bristol Evening News" zamieściły dwa różne nagłówki na pierwszej stronie.

SIR HUGO BARRINGTON
ZASZTYLETOWANY

donosiła „Post" w tytule biegnącym przez całą szerokość strony, natomiast „News" obwieściła:

NIEZNANA KOBIETA RZUCIŁA SIĘ
POD LONDYŃSKI EKSPRES

Tylko główny inspektor policji Blakemore, szef miejscowego wydziału kryminalnego, skojarzył ze sobą te dwa wypadki.

EMMA BARRINGTON

1942

38

– O, pan Guinzburg, witam pana – powiedział Sefton Jelks, podnosząc się zza biurka. – To prawdziwy zaszczyt poznać człowieka, który wydaje Dorothy Parker i Grahama Greene'a.

Guinzburg lekko się skłonił i wymienił uścisk ręki z Jelksem.

– I panna Barrington – Jelks zwrócił się do Emmy. – Jak miło znowu panią widzieć. Ponieważ już nie reprezentuję pana Lloyda, to mam nadzieję, że będziemy przyjaciółmi.

Emma zmarszczyła brwi i usiadła, nie uścisnąwszy wyciągniętej ręki Jelksa.

Gdy wszyscy troje się usadowili, Jelks powiedział:

– Może zacznę od stwierdzenia, że uznałem, że warto będzie spotkać się w trójkę, żeby odbyć szczerą i otwartą dyskusję i zastanowić się nad rozwiązaniem naszego problemu.

– Pańskiego problemu – wtrąciła Emma.

Pan Guinzburg zacisnął usta, ale się nie odezwał.

– Jestem pewien – ciągnął Jelks, zwracając się do Guinzburga – że postąpi pan zgodnie z najlepszym interesem wszystkich zainteresowanych.

– A czy tym razem będzie to dotyczyło Harry'ego Cliftona? – spytała Emma.

Guinzburg odwrócił się do Emmy, krzywiąc się z dezaprobatą.

– Tak, panno Barrington – powiedział Jelks. – Umowa, jaką uzgodnimy, z pewnością będzie też dotyczyć pana Cliftona.

– Tak jak ostatnim razem, kiedy pan się od niego odwrócił, gdy najbardziej pana potrzebował?

– Emmo – powiedział Guinzburg z wyrzutem.

– Powinienem podkreślić, panno Barrington, że ja tylko postępowałem zgodnie z poleceniami mojego klienta. Państwo Bradshaw zapewnili mnie, że mężczyzna, którego reprezentuję, jest ich synem, i nie miałem powodu, żeby im nie wierzyć. I oczywiście nie dopuściłem do tego, żeby Tom był sądzony za...

– A potem zostawił pan Harry'ego samemu sobie.

– Na swoją obronę, panno Barrington, powiem, że kiedy w końcu odkryłem, że Tom Bradshaw to w rzeczywistości Harry Clifton, on mnie poprosił, żebym to zachował dla siebie, ponieważ nie chciał, żeby pani się dowiedziała, że żyje.

– To nie jest wersja wydarzeń Harry'ego – rzuciła Emma. Jej mina wskazywała, że już żałuje tych słów.

Guinzburg nawet się nie starał ukryć niezadowolenia. Miał wygląd człowieka, który zdał sobie sprawę, że jego kartę atutową odkryto za wcześnie.

– Ach, tak – rzekł Jelks. – Zatem przypuszczam, że oboje państwo czytali wcześniejsze zapiski.

– Każde słowo – potwierdziła Emma. – Więc niech pan przestaje udawać, że robił pan tylko to, co było w najlepszym interesie Harry'ego.

– Emmo – powiedział Guinzburg stanowczym tonem – powinnaś nauczyć się nie traktować wszystkiego tak osobiście i spróbować ogarnąć ogólny obraz.

– Na przykład taki, że wybitny nowojorski adwokat trafia do więzienia za fałszowanie dowodów i próby wpływania na wymiar sprawiedliwości – rzuciła Emma, nie spuszczając wzroku z Jelksa.

– Przepraszam pana – zwrócił się do Jelksa Guinzburg. – Moja młoda przyjaciółka daje się ponieść emocjom, gdy chodzi o...

– Pewno że tak! – Emma teraz prawie krzyczała. – I mogę powiedzieć, co ten człowiek – wskazała Jelksa – by zrobił, gdyby Harry'ego posłano na krzesło elektryczne. Sam by pociągnął za dźwignię, jeśliby uważał, że w ten sposób uratuje własną skórę.

– To oburzające. – Jelks poderwał się z krzesła. – Ja już przygotowałem odwołanie, po zapoznaniu się z którym sędziowie przysięgli nie mieliby wątpliwości, że policja aresztowała niewłaściwego człowieka.

– Zatem pan od początku wiedział, że to jest Harry – powiedziała Emma.

Jelks na moment zamilkł, oszołomiony słowami Emmy. Wykorzystała jego milczenie.

– Powiem panu, co się stanie, panie Jelks. Kiedy Viking opublikuje na wiosnę pierwszy zeszyt Harry'ego, to nie dość, że pańska reputacja zostanie zrujnowana i pańska kariera legnie w gruzach, ale jeszcze tak jak Harry pozna pan na własnej skórze, jak się żyje w Lavenham.

Doprowadzony do rozpaczy Jelks zwrócił się do Guinzburga:

– Wydawało mi się, że w naszym wspólnym interesie byłoby zawarcie ugody, zanim ta sprawa wymknie się spod kontroli.

– Co pan ma na myśli? – zagadnął Guinzburg, starając się mówić pojednawczym tonem.

– Chyba nie zamierza pan rzucić temu oszustowi liny ratunkowej? – zapytała Emma.

Guinzburg uniósł rękę.

– Emmo, przynajmniej możemy go wysłuchać.

– Tak jak on wysłuchał Harry'ego?

Jelks zwrócił się do Guinzburga:

– Gdyby zdecydował się pan nie opublikować wcześniejszego zeszytu, to zapewniam, że to by się panu opłaciło.

– Nie uwierzę, że pan to potraktuje poważnie – wtrąciła Emma.

Jelks dalej zwracał się do Guinzburga, tak jakby Emmy nie było w pokoju:

– Oczywiście zdaję sobie sprawę, że straci pan sporo pieniędzy, jeżeli zaniecha pan tej publikacji.

– Jeżeli sądzić po *Dzienniku więźnia* – powiedział Guinzburg – to ponad sto tysięcy dolarów.

Ta kwota musiała zaskoczyć Jelksa, bo milczał.

– Jest jeszcze dwadzieścia tysięcy dolarów zaliczki wypłaconej Lloydowi – ciągnął Guinzburg. – To powinno być zwrócone panu Cliftonowi.

– Gdyby Harry tu był, pierwszy by panu powiedział, że nie

interesują go pieniądze, tylko to, żeby ten człowiek znalazł się w więzieniu.

Guinzburg miał przerażoną minę.

– Emmo, moja firma nie zbudowała swojej reputacji na sianiu plotek, zanim więc ostatecznie zdecyduję, czy wydać te zapiski czy nie, muszę rozważyć, jak wybitniejsi autorzy mogliby zareagować na publikację tego rodzaju.

– Święte słowa, proszę pana. Reputacja to wszystko.

– Skąd pan to wie? – zainteresowała się Emma.

– Skoro mowa o wybitnych autorach – powiedział nieco pompatycznie Jelks, nie zważając na słowa Emmy – to może pan zdaje sobie sprawę, że moja firma ma zaszczyt reprezentowania spuścizny F. Scotta Fitzgeralda. – Odchylił się w krześle. – Dobrze pamiętam, jak Scotty mi mówił, że gdybyśmy mieli zmieniać wydawnictwo, to chciałby, żeby to był Viking.

– Chyba nie da się pan na to nabrać, prawda? – powiedziała Emma.

– Moja droga, czasem mądrze jest planować na wiele lat naprzód.

– Na ile pana zdaniem? Sześć lat?

– Emmo, robię tylko to, co jest w najlepszym interesie każdego z nas.

– Wygląda na to, że koniec końców się okaże, że tylko w pańskim interesie. Bo prawda jest taka, że gdy w grę wchodzą pieniądze, to nie jest pan lepszy od niego. – Emma wskazała Jelksa.

Guinzburg wydawał się dotknięty oskarżeniem Emmy, ale prędko ochłonął. Zwrócił się do adwokata i zapytał:

– Co pan ma na myśli?

– Jeżeli zgodzi się pan nie wydać pierwszego zeszytu w jakiejkolwiek formie, to chętnie wypłacę odszkodowanie w wysokości kwoty, jaką pan uzyskał za wydanie *Dziennika więźnia*, ponadto zwrócę dwadzieścia tysięcy dolarów, które wydał pan na zaliczkę panu Lloydowi.

– Niechże mnie pan pocałuje w policzek, panie Guinzburg –

powiedziała Emma – to on się dowie, komu dać trzydzieści srebrników.

– A co z Fitzgeraldem? – spytał wydawca, nie zważając na Emmę.

– Przekażę panu prawa do publikacji spuścizny F. Scotta Fitzgeralda na pięćdziesiąt lat na tych samych warunkach, jakie ma jego obecny wydawca.

– Niech pan przygotuje umowę, a ja chętnie ją podpiszę – powiedział z uśmiechem Guinzburg.

– A pod jakim pseudonimem podpisze pan umowę? – spytała Emma. – Judasza?

Guinzburg wzruszył ramionami.

– Interesy interesami, moja droga. A ty i Harry też zostaniecie wynagrodzeni.

– Jestem zadowolony, że pan o tym wspomina – powiedział Jelks – ponieważ od pewnego czasu trzymam czek na dziesięć tysięcy dolarów wystawiony na matkę Harry'ego Cliftona, ale przez tę wojnę nie miałem możliwości, żeby go jej przekazać. Panno Barrington, proszę łaskawie dać go pani Clifton, kiedy wróci pani do Anglii. – Pchnął ku Emmie czek przez blat biurka.

Emma zignorowała czek.

– Nigdy by pan nie wspomniał o tym czeku, gdybym nie przeczytała w pierwszym zeszycie, że dał pan słowo Harry'emu, że wyśle pan pani Clifton dziesięć tysięcy dolarów, jeśli on się zgodzi udawać Toma Bradshawa. – Emma podniosła się z miejsca i dodała: – Brzydzę się wami obydwoma i mam nadzieję, że żadnego z was więcej w życiu nie zobaczę.

Wypadła jak burza z pokoju, pozostawiając czek na biurku.

– Uparta dziewczyna – powiedział Guinzburg – ale jestem pewien, że z czasem będę w stanie ją przekonać, że podjęliśmy słuszną decyzję.

– Jestem przekonany, Haroldzie – odezwał się Jelks – że załatwisz ten drobny incydent z całą zręcznością i dyplomacją, która stała się marką twojej zacnej firmy.

– Miło, że to mówisz, Seftonie – rzekł Guinzburg, podnosząc się i zabierając czek. – Dopilnuję, żeby pani Clifton go dostała – dodał, włożywszy czek do portfela.

– Wiedziałem, Haroldzie, że mogę na tobie polegać.

– Z całą pewnością, Seftonie. I będę czekał na nasze następne spotkanie, jak tylko przygotujesz umowę.

– Będzie gotowa przed końcem tygodnia – zapewnił go Jelks. Razem wyszli z pokoju i powędrowali korytarzem. – Zadziwiające, że do tej pory nie załatwialiśmy z sobą żadnych interesów.

– Zgadzam się – rzekł Guinzburg – ale czuję, że to będzie początek długiej i owocnej współpracy.

– Miejmy nadzieję – przytaknął Jelks. Doszli do windy. – Dam ci znać, jak tylko umowa będzie gotowa do podpisu – dodał i nacisnął guzik windy.

– Będę niecierpliwie czekał, Seftonie – rzekł Guinzburg i serdecznie uścisnął tamtemu dłoń, a potem wszedł do windy.

Guinzburg wysiadł z windy na parterze i od razu ujrzał Emmę zmierzającą wprost ku niemu.

– Byłaś kapitalna, moja droga – powiedział. – Przyznam, że przez moment się zastanawiałem, czy nie posunęłaś się za daleko z tą uwagą o krześle elektrycznym, ale nie, trafnie oceniłaś tego człowieka.

Wyszli z budynku, trzymając się pod ręce.

Emma przez prawie całe popołudnie siedziała w swoim pokoju i ponownie czytała pierwszy zeszyt, w którym Harry opisywał czas przed uwięzieniem w Lavenham.

Gdy przewracała stronę za stroną i uświadamiała sobie jeszcze raz, jaki chciał sobie zgotować los, żeby zwolnić ją z wszelkich zobowiązań wobec siebie, postanowiła, że jeśli uda się jej odnaleźć tego idiotę, nigdy więcej nie spuści go z oczu.

Z błogosławieństwem pana Guinzburga Emma uczestniczyła w całym procesie przygotowań do publikacji poprawionego wydania *Dziennika więźnia*, czy też raczej pierwszego wydania, jak to zawsze nazywała. Brała udział w spotkaniach pracowników wydawnictwa, z szefem działu grafiki zastanawiała się nad liternictwem okładki, wybrała fotografię na tylną okładkę, napisała notkę o Harrym na skrzydełko książki, a nawet przemawiała na spotkaniu z dystrybutorami.

Sześć tygodni później paczki z książkami zostały przetransportowane z drukarni koleją, samochodami i samolotami do magazynów w całej Ameryce.

W dniu ukazania się książki Emma stała na chodniku naprzeciwko księgarni Doubleday i czekała na jej otwarcie. Tego dnia wieczorem mogła oznajmić stryjecznej babce Phyllis i kuzynowi Alistairowi, że książka jest rozchwytywana. Znalazło to potwierdzenie w następną niedzielę, kiedy „New York Times" zamieścił listę bestsellerów; wydanie poprawione *Dziennika więźnia* znalazło się w pierwszej dziesiątce tytułów po zaledwie tygodniu sprzedaży.

Dziennikarze i redaktorzy czasopism chcieli za wszelką cenę przeprowadzić wywiad z Harrym Cliftonem i Maksem Lloydem. Ale Harry'ego nie można było znaleźć w żadnym zakładzie karnym w Ameryce, a komentarza Lloyda, by zacytować „The Timesa", nie udało się uzyskać. Za to „New York News" był mniej lakoniczny, w nagłówku na pierwszej stronie donosząc: **LLOYD ZWIAŁ.**

W dniu ukazania się książki biuro Seftona Jelksa wydało oświadczenie wyraźnie stwierdzające, że jego kancelaria prawnicza nie reprezentuje już Maksa Lloyda. Chociaż *Dziennik więźnia* przez pięć tygodni utrzymywał się na pierwszym miejscu listy bestsellerów „New York Timesa", Guinzburg dochował umowy z Jelksem i nie opublikował żadnych wyjątków z wcześniejszego zeszytu.

Natomiast Jelks podpisał kontrakt przekazujący wydawnictwu Viking Press prawa do wydawania wszystkich dzieł F. Scotta Fitzgeralda na pięćdziesiąt lat. Jelks uważał, że dotrzymał umowy z Guinzburgiem i że z czasem prasa przestanie interesować się sprawą i da spokój. I pewno by się nie pomylił, gdyby tygodnik „Time" nie zamieścił całostronicowego wywiadu z Karlem Kolowskim, niedawno emerytowanym funkcjonariuszem nowojorskiego wydziału policji.

– I mogę panu powiedzieć – przytoczono słowa Kolowskiego – że jak do tej pory, to opublikowano tylko drętwe kawałki. Poczekajcie, aż przeczytacie, co się przydarzyło Harry'emu Cliftonowi, zanim wsadzili go do Lavenham.

Ta historia trafiła do agencji prasowych o szóstej po południu czasu wschodnioamerykańskiego i pan Guinzburg otrzymał ponad sto telefonów, zanim przyszedł do swojego biura następnego rana.

Jelks przeczytał wywiad w tygodniku „Time" w samochodzie, w drodze na Wall Street. Kiedy wysiadł z windy na dwudziestym pierwszym piętrze, ujrzał trzech wspólników czekających na niego przed jego biurem.

39

– Co chcesz najpierw usłyszeć? – spytała Phyllis, podnosząc do góry dwa listy. – Dobrą czy złą wiadomość?

– Dobrą wiadomość – powiedziała bez wahania Emma, smarując masłem drugą grzankę.

Phyllis odłożyła jeden list na stół, poprawiła pince-nez i zaczęła czytać drugi.

Szanowna Pani Stuart,

przed chwilą skończyłem czytać Dziennik więźnia *Harry'ego Cliftona. W dzisiejszym „Washington Post" ukazała się znakomita recenzja książki, w której pod koniec postawiono pytanie, co się stało z panem Cliftonem po wyjściu z zakładu karnego Lavenham siedem miesięcy temu, kiedy odsiedział tylko trzecią część wyroku.*

Ze względów bezpieczeństwa narodowego, co Pani z pewnością zrozumie, nie mogę ujawnić bliższych szczegółów w tym liście.

Jeżeli panna Barrington, która, o ile wiem, mieszka u Pani, chciałaby się zapoznać z informacjami na temat porucznika Cliftona, proszę, żeby się skontaktowała z moim biurem, a ja chętnie się z nią umówię na spotkanie.

Ponieważ nie narusza to Ustawy o tajemnicy państwowej, pozwolę sobie dodać, że z dużą przyjemnością czytałem dziennik porucznika Cliftona. Jeżeli można wierzyć pogłoskom przytoczonym w dzisiejszej „New York Post", to nie będę mógł się doczekać, żeby się dowiedzieć, co mu się przydarzyło, zanim został osadzony w Lavenham.

Z poważaniem
John Cleverdon (pułkownik)

Stryjeczna babka Phyllis podniosła wzrok i zobaczyła, że Emma podskakuje jak podlotek na koncercie Sinatry. Parker nalał pani Stuart drugą filiżankę kawy, jakby nic nadzwyczajnego nie działo się tuż obok.

Emma nagle znieruchomiała.

– A jaka jest ta zła wiadomość? – zapytała, siadając z powrotem przy stole.

Phyllis wzięła do ręki drugi list.

– To od Ruperta Harveya – wyjaśniła. – Dalszego krewnego, z pierwszej linii.

Emma stłumiła śmiech. Phyllis przyjrzała się jej krytycznie przez swoje pince-nez.

– Nie pokpiwaj sobie, dziecko – powiedziała. – Przynależność do wielkiego klanu ma swoje zalety, jak się zaraz przekonasz. – Skupiła się na liście.

Droga kuzynko Phyllis,

jak miło, że się odezwałaś po tak długim czasie. To uprzejme z Twojej strony, że zwróciłaś mi uwagę na Dziennik więźnia *Harry'ego Cliftona, który przeczytałem z prawdziwą przyjemnością. Cóż za niezwykła młoda dama z tej kuzynki Emmy.*

Phyllis podniosła głowę.

– Z drugiej linii, w twoim przypadku – powiedziała i pochyliła się nad listem.

Z największą przyjemnością pomogę Emmie w jej obecnej sytuacji. Ambasada dysponuje samolotem, który w przyszły czwartek leci do Londynu, i ambasador się zgodził, żeby panna Barrington towarzyszyła mu i jego personelowi podczas lotu.

Jeżeli Emma będzie tak miła i wpadnie do mnie do biura w czwartek rano, zajmę się niezbędnymi formalnościami. Koniecznie jej przypomnij, żeby miała przy sobie paszport.

Twój kochający
Rupert

PS. Czy kuzynka Emma jest w połowie tak piękna, jak pan Clifton sugeruje w swojej książce?

Phyllis złożyła list i wsunęła z powrotem do koperty.

– Więc jaka jest ta zła wiadomość? – spytała Emma.

Phyllis pochyliła głowę, ponieważ nie pochwalała okazywania emocji, i cicho powiedziała:

– Nie masz pojęcia, dziecko, jak mi będzie ciebie brakowało. Jesteś córką, której nigdy nie miałam.

– Dziś rano podpisałem umowę – oznajmił Guinzburg, wznosząc w górę kieliszek.

– Gratulacje – powiedział Alistair, gdy wszyscy siedzący wokół stołu wznieśli swoje kieliszki.

– Proszę mi wybaczyć – odezwała się Phyllis – jeżeli tylko ja spośród tu obecnych nie rozumiem, o co chodzi. Skoro podpisał pan umowę, która nie pozwala pańskiemu wydawnictwu opublikować wcześniejszego utworu Harry'ego Cliftona, to co właściwie świętujemy?

– To, że dzisiaj rano wpłaciłem sto tysięcy dolarów od Seftona Jelksa na konto bankowe mojej firmy – odparł Guinzburg.

– A ja – dodała Emma – dostałam czek na dwadzieścia tysięcy dolarów z tego samego źródła. Równowartość zaliczki Lloyda za książkę Harry'ego.

– I nie zapominajmy o czeku na dziesięć tysięcy dolarów dla pani Clifton, który zostawiłaś, ale ja go wziąłem – powiedział Guinzburg. – Szczerze mówiąc, wszyscyśmy na tym dobrze wyszli, a teraz, kiedy umowa została podpisana, jeszcze więcej na tym zyskamy podczas następnych pięćdziesięciu lat.

– Możliwe – powiedziała Phyllis tonem wyższości – ale irytuje mnie, że pozwoliliście Jelksowi na całkowitą bezkarność.

– Myślę, że się pani przekona, że nie ominie go egzekucja – zapewnił ją Guinzburg – chociaż przyznaję, że zgodziliśmy się na trzy miesiące zawiesić wykonanie wyroku.

– Już zupełnie nic nie rozumiem – przyznała Phyllis.

– Wobec tego wytłumaczę – rzekł Guinzburg. – Widzi pani, ta umowa, którą podpisałem dziś rano, to nie była umowa z Jelksem, tylko z Pocket Books, firmą, która kupiła prawa do wydania wszystkich dzienników Harry'ego w miękkiej oprawie.

– A co to takiego, jeśli wolno spytać? – zagadnęła Phyllis.

– Mamo – odezwał się Alistair – takie książki są w obiegu od lat.

– Tak samo banknoty o nominale dziesięciu tysięcy dolarów, ale nigdy takiego nie widziałam.

– Pańska matka trafiła w sedno – powiedział Guinzburg. – W gruncie rzeczy to tłumaczy, czemu Jelks dał się okpić. Pani Stuart jest przedstawicielką całego pokolenia, które nigdy nie zaakceptuje książki wydanej w miękkiej oprawie i będzie czytać tylko te w twardej.

– A jak się pan zorientował, że Jelks nie ma pełnego rozeznania w tej sprawie? – spytała Phyllis.

– Pośliznął się na Fitzgeraldzie – rzucił Alistair.

– Proszę, nie wyrażaj się tak prostacko przy stole – upomniała go Phyllis.

– To Alistair doradził nam – powiedziała Emma – że jeśli Jelks chce się z nami spotkać w swoim biurze bez doradcy prawnego, to znaczy, że nie uprzedził wspólników o istnieniu brakującego zeszytu i że jego wydanie będzie jeszcze bardziej druzgocące dla reputacji kancelarii prawnej niż publikacja *Dziennika więźnia*.

– To dlaczego Alistair nie uczestniczył w spotkaniu – powiedziała Phyllis – i nie zarejestrował wszystkiego, co mówił Jelks? W końcu to jeden z najbardziej śliskich adwokatów w Nowym Jorku.

– Właśnie dlatego nie byłem obecny na tym spotkaniu, matko. Nie chcieliśmy niczego udokumentować i byłem pewien, że Jelks będzie na tyle arogancki, żeby myśleć, że ma do czynienia z jakąś tam dziewczyniną z Anglii i z wydawcą, którego na pewno przekupi, a to by znaczyło, że trzymamy go za pysk.

– Alistair!

– Jednakże – ciągnął Alistair – tuż potem, kiedy Emma wybiegła ze spotkania, pan Guinzburg wykonał genialne pociągnięcie.

Emma zrobiła zdziwioną minę.

– Powiedział Jelksowi: „Będę czekał na nasze następne spotkanie, jak tylko przygotujesz umowę".

– I Jelks właśnie to zrobił – rzekł Guinzburg. – A kiedy przejrzałem umowę, zdałem sobie sprawę, że jest wzorowana na tej z F. Scottem Fitzgeraldem, pisarzem, którego książki były wydawane tylko w twardej okładce. W umowie nie było nic, co by sugerowało, że nie możemy publikować w miękkiej oprawie. Zatem umowa, którą podpisałem dziś rano z Pocket Books, pozwoli im wydać wcześniejszy dziennik Harry'ego bez naruszenia umowy z Jelksem. – Guinzburg pozwolił Parkerowi ponownie napełnić swój kieliszek szampanem.

– Ile pan dostał? – zaciekawiła się Emma.

– Czasami, młoda damo, przeciągasz strunę.

– Ile pan dostał? – spytała Phyllis.

– Dwieście tysięcy dolarów – przyznał Guinzburg.

– Będzie pan potrzebował każdego centa z tej sumy – powiedziała Phyllis – bo gdy książka trafi do księgarń, pan i Alistair spędzicie następne dwa lata w sądzie na obronie przed zarzutami o zniesławienie.

– Nie sądzę – rzekł Alistair, kiedy Parker nalał mu brandy. – Prawdę mówiąc, skłonny byłbym się założyć o banknot o nominale dziesięciu tysięcy dolarów, jakiego, mamo, nigdy nie widziałaś, że to trzy ostatnie miesiące Seftona Jelksa w charakterze starszego wspólnika firmy adwokackiej Jelksa, Myersa i Abernathy'ego.

– Skąd ta pewność?

– Mam wrażenie, że Jelks nie powiedział swoim wspólnikom o pierwszym zeszycie, więc kiedy Pocket Books opublikuje wcześniejszy dziennik, Jelks nie będzie miał innego wyjścia, jak zgłosić rezygnację.

– A gdyby tego nie zrobił?

– Wtedy go wyrzucą – orzekł Alistair. – Firma, która jest tak bezwzględna wobec klientów, nie może nagle zacząć po ludzku traktować swoich wspólników. I nie zapominajcie, że zawsze jest ktoś, kto chce zostać starszym wspólnikiem... A więc, Emmo, muszę przyznać, że twoja sprawa jest o wiele bardziej interesująca niż Amalgamated Wire...

– ...przeciwko New York Electric – powiedzieli wszyscy chórem, wznosząc kieliszki w stronę Emmy.

– A gdybyś kiedyś zmieniła zdanie i chciała zostać w Nowym Jorku, zawsze znajdzie się dla ciebie praca w moim wydawnictwie – oznajmił Guinzburg.

– Dziękuję panu – powiedziała Emma. – Ale ja przybyłam do Ameryki tylko po to, żeby odnaleźć Harry'ego, i teraz, kiedy wiem, że on jest w Europie, nie mogę dłużej tkwić w Nowym Jorku. Zatem zaraz po spotkaniu z pułkownikiem Cleverdonem polecę do kraju, żeby zająć się synem.

– Harry Clifton to cholerny szczęściarz, że ma kogoś takiego jak ty przy sobie – westchnął tęsknie Alistair.

– Gdybyś kiedyś spotkał któregoś z nich, Alistairze, tobyś zrozumiał, że to ja jestem szczęściarą.

40

Nazajutrz Emma obudziła się wcześnie i beztrosko paplała przy śniadaniu, jak bardzo się cieszy, że znów się połączy z Sebastianem i rodziną. Phyllis przytakiwała ruchem głowy, ale prawie się nie odzywała.

Parker zabrał bagaże Emmy z jej pokoju, zwiózł na dół windą i zostawił w holu. Przybyły jej dwie walizki od przyjazdu do Nowego Jorku. Czy ktoś kiedyś wracał do domu z mniejszym bagażem, niż kiedy wybierał się w podróż? – zadała sobie pytanie.

– Ja nie zejdę na dół – powiedziała Phyllis po kilkakrotnych próbach pożegnania. – Zrobiłabym z siebie głupca. Lepiej, żebyś zapamiętała starą heterę, która nie lubi, jak się jej przeszkadza podczas partii brydża. Kiedy następnym razem nas odwiedzisz, przywieź ze sobą Sebastiana i Harry'ego. Chcę poznać mężczyznę, który zdobył twoje serce.

Na ulicy pod domem zabrzmiał klakson.

– Czas na ciebie – rzuciła Phyllis. – Idź prędko.

Emma uścisnęła ją ostatni raz i odeszła, nie oglądając się za siebie.

Kiedy wysiadła z windy, Parker czekał przy frontowych drzwiach; bagaże umieszczone już były w bagażniku taksówki. Ujrzawszy ją, wyszedł na chodnik i otworzył jej tylne drzwi samochodu.

– Do widzenia, Parker – powiedziała Emma. – I dziękuję za wszystko.

– Cała przyjemność po mojej stronie – odpowiedział.

A kiedy już miała wsiadać do samochodu, dodał:

– Czy pozwoli pani, że podzielę się pewną uwagą, jeśli to nie będzie niestosowne?

Emma cofnęła się o krok, próbując zamaskować zaskoczenie.

– Oczywiście, bardzo proszę.

– Tak bardzo mi się podobał *Dziennik więźnia* – powiedział kamerdyner – że mam nadzieję, że niedługo wróci pani do Nowego Jorku w towarzystwie swego męża.

Wkrótce pociąg pędził przez wiejskie okolice i Nowy Jork został w tyle, gdy zmierzali w stronę stolicy. Emma się przekonała, że nie może czytać ani spać dłużej niż kilka minut. Babka stryjeczna Phyllis, pan Guinzburg, kuzyn Alistair, pan Jelks, inspektor Kolowski i Parker, oni wszyscy to pojawiali się przed jej oczyma, to znikali.

Pogrążyła się w myślach o tym, co należy zrobić, jak się znajdzie w Waszyngtonie. Przede wszystkim musi pójść do ambasady brytyjskiej i podpisać jakieś formularze, żeby móc dołączyć do ambasadora lecącego do Londynu, jak zaplanował Rupert Harvey, dalszy krewny, z drugiej linii. „Nie pokpiwaj sobie, dziecko" – usłyszała napomnienie stryjecznej babki, a potem usnęła. Przyśnił się jej Harry, w mundurze, roześmiany, rozbawiony, i gdy nagle gwałtownie się obudziła, była przekonana, że jest z nią w przedziale.

Kiedy pięć godzin później pociąg zajechał na Union Station, Emma miała trudności z wyniesieniem bagaży na peron i pospieszył jej na ratunek jednoręki bagażowy, były wojskowy. Znalazł jej taksówkę, podziękował za napiwek i zasalutował lewą ręką. Jeszcze jeden człowiek, o którego przeznaczeniu zdecydowała nie przez niego wywołana wojna.

– Ambasada brytyjska – rzuciła Emma, wsiadłszy do taksówki.

Taksówkarz wysadził ją na Massachusetts Avenue, przed zdobną żelazną bramą z wywieszoną flagą królewską. Wybiegli dwaj młodzi żołnierze i pomogli Emmie wnieść bagaże.

– Z kim się pani chce zobaczyć? – Angielski akcent, amerykański luz.

– Z panem Rupertem Harveyem – powiedziała.

– Majorem Rupertem Harveyem – poprawił ją kapral. Wziął bagaże i zaprowadził Emmę do biura na tyłach budynku.

Emma weszła do wielkiego pomieszczenia, w którym personel, w większości w mundurach, biegał we wszystkich kierunkach. Nikt nie chodził normalnym krokiem. Z tego rozgardiaszu nagle wyłoniła się jakaś postać i przywitała Emmę szerokim uśmiechem.

– Rupert Harvey – przedstawił się. – Przepraszam za ten zorganizowany chaos, ale zawsze tak się dzieje, kiedy ambasador wraca do Anglii. Tym razem jest jeszcze gorzej, bo przez ostatni tydzień gościliśmy członka gabinetu. Twoje dokumenty są gotowe – dodał, wracając do biurka. – Muszę tylko spojrzeć na twój paszport.

Przerzucił kilka stron, a potem kazał się Emmie podpisać tu i tam.

– Autobus na lotnisko odjeżdża spod ambasady o szóstej wieczorem. Postaraj się być punktualnie, gdyż wszyscy powinni być w samolocie przed przybyciem ambasadora.

– Nie spóźnię się – powiedziała Emma. – Czy mogłabym zostawić tutaj bagaże na czas, kiedy będę zwiedzała miasto?

– Z tym nie będzie kłopotu – zapewnił ją Rupert. – Poproszę kogoś, żeby umieścił je w autobusie.

– Dziękuję – powiedziała Emma.

Odwracała się do wyjścia, kiedy Rupert dodał:

– Przy okazji, książka mnie zachwyciła. I uprzedzam, że minister ma nadzieję zamienić z tobą kilka słów sam na sam, kiedy będziemy w samolocie. Myślę, że był wydawcą, zanim został politykiem.

– Jak on się nazywa? – spytała Emma.

– Harold Macmillan.

Emma przypomniała sobie mądrą radę pana Guinzburga.

– Wszyscy będą chcieli mieć tę książkę – ostrzegł ją. – Nie ma takiego wydawcy, który by nie powitał cię z otwartymi rękami, więc nie daj się zwieść pochlebstwom. Postaraj się zobaczyć z Billym Collinsem i Allenem Lane'em z Penguina. – Nie wspomniał o Haroldzie Macmillanie.

– Wobec tego spotkamy się w autobusie około szóstej – powiedział dalszy krewny, z drugiej linii, i znikł między zabieganymi urzędnikami.

Emma wyszła z ambasady na Massachusetts Avenue i spojrzała na zegarek. Niewiele ponad dwie godziny do spotkania z pułkownikiem Cleverdonem. Zatrzymała taksówkę.

– Dokąd, panienko?

– Chcę zobaczyć wszystko, co jest ciekawego w tym mieście – powiedziała.

– Ile pani ma czasu, dwa lata?

– Nie – odparła Emma. – Dwie godziny. Więc ruszajmy.

Pojechali. Pierwszy przystanek: Biały Dom – 15 minut. Kapitol – 20 minut. Dokoła pomników Waszyngtona, Jeffersona i Lincolna – 25 minut. Pędem przez National Gallery – kolejne 25 minut. Na koniec Smithsonian Institution – ale ponieważ zostało tylko 30 minut do spotkania, Emma obejrzała tylko parter.

Gdy z powrotem wsiadła do taksówki, kierowca zapytał:

– Dokąd teraz, panienko?

Emma spojrzała na adres na liście pułkownika Cleverdona.

– Adams Street 3022 – powiedziała. – Zdążę na ostatnią chwilę.

Gdy taksówka zajechała pod wielki, biały marmurowy budynek, który zajmował cały kwartał ulic, Emma wręczyła taksówkarzowi ostatni banknot pięciodolarowy. Po spotkaniu będzie musiała iść do ambasady na piechotę.

– To zwiedzanie warte było każdego centa – powiedziała.

Taksówkarz przytknął palce do czapki.

– Myślałem, że tylko my, Amerykanie, potrafimy się tak uwinąć – powiedział, szczerząc zęby.

Emma weszła po schodach do góry, minęła dwóch wartowników, którzy patrzyli na nią, nie widząc jej, i wkroczyła do budynku. Spostrzegła, że niemal wszyscy tutaj mieli mundury w różnych odcieniach koloru khaki, a kilku nosiło baretki. Młoda kobieta w recepcji skierowała ją do pokoju numer 9197. Emma dołączyła do tłumu mężczyzn w mundurach khaki zmierzających do wind, a gdy wysiadła na dziewiątym piętrze, okazało się, że czeka tam na nią sekretarka pułkownika Cleverdona.

– Obawiam się, że pułkownik utknął na spotkaniu, ale powinien tu być za kilka minut – powiedziała, kiedy szły korytarzem.

Emma została wprowadzona do biura pułkownika. Gdy usiadła, spojrzała na grubą teczkę na środku biurka. Podobnie jak było z listem nad kominkiem u Maisie i zeszytami na biurku Jelksa, zastanawiała się, jak długo będzie musiała czekać, aż pozna jej zawartość.

Okazało się, że dwadzieścia minut. Kiedy w końcu otworzyły się drzwi, do pokoju wpadł wysoki, atletycznie zbudowany mężczyzna, mniej więcej w tym wieku co jej ojciec, z cygarem podskakującym w ustach.

– Bardzo przepraszam, że panią tyle przetrzymałem – powiedział, ściskając jej rękę – ale nie starcza mi dnia. – Usiadł za biurkiem i uśmiechnął się do niej. – Jestem John Cleverdon, a panią wszędzie bym poznał.

Emma spojrzała na niego zaskoczona.

– Wygląda pani dokładnie tak, jak Harry opisał panią w książce. Napije się pani kawy?

– Nie, dziękuję – powiedziała Emma. Starała się nie okazać zniecierpliwienia, spoglądając na teczkę na biurku pułkownika.

– Nawet nie muszę jej otwierać – oznajmił, poklepując teczkę. – Sam napisałem większość tego, co jest w środku, więc mogę pani opowiedzieć o wszystkim, co robił Harry, od kiedy opuścił Lavenham. A teraz, dzięki jego dziennikowi, wszyscy wiemy, że w ogóle nie powinien tam się znaleźć. Nie mogę się doczekać następnej części i poznać, co mu się przydarzyło, zanim trafił do Lavenham.

– A ja nie mogę się doczekać, żeby się dowiedzieć, co się z nim działo po wyjściu z Lavenham – powiedziała Emma, tłumiąc rozdrażnienie.

– No to zaczynajmy – rzekł pułkownik. – Harry zgłosił się

na ochotnika do jednostki do działań specjalnych, której mam zaszczyt być dowódcą, żeby odsłużyć zastępczo karę więzienia. Zaczął służbę jako żołnierz armii amerykańskiej, ostatnio został mianowany oficerem i obecnie służy w randze porucznika. Od kilku miesięcy jest za liniami wroga – ciągnął pułkownik. – Współdziała z grupami oporu w krajach okupowanych i pomaga w przygotowaniu naszego przyszłego lądowania w Europie.

Emmie to się nie podobało.

– Co to dokładnie znaczy „za liniami wroga"?

– Nie mogę pani tego ściśle określić, bo nie zawsze łatwo go umiejscowić, kiedy wykonuje zadanie. Często na wiele dni przerywa łączność ze światem zewnętrznym. Ale za to mogę powiedzieć, że on i jego kierowca, kapral Pat Quinn, też pensjonariusz Lavenham, okazali się najbardziej skuteczni z całej mojej grupy. Są jak dwaj uczniowie, którym dano gigantyczny zestaw do doświadczeń chemicznych i kazano przeprowadzać eksperymenty na systemie komunikacji wroga. Większość czasu spędzają na wysadzaniu mostów, demontażu torów kolejowych i zwalaniu słupów wysokiego napięcia. Specjalnością Harry'ego jest zakłócanie ruchu wojsk niemieckich i kilkakrotnie szkopy omal go nie dopadły. Ale jak na razie zawsze mu się udaje wymknąć. W gruncie rzeczy tak im dogryzł, że za jego głowę wyznaczyli nagrodę i co miesiąc ją podnoszą. Trzydzieści tysięcy franków, kiedy ostatnio sprawdzałem.

Pułkownik spostrzegł, że Emma zbladła jak ściana.

– Tak mi przykro – powiedział. – Nie zamierzałem pani przestraszyć, ale czasem zapominam, kiedy siedzę za biurkiem, na jakie niebezpieczeństwo narażeni są moi chłopcy każdego dnia.

– Kiedy Harry zostanie zwolniony? – cicho zapytała Emma.

– Obawiam się, że powinien odsłużyć swój wyrok – rzekł pułkownik.

– Ale teraz, kiedy wiadomo, że jest niewinny, nie może pan przynajmniej odesłać go do Anglii?

– Nie sądzę, panno Barrington, żeby to sprawiło dużą różnicę, bo na ile znam Harry'ego, to gdyby tylko znalazł się w swojej ojczyźnie, zamieniłby jeden mundur na drugi.

– O nie, gdybym miała coś do powiedzenia.

Pułkownik się uśmiechnął.

– Zobaczę, co się da zrobić – obiecał, podnosząc się zza biurka. Otworzył Emmie drzwi i zasalutował. – Życzę pani bezpiecznego lotu do Anglii. Mam nadzieję, że wkrótce oboje państwo spotkają się w tym samym miejscu i tym samym czasie.

HARRY CLIFTON

1945

41

– Zgłoszę się, panie pułkowniku, jak tylko ich zlokalizuję – powiedział Harry i wyłączył radiotelefon.

– To znaczy kogo? – spytał Quinn.

– Oddziały Kertla. Pułkownik Benson sądzi, że powinny być w dolinie po drugiej stronie tego pasma górskiego – objaśnił, wskazując szczyt.

– Jest tylko jeden sposób, żeby to sprawdzić – rzekł Quinn, wrzucając ze zgrzytem pierwszy bieg.

– Spokojnie – powiedział Harry. – Jeśli szkopy tam są, lepiej ich nie alarmować.

Quinn nie zmieniał biegów, kiedy dżip wolno pełzł w górę.

– Dosyć – rzucił Harry, kiedy od wierzchołka dzieliło ich niespełna pięćdziesiąt metrów.

Quinn zaciągnął hamulec ręczny, wyłączył silnik i obaj wyskoczyli z dżipa i pobiegli zboczem. Gdy byli o kilka metrów od szczytu, padli plackiem na ziemię, a potem, niczym dwa kraby zmykające do morza, czołgali się i zatrzymali tuż przed grzbietem góry.

Harry wyjrzał na drugą stronę i zaparło mu dech. Nie potrzebował lornetki, żeby się przekonać, z czym będą się musieli zmierzyć. W dolinie poniżej legendarny Dziewiętnasty Korpus Pancerny feldmarszałka Kertla najwyraźniej przygotowywał się do walki. Kolumny czołgów ciągnęły się daleko, jak sięgał wzrok, a oddziały wsparcia mogłyby wypełnić stadion futbolowy. Według oceny Harry'ego przewaga liczebna Korpusu Kertla nad Drugą Dywizją Teksaskich Rangerów wynosiłaby co najmniej trzy do jednego.

– Jak się nam uda stąd wydostać – szepnął Quinn – to może zdążymy nie dopuścić do powtórzenia beznadziejnej sytuacji, w jakiej znalazł się generał Custer.

– Nie gorączkuj się – powiedział Harry. – Może potrafimy obrócić to na naszą korzyść.

– Nie sądzisz, że wyczerpaliśmy już przydzielony nam limit dziewięciu kocich żywotów w zeszłym roku?

– Jak na razie, doliczyłem się ośmiu – zauważył Harry. – I myślę, że możemy zaryzykować jeszcze jeden raz. – Zaczął się czołgać do tyłu, zanim Quinn mógł cokolwiek powiedzieć. – Czy masz chusteczkę? – zapytał, kiedy Quinn usiadł za kierownicą.

– Tak jest – odparł Quinn, wyjął chusteczkę z kieszeni i podał Harry'emu, który przywiązał ją do radiowego masztu.

– Chyba nie chcesz…

– …się poddać? Tak, to jedyna nasza szansa – powiedział Harry. – Więc jedźcie wolno na wierzchołek, kapralu, a potem w dół w dolinę.

Harry tylko wtedy mówił do Pata per „kapralu", kiedy nie chciał przedłużać dyskusji.

– W dolinę śmierci – podsunął Pat.

– To niedobre porównanie – rzekł Harry. – Było ich sześciuset w Lekkiej Brygadzie, a nas jest tylko dwóch. Czuję się bardziej jak Horacjusz niż lord Cardigan.

– A ja się czuję jak kaczka na strzelnicy.

– Bo jesteś Irlandczykiem – przygadał mu Harry, kiedy wspięli się na grzbiet i zaczęli wolno zjeżdżać w dół. – Nie przekraczaj limitu prędkości – rzucił bagatelizująco.

Spodziewał się gradu kul w reakcji na ich zuchwalstwo, ale widać Niemcy nie oparli się ciekawości.

– Cokolwiek byś robił, Pat – powiedział stanowczo Harry – trzymaj gębę na kłódkę. I miej taką minę, jakby to wszystko było z góry zaplanowane.

Jeśli Quinn miał jakąś opinię, nie wyraził jej, co było całkiem do niego niepodobne. Kapral prowadził dżipa ze stałą prędkością i nie dotknął hamulca, dopóki nie dotarli do pierwszej linii czołgów.

Ludzie feldmarszałka wpatrywali się z niedowierzaniem

w dwóch facetów w dżipie, ale nikt się nie poruszył, aż w końcu jakiś major utorował sobie drogę przez szeregi żołnierzy i skierował się ku nieproszonym gościom. Harry wyskoczył z dżipa, wyprężył się i zasalutował, mając nadzieję, że jego niemiecki sprosta sytuacji.

– Na litość Boga, czy zdajecie sobie sprawę z tego, co wyprawiacie? – zapytał major.

Harry pomyślał, że major trafił w sedno. Udając spokój, powiedział:

– Mam do przekazania wiadomość dla feldmarszałka Kertla od generała Eisenhowera, głównodowodzącego sił sprzymierzonych w Europie.

Harry wiedział, że gdy major usłyszy nazwisko Eisenhowera, nie zaryzykuje i przekaże to wyższej szarży.

Major bez słowa usiadł z tyłu dżipa, pacnął Quinna w ramię trzcinką i wskazał w stronę wielkiego, dobrze zamaskowanego namiotu obok zgromadzonych oddziałów.

Gdy podjechali pod namiot, major wyskoczył z dżipa.

– Czekajcie tutaj – rozkazał i zniknął w środku.

Quinn i Harry siedzieli pod gradem tysięcy nieufnych spojrzeń.

– Gdyby wzrok mógł zabijać... – szepnął Quinn.

Harry nie zareagował.

Major wrócił po kilku minutach.

– Co to będzie – wymamrotał Quinn. – Pluton egzekucyjny czy też zaproponuje ci sznapsa?

– Feldmarszałek zgadza się pana zobaczyć – oznajmił major, nie kryjąc zdziwienia.

– Dziękuję, panie majorze – rzekł Harry, wyskoczył z dżipa i podążył za nim do namiotu.

Feldmarszałek Kertel wstał zza długiego stołu z rozłożoną mapą, którą Harry natychmiast rozpoznał, tyle że tu sylwetki czołgów i żołnierzy skierowane były w jego stronę. Dowódcę otaczało kilkunastu oficerów sztabowych, żaden z nich nie miał rangi niższej od pułkownika.

Harry wyprężył się na baczność i zasalutował.

– Nazwisko i stopień? – spytał feldmarszałek, oddawszy pozdrowienie.

– Clifton, panie feldmarszałku, porucznik Clifton. Jestem adiutantem generała Eisenhowera.

Harry spostrzegł Biblię na składanym stoliku przy łóżku feldmarszałka. Na jednej ze stron namiotu wisiała niemiecka flaga. Czegoś brakowało.

– Dlaczego generał Eisenhower miałby przysyłać do mnie swojego adiutanta?

Zanim Harry udzielił odpowiedzi, dokładnie przyjrzał się feldmarszałkowi. Inaczej niż w przypadku Goebbelsa czy Göringa, zdradzająca trudy wojny twarz Kertla świadczyła o tym, że wiele razy uczestniczył w walkach na froncie. Jedyny medal, jaki miał na piersi, to był Krzyż Żelazny z liśćmi dębu, który, jak Harry wiedział, zdobył jako porucznik w bitwie nad Marną w 1918 roku.

– Generał Eisenhower chce, aby pan wiedział, że po drugiej stronie Clemenceau ma trzy bataliony w pełnym składzie, liczące trzydzieści tysięcy ludzi oraz dwadzieścia dwa tysiące czołgów. Na prawym skrzydle znajduje się Druga Dywizja Teksaskich Rangerów, w centrum Trzeci Batalion Zielonych Bluz, a na prawym skrzydle batalion australijskiej lekkiej piechoty.

Feldmarszałek byłby doskonałym pokerzystą, ponieważ zachował kamienną twarz. Mógł wiedzieć, że liczby są dokładne, zakładając, że te trzy pułki rzeczywiście znajdują się na miejscu.

– Zatem zapowiada się nader interesująca bitwa, poruczniku. Ale jeżeli chciał mnie pan przestraszyć, to się to panu nie udało.

– Nie takie jest moje zadanie, panie feldmarszałku – powiedział Harry, zerknąwszy na mapę – bo podejrzewam, że nie powiedziałem panu nic, czego pan nie wie, łącznie z tym, że sprzymierzeni opanowali ostatnio lotnisko w Wilhelmsbergu.

Mała amerykańska flaga wpięta w mapę potwierdzała ten fakt.

– Jednak zapewne nie wie pan, panie marszałku, że na pasie startowym stoi dywizjon bombowców Lancaster, czekając na wydanie przez generała Eisenhowera rozkazu zniszczenia pańskich czołgów, a jego bataliony posuwają się naprzód w szyku bojowym.

Harry wiedział, że na lotnisku są tylko dwa samoloty zwiadowcze, unieruchomione z powodu braku paliwa.

– Do rzeczy, panie poruczniku – powiedział Kertel. – Dlaczego generał Eisenhower przysyła pana do mnie?

– Spróbuję sobie przypomnieć dokładnie słowa generała. – Harry przybrał taki ton, jakby recytował wiadomość. – Nie ma wątpliwości, że ta straszna wojna dobiega końca i tylko ulegający złudzeniom człowiek o niewielkim doświadczeniu wojskowym może wciąż uważać, że zwycięstwo jest możliwe.

Aluzja do Hitlera nie przeszła niezauważona wśród oficerów otaczających dowódcę. W tym momencie Harry uświadomił sobie, czego tu brakuje. W namiocie feldmarszałka nie było flagi nazistowskiej ani portretu Führera.

– Generał Eisenhower darzy pana i Dziewiętnasty Korpus najwyższym szacunkiem – ciągnął Harry. – Nie wątpi, że pańscy ludzie oddadzą za pana życie w każdej sytuacji. Ale pyta: na Boga, w imię czego? W wyniku tej bitwy pańscy żołnierze zostaną zdziesiątkowani, a my bez wątpienia stracimy mnóstwo ludzi. Wszyscy wiemy, że zakończenie tej wojny jest kwestią zaledwie kilku tygodni, więc co się zyska przez taką niepotrzebną rzeź? Generał Eisenhower czytał, panie feldmarszałku, pańską książkę *Żołnierz zawodowy*, kiedy był w West Point, i szczególnie jedno zdanie wryło mu się w pamięć i towarzyszy mu podczas całej służby wojskowej.

Harry czytał wspomnienia Kertla dwa tygodnie wcześniej, kiedy zdał sobie sprawę z możliwości konfrontacji z nim, więc wyrecytował to zdanie niemal słowo w słowo.

– „Wysyłanie młodych ludzi na niepotrzebną śmierć nie jest aktem przywództwa, lecz pychy, niegodnym zawodowego żołnierza". Panie feldmarszałku, to jest opinia, jaką podziela pan z generałem Eisenhowerem, i ze względu na to generał gwarantuje, że jeśli złoży pan broń, pańscy ludzie zostaną potraktowani godnie i z szacunkiem, według postanowień konwencji genewskiej.

Harry się spodziewał, że feldmarszałek odpowie: „Ładne zagranie, młodzieńcze, ale możesz powiedzieć temu, kto dowodzi waszą rachityczną brygadą po drugiej stronie tej góry, że zetrę ją z powierzchni ziemi". Tymczasem Kertel powiedział:

– Przedyskutuję propozycję generała z moimi oficerami. Zechce pan poczekać na zewnątrz.

– Tak jest, panie feldmarszałku. – Harry przytknął palce do czapki i powrócił do dżipa.

Quinn nie odezwał się, kiedy Harry usiadł z przodu obok niego.

Widać oficerowie Kertla nie byli jednego zdania, bo z namiotu dochodziły podniesione głosy. Harry wyobrażał sobie, że padają takie słowa jak honor, rozsądek, obowiązek, realizm, upokorzenie i poświęcenie. Najbardziej jednak się bał, że ktoś powie: „On blefuje".

Minęła prawie godzina, zanim major znów wezwał Harry'ego do namiotu. Kertel stał z dala od swoich najbardziej zaufanych doradców, jego twarz wyrażała znużenie. Podjął decyzję i nawet jeżeli niektórzy z jego oficerów z nią się nie zgadzali, z chwilą gdy wydał rozkaz, nigdy go nie zakwestionują. Nie musiał mówić Harry'emu, jaka to decyzja.

– Panie feldmarszałku, czy mam pańską zgodę na skontaktowanie się z generałem Eisenhowerem i poinformowanie go o pana decyzji?

Feldmarszalek nieznacznie skinął głową i jego oficerowie szybko wyszli z namiotu, żeby dopilnować wypełnienia rozkazów.

Harry wrócił do dżipa wraz z majorem i patrzył, jak dwadzieścia trzy tysiące żołnierzy składa broń, opuszcza czołgi i ustawia się trójkami w kolumnach, gotując się do kapitulacji. Wywiódłszy w pole feldmarszałka, Harry bał się tylko jednego:

czy jego dowódca kupi ten blef. Ujął słuchawkę telefonu i już po chwili usłyszał głos pułkownika Bensona. Harry miał nadzieję, że major nie zauważył spływającej mu po nosie kropelki potu.

– Czy odkryłeś, Clifton, z jak wieloma przeciwnikami musimy się zmierzyć?

– Może mnie pan przełączyć do generała Eisenhowera, panie pułkowniku? Mówi porucznik Clifton, jego adiutant.

– Czyś ty zwariował, Clifton?

– Tak, poczekam, panie pułkowniku, aż pan pójdzie i go poszuka.

Serce nie mogłoby bić mu szybciej, gdyby co dopiero przebiegł sto metrów, i zaczął się zastanawiać, ile czasu potrwa, nim pułkownik się połapie, o co mu chodzi. Skinął na majora, ale ten nie zareagował. Czy stał tutaj i spodziewał się, że znajdzie jakiś jego słaby punkt? Czekając, Harry obserwował tysiące żołnierzy – jednych w rozterce, innych odczuwających ulgę – dołączających do szeregów tych, którzy już opuścili czołgi i złożyli broń.

– Tu generał Eisenhower. Czy to ty, Clifton? – odezwał się w słuchawce głos pułkownika Bensona.

– Tak, panie generale. Jestem tu z feldmarszałkiem Kertlem. Przyjął pana propozycję, żeby Dziewiętnasty Korpus złożył broń i poddał się na warunkach konwencji genewskiej, aby uniknąć, jeśli dobrze pamiętam pańskie słowa, niepotrzebnej rzezi. Jeśli pan wysunie do przodu jeden z naszych pięciu batalionów, to powinien sobie poradzić ze sprawnym przeprowadzeniem całej operacji. Przewiduję, że przekroczę grzbiet Clemenceau wraz z Dziewiętnastym Korpusem – spojrzał na zegarek – około godziny siedemnastej.

– Będziemy czekać, poruczniku.

– Dziękuję, panie generale.

Pięćdziesiąt minut później Harry przekroczył grzbiet Clemenceau drugi raz tego dnia, za nim zaś, niczym za Szczurołapem z Hameln, podążał niemiecki batalion, który po zejściu z góry trafił prosto w objęcia teksaskich rangerów. Kiedy siedmiuset żołnierzy i dwieście czternaście czołgów otoczyło Dziewiętnasty Korpus, Kertel pojął, że dał się nabrać Anglikowi i Irlandczykowi, których jedyną bronią był dżip i chusteczka do nosa.

Feldmarszałek wyjął spod bluzy pistolet i Harry przez chwilę myślał, że chce go zastrzelić. Kertel wyprężył się na baczność, zasalutował, przyłożył lufę pistoletu do skroni i pociągnął za spust.

Ta śmierć nie sprawiła Harry'emu przyjemności.

Gdy Niemcy zostali otoczeni, pułkownik Benson wyznaczył Harry'ego, żeby triumfalnie poprowadził dziewiętnasty już-nie-pancerny korpus do obozu. Kiedy jechali dżipem na czele kolumny, nawet Pat Quinn się uśmiechał.

Mieli jeszcze może milę do pokonania, kiedy dżip najechał na niemiecką minę. Harry usłyszał głośny wybuch i przemknęły mu przez głowę prorocze słowa Pata: „Nie sądzisz, że wyczerpaliśmy już przydzielony nam limit dziewięciu kocich żywotów w zeszłym roku?", gdy dżip uniósł się w powietrze i stanął w płomieniach.

A potem – nicość.

42

Czy wiesz, kiedy jesteś martwy?

Czy to jedno mgnienie, a potem nagle cię nie ma?

Harry mógł być tylko pewien, że postaci, jakie się przed nim pojawiały, przypominały aktorów w sztuce Szekspira: kolejno wchodziły i schodziły ze sceny. Jednak nie wiedział, czy to komedia, tragedia czy dramat historyczny...

Główna postać nigdy się nie zmieniała i w tej roli występowała kobieta, która grała nadzwyczajnie, podczas gdy inni zdawali się zjawiać i znikać na jej skinienie. A potem otworzył oczy i zobaczył Emmę.

Kiedy Harry się uśmiechnął, cała się rozpromieniła. Pochyliła się i delikatnie pocałowała go w usta.

– Witaj w domu – powiedziała.

W tym momencie Harry nie tylko uświadomił sobie, jak bardzo ją kocha, ale też, że teraz nigdy nic ich nie rozdzieli. Delikatnie ujął ją za rękę.

– Będziesz musiała mi pomóc – zaczął. – Gdzie ja jestem? I od jak dawna?

– W szpitalu w Bristolu, od ponad miesiąca. Przez chwilę wydawało się, że nie wyżyjesz, ale ja nie zamierzałam stracić cię drugi raz.

Harry mocno uścisnął jej rękę i uśmiechnął się. Poczuł się wyczerpany i zapadł w głęboki sen.

Kiedy się znowu obudził, było ciemno i czuł, że jest sam. Próbował sobie wyobrazić, co mogło się przydarzyć tym wszystkim postaciom podczas ostatnich pięciu lat, ponieważ, jak w *Wieczorze Trzech Króli*, musiały wierzyć, że zginął na morzu.

Czy matka przeczytała list, który do niej napisał? Czy Giles wykorzystał swój daltonizm jako wymówkę, żeby nie wstąpić do wojska? Czy Hugo wrócił do Bristolu, skoro był przekonany, że Harry już mu nie zagraża? Czy sir Walter Barrington i lord Harvey jeszcze żyją? I jeszcze jedna myśl nie dawała mu spokoju: Czy Emma czeka na właściwy moment, żeby mu powiedzieć, że ktoś inny jest w jej życiu?

Raptem drzwi się otworzyły i do pokoju wpadł mały chłopiec z krzykiem: – Tatusiu, tatusiu, tatusiu! – a potem wskoczył na łóżko Harry'ego i zarzucił mu rączki na szyję.

Po chwili zjawiła się Emma i patrzyła, jak dwaj mężczyźni jej życia spotykają się pierwszy raz.

Harry przypomniał sobie swoją fotografię jako chłopca, którą matka trzymała na gzymsie kominka w domu na ulicy Gorzelniczej. Nie trzeba mu było mówić, że to jego dziecko, i poczuł dreszcz wzruszenia, jakiego wcześniej sobie nie wyobrażał. Przyglądał się chłopcu, kiedy malec podskakiwał na łóżku – miał jasne włosy, niebieskie oczy i kwadratową szczękę, tak jak ojciec Harry'ego.

– O Boże! – powiedział Harry i zapadł w głęboki sen.

Kiedy się ponownie obudził, Emma siedziała przy nim na łóżku. Uśmiechnął się i wziął ją za rękę.

– Widziałem już mojego syna, czy czekają mnie jeszcze inne niespodzianki? – zapytał.

Emma zawahała się, a potem rzuciła z nieśmiałym uśmiechem:

– Nie wiem, od czego zacząć.

– Najlepiej od początku – podsunął Harry. – Tak jak każdą dobrą opowieść. Tylko pamiętaj, że ostatnio cię widziałem w dniu naszego ślubu.

Emma zaczęła od swojego wyjazdu do Szkocji i narodzin ich syna Sebastiana. Właśnie naciskała dzwonek mieszkania Kristin na Manhattanie, kiedy Harry'ego zmorzył sen.

Kiedy się obudził, Emma wciąż przy nim była.

Harry'emu podobała się postać babki stryjecznej Phyllis i jej syna Alistaira i chociaż ledwo pamiętał inspektora Kolowskiego, to Seftona Jelksa nigdy nie zapomni. Emma zakończyła swoją opowieść na tym, kiedy leci nad Atlantykiem samolotem do Anglii, siedząc obok Harolda Macmillana.

Emma wręczyła Harry'emu egzemplarz *Dziennika więźnia*. Harry powiedział tylko:

– Muszę się dowiedzieć, co się stało z Patem Quinnem.

Emmie zabrakło słów.

– Zginął w wybuchu miny? – cicho spytał Harry.

Emma pochyliła głowę. Harry już się nie odezwał tego wieczoru.

Każdy dzień przynosił nowe niespodzianki, ponieważ nieuchronnie w życiu wszystkich osób nastąpiły zmiany od czasu, kiedy Harry je widział przed pięcioma laty.

Gdy następnego dnia odwiedziła go matka, przyszła sama. Poczuł dumę, kiedy się dowiedział, że wyróżnia się w czytaniu i pisaniu i że jest zastępczynią dyrektora hotelu, ale posmutniał, gdy przyznała, że nie otworzyła listu dostarczonego przez doktora Wallace'a, zanim gdzieś przepadł.

– Myślałam, że to był list od Toma Bradshawa – wyjaśniła.

Harry zmienił temat.

– Widzę, że nosisz pierścionek zaręczynowy i obrączkę – zagadnął.

Matka się zarumieniła.

– Tak, chciałam cię zobaczyć najpierw sama, a dopiero potem pokazać ci twojego ojczyma.

– Ojczyma? Czy to ktoś, kogo znam? – spytał Harry.

– O tak – odparła i powiedziałaby mu, kogo poślubiła, ale Harry zasnął.

Następnym razem Harry obudził się w środku nocy. Zapalił lampkę nocną i zagłębił się w *Dzienniku więźnia*. Kilka razy się uśmiechnął, nim dotarł do ostatniej strony.

Nic, co Emma opowiedziała mu na temat Maksa Lloyda, nie stanowiło niespodzianki, szczególnie gdy na scenie ponownie pojawił się Sefton Jelks. Jednakże zaskoczyło go, gdy Emma oznajmiła mu, że książka z miejsca stała się bestsellerem i że ciąg dalszy cieszy się jeszcze większym powodzeniem.

– Ciąg dalszy? – spytał Harry.

– Pierwszy twój dziennik, o tym, co się z tobą działo, zanim wysłano cię do Lavenham, właśnie został wydany w Anglii. Zajmuje wysokie miejsca na listach bestsellerów, tak jak w Ameryce. To mi przypomina, że pan Guinzburg wciąż się dopytuje, kiedy może się spodziewać twojej pierwszej powieści, tej, o której napomknąłeś w *Dzienniku więźnia*.

– Mam dość pomysłów na co najmniej kilka – powiedział Harry.

– To czemu nie zaczniesz pisać? – spytała Emma.

Kiedy Harry się zbudził tego popołudnia, obok stała jego matka i pan Holcombe; oboje trzymali się za ręce, jakby to była ich druga randka. Nigdy nie widział matki tak szczęśliwej.

– Pan nie może być moim ojczymem – zaprotestował Harry, wymieniwszy z Holcombe'em uścisk rąk.

– Ależ jestem – zapewnił go Holcombe. – Prawdę mówiąc, powinienem zaproponować twojej matce małżeństwo dwadzieścia lat temu, ale po prostu uważałem, że nie jestem jej wart.

– I nadal nie jest pan jej wart – powiedział Harry z szerokim uśmiechem. – Ale przecież żaden z nas nie dorasta jej do pięt.

– Przyznaję, że poślubiłem twoją matkę dla pieniędzy.

– Jakich pieniędzy? – spytał Harry.

– Tych dziesięciu tysięcy dolarów, jakie przysłał pan Jelks, dzięki czemu mogliśmy kupić domek na wsi.

– Za co będziemy dozgonnie wdzięczni – wtrąciła Maisie.

– Nie dziękujcie mnie – rzekł Harry. – Podziękujcie Emmie.

Zaskoczenie Harry'ego wiadomością, że matka wyszła za mąż za pana Holcombe'a, było niczym w porównaniu z szokiem, kiedy Giles wmaszerował do pokoju w mundurze porucznika Pułku z Wessex. W dodatku na jego piersi widniały medale, w tym Krzyż Wojenny. Ale gdy Harry spytał, w jaki sposób go zdobył, Giles zmienił temat.

– Będę kandydować do parlamentu w następnych wyborach – oznajmił.

– Jaki okręg wyborczy zamierzasz zaszczycić?

– Bristol Docklands – odparł Giles.

– Przecież to pewny mandat laburzystowski.

– Zamierzam zostać kandydatem laburzystów.

Harry nie ukrywał zaskoczenia.

– Skąd to nawrócenie w stylu świętego Pawła? – zapytał.

– Pewien kapral, z którym walczyłem na froncie, nazywał się Bates…

– Chyba nie Terry Bates? – zagadnął Harry.

– Tak. Znałeś go?

– No pewnie. Najzdolniejszy dzieciak w mojej klasie w Merrywood Elementary i najlepszy sportowiec. Opuścił szkołę w wieku dwunastu lat, żeby pracować w firmie ojca: Bates i syn, sklep mięsny.

– To z jego powodu kandyduję z ramienia Partii Pracy – powiedział Giles. – Terry miał takie samo prawo być w Oksfordzie jak ty czy ja.

Nazajutrz przybyli Emma z Sebastianem, uzbrojeni w pióra, ołówki, bloki papieru i gumki do wycierania. Emma powiedziała Harry'emu, że czas, aby przestał rozmyślać, a zaczął pisać.

Podczas długich godzin, kiedy nie mógł spać albo był sam, Harry wracał myślami do powieści, jaką zamierzał napisać, gdyby nie udało mu się uciec z Lavenham.

Zaczął szkicować postaci, które sprawią, że czytelnik nie będzie mógł oderwać się od książki. Jego detektyw to musi być ktoś jedyny w swoim rodzaju, oryginał, który zostanie dobrym znajomym czytelników, jak Poirot, Holmes czy Maigret.

Ostatecznie postanowił go nazwać William Warwick. Czcigodny William byłby drugim synem hrabiego Warwick i ku oburzeniu ojca odrzuciłby szansę studiowania w Oksfordzie, ponieważ chciał służyć w policji. Jego postać byłaby z grubsza wzorowana na Gilesie. Po trzech latach spędzonych w rewirze, na patrolowaniu ulic Bristolu, Bill, jak zwali go koledzy, trafi do wydziału dochodzeniowo-śledczego pod dowództwo głównego inspektora Blakemore'a, człowieka, który interweniował, kiedy wujek Harry'ego, Stan, został aresztowany i niesłusznie oskarżony o kradzież pieniędzy z sejfu Hugona Barringtona.

Lady Warwick, matka Billa, będzie wzorowana na Elizabeth Barrington; dziewczyna Billa będzie mieć na imię Emma, a jego dziadkowie lord Harvey i sir Walter Barrington od czasu do czasu pojawią się na stronach książki, ale tylko po to, aby udzielić mądrej rady.

Co wieczór Harry czytał to, co napisał w ciągu dnia, i każdego rana trzeba było opróżnić jego kosz na śmieci.

Harry zawsze wyczekiwał niecierpliwie wizyt Sebastiana. Jego synek był pełen energii, dociekliwy i urodziwy jak jego matka – jak każdy mu powtarzał.

Sebastian często zadawał pytania, na które nikt inny by się nie odważył: Jak to jest, kiedy się siedzi w więzieniu? Ilu Niemców zabiłeś? Dlaczego ty i mama nie jesteście mężem i żoną? Harry zbywał większość pytań, ale wiedział, że Sebastian jest zbyt bystry, żeby nie domyślić się sekretów ojca, i bał się, że niedługo chłopiec zapędzi go w kozi róg.

Zawsze kiedy Harry był sam, szkicował fabułę swojej książki.

Przeczytał ponad sto kryminałów w czasie, gdy był zastępcą bibliotekarza w Lavenham, i uważał, że pewne osoby, z którymi się zetknął w więzieniu i w wojsku, mogłyby zapełnić stronice co najmniej kilku powieści: Max Lloyd, Sefton Jelks, naczelnik Swanson, strażnik Hessler, pułkownik Cleverdon, kapitan Havens, Tom Bradshaw i Pat Quinn – szczególnie Pat Quinn.

Podczas następnych tygodni Harry zanurzył się we własnym świecie, ale musiał przyznać, że to, jak niektóre z odwiedzających go osób spędziły ostatnie pięć lat, też było dziwniejsze niż powieść.

Gdy przyszła go odwiedzić siostra Emmy, Grace, Harry nie wspomniał, że wygląda dużo poważniej niż wtedy, gdy widział ją ostatnio, ale wówczas była uczennicą. Teraz Grace kończyła studia w Cambridge i miała właśnie przystąpić do egzaminów. Oznajmiła z dumą, że przez dwa lata pracowała na farmie i nie wróciła do Cambridge, dopóki nie była pewna, że wojna jest wygrana.

Harry zasmucił się, gdy usłyszał od lady Barrington, że jej mąż, sir Walter, nie żyje; tego człowieka podziwiał prawie tak samo jak Old Jacka.

Wujek Harry'ego, Stan, nigdy go nie odwiedził.

Mijały dni i Harry myślał o tym, żeby poruszyć temat ojca Emmy, ale czuł, że nie wolno nawet wymówić jego imienia.

I nagle, pewnego wieczoru, gdy lekarz oznajmił Harry'emu, że wkrótce będzie mógł wyjść ze szpitala, Emma położyła się koło niego na łóżku i powiedziała mu, że jej ojciec nie żyje.

Kiedy skończyła swoją opowieść, Harry zapytał:

– Kochanie, ty nigdy nie potrafiłaś udawać, więc teraz mi powiedz, dlaczego cała rodzina jest taka podenerwowana.

43

Kiedy Harry obudził się następnego ranka, zobaczył, że przy jego łóżku siedzi matka i cała rodzina Barringtonów.

Jedynymi nieobecnymi byli Sebastian i wujek Stan – żaden z nich nie wniósłby nic ważnego do rodzinnej narady.

– Lekarz mówi, że możesz iść do domu – oznajmiła Emma.

– Wspaniała wiadomość – powiedział Harry. – Ale gdzie jest ten dom? Jeżeli miałbym wrócić na ulicę Gorzelniczą i mieszkać z wujkiem Stanem, wolałbym zostać w szpitalu – a nawet iść do więzienia.

Nikt się nie roześmiał.

– Ja mieszkam teraz w Barrington Hall – rzekł Giles. – Dlaczego nie miałbyś się tam wprowadzić? Pokoi tam nie brak.

– I jest też biblioteka – dodała Emma. – Więc nie będziesz miał wymówki, żeby nie pracować nad swoją powieścią.

– I będziesz mógł odwiedzać Emmę i Sebastiana, kiedy tylko zechcesz – odezwała się Elizabeth Barrington.

Harry przez chwilę milczał.

– Jesteście wszyscy bardzo mili i nie myślcie, że nie jestem wdzięczny – powiedział w końcu – ale nie wierzę, że do powzięcia decyzji, gdzie będę mieszkał, potrzeba całej rodziny.

– Jest inny powód, dla którego chcieliśmy z tobą porozmawiać – odezwał się lord Harvey – i rodzina poprosiła, żebym mówił w imieniu wszystkich.

Harry usiadł prosto i nastawił uszu.

– Powstał poważny problem dotyczący przyszłości majątku Barringtona – zaczął lord Harvey. – W rezultacie zapisów testamentu Joshui Barringtona może nas czekać prawny koszmar, dorównujący tylko sprawie Jarndyce przeciwko Jarndyce, i tak samo rujnujący finansowo.

– Ale mnie nie zależy ani na tytule, ani na majątku – rzekł

Harry. – Pragnę tylko udowodnić, że Hugo Barrington nie był moim ojcem, abym mógł poślubić Emmę.

– Święta racja – zgodził się lord Harvey. – Jednakże zaistniały komplikacje, z jakimi muszę cię zapoznać.

– Proszę to uczynić, bo ja nie widzę żadnego problemu.

– Postaram się wytłumaczyć. Po przedwczesnej śmierci Hugona poradziłem lady Barrington – zważywszy na grożące jej dotkliwe obciążenia podatkiem spadkowym i pamiętając, że przekroczyłem siedemdziesiąt lat – że byłoby mądrze, aby nasze dwie firmy, Barringtona i Harveya, połączyły siły. Sądziliśmy wówczas, że nie żyjesz. Zatem wydawało się, że wszelkie wątpliwości co do tego, kto odziedziczy tytuł i majątek, zostały – jakkolwiek nieszczęśliwie – rozstrzygnięte i Giles zostanie głową rodziny.

– Nie mam nic przeciwko temu, żeby pełnił tę rolę – powiedział Harry.

– Problem w tym, że w tej sprawie wystąpiły jeszcze inne zainteresowane strony i obecnie jej implikacje sięgają daleko poza ten pokój. Kiedy Hugo został zabity, przejąłem stanowisko prezesa nowo połączonej firmy i poprosiłem Billa Lockwooda, żeby wrócił i został dyrektorem naczelnym. Nie chcę się chwalić, ale firma Barrington Harvey wypłaciła udziałowcom pokaźną dywidendę za ostatnie dwa lata, mimo przeszkód ze strony Herr Hitlera. Gdy się dowiedzieliśmy, że żyjesz, zgłosiliśmy się po poradę prawną do radcy królewskiego sir Danversa Barkera, aby się upewnić, czy nie naruszyliśmy postanowień testamentu Joshui Barringtona.

– Gdybym tylko otworzyła ten list – powiedziała do siebie Maisie.

– Sir Danvers nas zapewnił – ciągnął lord Harvey – że jeżeli nie będziesz wysuwał żadnych roszczeń do tytułu bądź majątku, możemy nadal działać tak jak w ciągu ubiegłych dwóch lat. I sporządził stosowny dokument.

– Jeśli ktoś poda mi pióro – rzucił Harry – chętnie go podpiszę.

– Chciałbym, żeby to było takie proste – powiedział lord

Harvey. – I byłoby, gdyby nie to, że sprawą zainteresował się „Daily Express".

– Obawiam się, że to moja wina – wtrąciła Emma – bo na skutek popularności twojej książki po obu stronach Atlantyku prasa dostała obsesji i próbuje odkryć, kto odziedziczy tytuł Barringtonów – czy to będzie sir Harry czy sir Giles.

– W dzisiejszej „News Chronicle" – dorzucił Giles – jest satyryczny rysunek, na którym my dwaj potykamy się konno, Emma siedzi na trybunie i podaje ci chusteczkę, tłum mężczyzn buczy, a kobiety wznoszą zachęcające okrzyki.

– Do czego ta aluzja? – spytał Harry.

– Naród jest podzielony równo na połowę – powiedział lord Harvey. – Mężczyzn interesuje to, kto uzyska tytuł i majątek, a wszystkie kobiety pragną widzieć, jak Emma kroczy drugi raz nawą do ołtarza. Faktem jest, że zajęliście miejsce Gary Granta i Ingrid Bergman na pierwszych stronach gazet.

– Ale jak podpiszę dokument, w którym zrzeknę się wszelkich roszczeń do tytułu i majątku, to z pewnością publiczność straci zainteresowanie i zajmie się czymś innym.

– Owszem, tak mogłoby być, gdyby nie włączył się w to wielki heraldyk Anglii.

– A któż to taki? – zapytał Harry.

– To przedstawiciel królewski, który decyduje, na kogo następnego w linii przechodzi tytuł. W dziewięćdziesięciu dziewięciu na sto przypadków po prostu wysyła zaświadczenie patentowe do najbliższego krewnego. W rzadkich wypadkach, kiedy dwie strony nie zgadzają się ze sobą, zaleca, aby sprawę rozstrzygnął sędzia na posiedzeniu niejawnym.

– Niech pan nie mówi, że już do tego doszło – rzekł Harry.

– Obawiam się, że tak. Przewodniczący sądu najwyższego, sędzia Shawcross, orzekł na korzyść Gilesa, ale tylko pod warunkiem, że kiedy będziesz całkiem zdrowy, podpiszesz, że zrzekasz się pretensji, rezygnując z praw do tytułu oraz majątku i dopuszczając zarazem, aby dziedziczenie przechodziło z ojca na syna.

– A zatem skoro jestem teraz całkowicie zdrów, umówmy się na spotkanie z sędzią i rozstrzygnijmy tę sprawę raz na zawsze.

– Bardzo by mi to odpowiadało – westchnął lord Harvey – ale boję się, że decyzja nie leży już w naszych rękach.

– A w czyich tym razem? – zapytał Harry.

– Laburzystowskiego para, lorda Prestona – wyjaśnił Giles. – Przeczytał o tej sprawie w gazetach i skierował na piśmie pytanie do ministra spraw wewnętrznych, prosząc go o wydanie orzeczenia, który z nas jest uprawniony do odziedziczenia tytułu baroneta. Potem zwołał konferencję prasową, na której dowodził, że ja nie mam prawa do tytułu, ponieważ właściwy kandydat leży w bristolskim szpitalu i nie jest w stanie przedstawić swojej sprawy.

– Co laburzystowskiemu parowi do tego, czy ja czy Giles odziedziczy tytuł?

– Kiedy dziennikarze zadali mu to samo pytanie – rzekł lord Harvey – odpowiedział, że gdyby Giles odziedziczył tytuł, byłby to klasyczny przypadek uprzedzeń klasowych i że sprawiedliwość wymaga, aby syn dokera mógł wystąpić ze swoim roszczeniem.

– Przecież to przeczy logice – zauważył Harry. – Bo jeżeli jestem synem dokera, to i tak tytuł przejdzie na Gilesa.

– Kilka osób napisało do „The Timesa", używając tego samego argumentu – powiedział lord Harvey. – Jednakże w obliczu bliskich wyborów powszechnych minister spraw wewnętrznych zrobił unik i oznajmił swojemu szacownemu przyjacielowi, że przekaże sprawę lordowi kanclerzowi. Lord kanclerz przekazał ją lordom prawa i siedmiu uczonych mężów po niespiesznych obradach rozstrzygnęło sprawę większością czterech głosów do trzech. Na twoją korzyść, Harry.

– To czyste szaleństwo! Dlaczego nikt nie zapytał mnie o zdanie?

– Byłeś nieprzytomny – przypomniał mu lord Harvey – a zresztą oni debatowali nad zagadnieniem prawnym, nie nad twoją opinią, zatem ten werdykt jest obowiązujący, chyba że zostanie obalony w Izbie Lordów.

Harry zaniemówił.

– Tak więc – kontynuował lord Harvey – jesteś obecnie sir Harrym, głównym udziałowcem firmy Barrington Harvey oraz właścicielem posiadłości Barringtonów i, żeby zacytować pierwotny testament, wszystkiego, co do tego przynależy.

– Wobec tego wniosę apelację od wyroku lordów prawa i wyraźnie oznajmię, że zrzekam się tytułu.

– To ironia losu – wtrącił Giles – ale nie możesz tego zrobić. Tylko ja mogę wnieść apelację od wyroku, ale nie zrobię tego bez twojego błogosławieństwa.

– Ależ masz moje błogosławieństwo – zapewnił Harry. – Jednak mam na myśli łatwiejsze rozwiązanie.

Wszyscy utkwili w nim wzrok.

– Mógłbym popełnić samobójstwo.

– Nic podobnego – powiedziała Emma, siadając przy nim na łóżku. – Już dwa razy próbowałeś i zobacz, do czego to cię doprowadziło.

44

Emma wpadła do biblioteki z listem w ręku. Rzadko przeszkadzała Harry'emu, kiedy pisał, więc wiedział, że to musi być coś ważnego. Odłożył pióro.

– Przepraszam, kochanie – powiedziała, przysuwając sobie krzesło – ale właśnie dostałam ważne wiadomości i chcę się nimi z tobą podzielić.

Harry uśmiechnął się do kobiety, którą uwielbiał. Równie dobrze mogła to być wiadomość o tym, że Seb oblał kota wodą albo też że telefonują z biura lorda kanclerza i chcą pilnie rozmawiać z Harrym. Odchylił się na krześle i czekał, do której z tych dwóch kategorii należeć będzie nowina.

– Właśnie otrzymałam list od babki stryjecznej Phyllis – oznajmiła Emma.

– Przed którą wszyscy czujemy wielki respekt – rzucił Harry.

– Nie pokpiwaj sobie, dziecko – upomniała go Emma. – Podniosła kwestię, która może pomóc nam dowieść, że papa nie był twoim ojcem.

Harry spoważniał.

– Wiemy, że ty i twoja matka macie ujemne Rh – mówiła dalej Emma. – Jeżeli mój ojciec miał dodatnie, to nie może być twoim ojcem.

– Omawialiśmy ten temat przy wielu okazjach – przypomniał jej Harry.

– Ale gdybyśmy byli w stanie udowodnić, że grupa krwi mojego ojca była inna niż twoja, moglibyśmy się pobrać. To znaczy, jeśli wciąż chcesz mnie poślubić.

– Nie dziś rano, kochanie – powiedział Harry, udając znudzenie. – Widzisz, jestem w trakcie popełniania morderstwa. – Uśmiechnął się. – W każdym razie nie mamy pojęcia, jaką grupę krwi miał twój ojciec, bo mimo nalegań twojej matki i sir Waltera zawsze odmawiał wykonania badań. Może więc powinnaś odpisać i wytłumaczyć, że to musi pozostać tajemnicą.

– Niekoniecznie – rzekła Emma, nie poddając się. – Stryjeczna babka Phyllis śledzi tę sprawę i uważa, że wpadła na rozwiązanie, jakie nam nie przyszło do głowy.

– Co rano zabiera „Bristol Evening News" ze stoiska z gazetami na rogu Sześćdziesiątej Czwartej Ulicy, tak?

– Nie, ale czyta „The Timesa" – odparła Emma, nadal nieugięta – nawet jeżeli on jest z zeszłego tygodnia.

– I? – zagadnął Harry, pragnąc wrócić do swojego morderstwa.

– Ona mówi, że teraz naukowcy potrafią ustalić grupę krwi po dłuższym czasie po śmierci człowieka.

– Myślisz o zatrudnieniu Burke'a i Hare'a* do ekshumacji zwłok, tak, kochanie?

– Nie – zaprzeczyła Emma. – Ale Phyllis zwraca uwagę, że kiedy zabito ojca, została przecięta arteria i dużo krwi wytrysnęło na dywan i na ubranie, które miał na sobie.

Harry wstał, przemierzył pokój i podniósł słuchawkę telefonu.

– Do kogo dzwonisz? – zapytała Emma.

– Do głównego inspektora Blakemore'a, który prowadził tę sprawę. To strzał w ciemno, ale przysięgam, że nigdy więcej nie będę pokpiwał z ciebie ani z twojej stryjecznej babki Phyllis.

– Czy będzie panu przeszkadzało, jeśli zapalę, sir Harry?

– Skądże, panie inspektorze.

Blakemore zapalił papierosa i zaciągnął się głęboko.

– Okropny nałóg – powiedział. – Winię za to sir Waltera.

– Sir Waltera? – zdziwił się Harry.

– Raleigha, nie Barringtona, wie pan.

---

* William Burke (1792–1829) – grasujący w Edynburgu irlandzki morderca, który wraz ze wspólnikiem Williamem Hare'em sprzedawał zwłoki na cele medyczne (przyp. tłum.).

Harry się roześmiał, usiadłszy na krześle naprzeciwko inspektora.

– Więc jak mogę panu pomóc, sir Harry?

– Wolałbym: panie Clifton.

– Jak pan sobie życzy.

– Mam nadzieję, że będzie mi pan mógł udzielić pewnych informacji dotyczących śmierci Hugona Barringtona.

– Obawiam się, że to będzie zależało od tego, z kim będę miał do czynienia; na ten temat mogę rozmawiać z sir Harrym Barringtonem, ale nie z panem Harrym Cliftonem.

– Dlaczego nie z Harrym Cliftonem?

– Bo o szczegółach tej sprawy mogę mówić tylko z członkiem rodziny.

– Wobec tego przy tej okazji będę na powrót sir Harrym.

– Więc jak mogę panu pomóc, sir Harry?

– Kiedy Barrington został zamordowany...

– On nie został zamordowany – wpadł mu w słowo inspektor.

– Ale z doniesień prasowych wynikało...

– Ważne jest to, czego prasa nie podała. Ale prawdę mówiąc, reporterzy prasowi nie mieli możliwości obejrzenia sceny zbrodni. Gdyby to zrobili – powiedział Blakemore, zanim Harry zdążył zadać następne pytanie – to by spostrzegli, pod jakim kątem nóż do papieru ugodził szyję sir Hugona i przeciął arterię.

– Dlaczego to jest ważne?

– Kiedy badałem ciało, zauważyłem, że ostrze noża skierowane było w górę, nie w dół. Gdybym chciał kogoś zamordować – mówił Blakemore, wstając z krzesła i chwytając linijkę – a byłbym wyższy i ważyłbym więcej niż ten człowiek, tobym podniósł rękę i zadał mu cios w szyję, o tak. Ale gdybym był niższy i ważył mniej, i, co ważniejsze, gdybym się bronił – Blakemore ukląkł przed Harrym, spojrzał na niego w górę i wycelował linijkę w jego szyję – to by tłumaczyło, dlaczego nóż utkwił w szyi sir Hugona pod tym kątem. Można nawet z tego wywnioskować, że on upadł i nadział się na ostrze, co z kolei nasunęło mi myśl, że jest o wiele bardziej prawdopodobne, że został zabity w obronie własnej niż zamordowany.

Harry zastanawiał się chwilę nad słowami inspektora, po czym zapytał:

– Powiedział pan: „gdybym był niższy i ważył mniej" oraz „w obronie własnej". Czy pan sugeruje, że sprawczynią śmierci Barringtona mogła być kobieta?

– Byłby pan pierwszorzędnym detektywem – stwierdził Blakemore.

– A czy pan wie, co to za kobieta? – spytał Harry.

– Mam pewne podejrzenia – przyznał Blakemore.

– To dlaczego jej pan nie aresztował?

– Bo trudno aresztować kogoś, kto się potem rzucił pod londyński ekspres.

– O Boże! Nigdy nie łączyłem tych dwóch wypadków – powiedział Harry.

– Dlaczego miałby pan to robić? Nie było pana wtedy w Anglii.

– To prawda, ale gdy wyszedłem ze szpitala, przejrzałem każdą gazetę, w której była choćby wzmianka o śmierci sir Hugona. Czy dowiedział się pan, kim była ta kobieta?

– Nie, ciało było w takim stanie, że nie sposób było go zidentyfikować. Jednak kolega ze Scotland Yardu, który w tym czasie prowadził śledztwo w innej sprawie, poinformował mnie, że sir Hugo żył w Londynie z pewną kobietą przez ponad rok i że urodziła córkę wkrótce po jego powrocie do Bristolu.

– Czy właśnie to dziecko znaleziono w biurze Barringtona?

– Tak jest.

– I gdzie ono teraz jest?

– Nie mam pojęcia.

– Czy może mi pan przynajmniej powiedzieć nazwisko kobiety, z którą żył Barrington?

– Nie, nie wolno mi tego zrobić – odparł Blakemore, zdusiwszy papierosa w popielniczce pełnej niedopałków. – Ale nie jest tajemnicą, że sir Hugo zatrudniał prywatnego detektywa, który jest teraz bez pracy i może być skłonny do rozmowy za skromnym wynagrodzeniem.

– To ten kulawy mężczyzna – rzekł Harry.

– Derek Mitchell, cholernie dobry policjant, zwolniony ze służby z przyczyn zdrowotnych.

– Jednak na jedno pytanie Mitchell nie będzie w stanie odpowiedzieć, a przypuszczam, że pan – tak. Mówił pan, że nóż przeciął arterię, zatem musiało tam być dużo krwi?

– Tak, istotnie – odparł inspektor. – Kiedy tam wszedłem, sir Hugo leżał w kałuży krwi.

– Czy może pan wie, co się stało z ubraniem, które miał na sobie sir Hugo, albo z dywanem?

– Nie, proszę pana. Kiedy śledztwo w sprawie morderstwa zostaje zamknięte, wszystkie rzeczy należące do zmarłego zostają zwrócone najbliższej rodzinie. Jeśli chodzi o dywan, nadal był w biurze, kiedy kończyłem śledztwo.

– To bardzo pomocne, panie inspektorze. Jestem panu bardzo wdzięczny.

– Miło mi, sir Harry. – Blakemore wstał i odprowadził Harry'ego do drzwi. – Pozwolę sobie powiedzieć, że bardzo mi się podobał *Dziennik więźnia*, i co prawda zwykle nie interesuję się plotkami, ale czytałem, że pisze pan powieść detektywistyczną. Chętnie ją przeczytam.

– Czy zechciałby pan spojrzeć na wczesny szkic i wyrazić swoją zawodową opinię?

– W przeszłości, sir Harry, pańskiej rodzinie nie zależało specjalnie na mojej zawodowej opinii.

– Zapewniam pana, panie główny inspektorze, że panu Cliftonowi na niej zależy – powiedział Harry.

Opuściwszy komendę policji, Harry pojechał do Manor House, żeby podzielić się z Emmą wiadomościami. Emma wysłuchała go z uwagą, a gdy skończył, zaskoczyła go pytaniem:

– Czy inspektor Blakemore powiedział ci, co się stało z małą dziewczynką?

– Nie, nie wydawał się tym zbytnio zainteresowany, ale dlaczego miałby być?

– Ponieważ to może być Barringtonówna, moja siostra przyrodnia!

– Co za bezmyślność z mojej strony – rzekł Harry, obejmując Emmę. – Nie przyszło mi to do głowy.

– Trudno się dziwić – powiedziała Emma. – Musisz sobie radzić z tyloma problemami. Może na początek zadzwoń do mojego dziadka i spytaj go, czy wie, co się stało z dywanem, a ja będę się martwić o tę dziewczynkę.

– Jestem bardzo szczęśliwym człowiekiem, wiesz? – oświadczył Harry, niechętnie wypuszczając Emmę z objęć.

– Pospiesz się – poradziła Emma.

Gdy Harry zatelefonował do lorda Harveya z pytaniem o dywan, znów został zaskoczony odpowiedzią.

– Wymieniłem go na nowy kilka dni po tym, jak policja zakończyła śledztwo.

– Co się stało z tamtym? – spytał Harry.

– Osobiście wrzuciłem go do wielkiego pieca w stoczni i patrzyłem, jak się palił, aż spopielił się do cna – powiedział lord Harvey z wyraźnym niesmakiem.

Harry miał chęć zakląć, ale ugryzł się w język.

Kiedy dołączył do Emmy podczas lunchu, spytał panią Barrington, czy wie, co się stało z ubraniem sir Hugona.

Elizabeth odparła, że poleciła policji pozbyć się go w sposób, jaki uznają za właściwy.

Po lunchu Harry wrócił do Barrington Hall i zatelefonował na miejscowy posterunek policji. Zapytał dyżurnego sierżanta, czy pamięta, co się stało z ubraniem sir Hugona Barringtona po zamknięciu śledztwa.

– Wszystko wtedy zostało wciągnięte do rejestru, sir Harry. Proszę chwilę poczekać, to sprawdzę.

Dopiero po kilku chwilach sierżant znów się odezwał.

– Ale ten czas leci – powiedział. – Zapomniałem, że to

było tak dawno. Ale udało mi się znaleźć szczegóły, o które panu chodzi.

Harry wstrzymał oddech.

– Wyrzuciliśmy koszulę, bieliznę i skarpetki, ale jedno palto, szare, jeden kapelusz, brązowy, filcowy, jeden garnitur, z tweedu, w kolorze zgaszonej zieleni, i jedną parę męskich półbutów, skóra, brąz – przekazaliśmy pannie Penhaligon, która wszystkie nieodebrane rzeczy rozdziela w imieniu Armii Zbawienia. Nie najłatwiejsza kobieta – dodał bez wyjaśnienia sierżant.

Napis nad kontuarem obwieszczał: „Panna Penhaligon".

– To jest wbrew przepisom, sir Harry – powiedziała kobieta za kontuarem. – Absolutnie wbrew przepisom.

Harry był zadowolony, że zabrał ze sobą Emmę.

– Ale to może być niesamowicie ważne dla nas obojga – powiedział, ujmując rękę Emmy.

– Nie wątpię, sir Harry, ale to jest absolutnie wbrew przepisom. Nie wyobrażam sobie, co powie na to mój kierownik.

Harry nie wyobrażał sobie, że panna Penhaligon mogła mieć jakiegoś kierownika. Odwróciła się do nich tyłem i zaczęła przeglądać równiutko ułożone segregatory na półce, na której nie śmiał osiąść żaden kurz. W końcu wyjęła jeden z napisem 1943 i postawiła na kontuarze. Otworzyła go i musiała przewrócić kilka stron, zanim znalazła to, czego szukała.

– Nikt nie chciał brązowego filcowego kapelusza – oznajmiła. – Z moich zapisków wynika, że nadal mamy go w magazynie. Palto zostało oddane niejakiemu panu Stephensonowi, garnitur komuś, kogo zwą Old Joey, a brązowe półbuty panu Watsonowi.

– Czy pani wie, gdzie moglibyśmy znaleźć tych dżentelmenów? – spytała Emma.

– Rzadko się rozdzielają – powiedziała panna Penhaligon. – Latem nigdy nie oddalają się od miejskiego parku, natomiast zimą umieszczamy ich w naszym przytułku. Jestem pewna, że o tej porze roku znajdą ich państwo w parku.

– Dziękuję pani – powiedział Harry i ciepło się do niej uśmiechnął. – Nadzwyczajnie pani nam pomogła.

Panna Penhaligon rozpromieniła się.

– Cała przyjemność po mojej stronie, sir Harry – rzekła.

– Mógłbym się przyzwyczaić, że ludzie zwracają się do mnie sir Harry – powiedział Harry do Emmy, kiedy wyszli z budynku.

– Lepiej nie, jeżeli ciągle masz nadzieję mnie poślubić – ofuknęła go Emma – bo ja nie mam ochoty zostać lady Barrington.

Harry zauważył go na ławce w parku: leżał tyłem do nich, owinięty w szary płaszcz.

– Przepraszam, że przeszkadzam, panie Stephenson – powiedział Harry, dotknąwszy lekko jego ramienia – ale potrzebujemy pańskiej pomocy.

Błyskawicznie wysunęła się brudna ręka, ale sam bezdomny się nie odwrócił. Harry położył półkoronówkę na wyciągniętej dłoni. Pan Stephenson spróbował zębami monetę, po czym podniósł głowę, żeby przyjrzeć się Harry'emu.

– Czego chcecie? – zapytał.

– Szukamy Old Joeya – powiedziała łagodnie Emma.

– Kapral zajmuje ławkę numer jeden z racji wieku i starszeństwa. To jest ławka numer dwa i ja zajmę ławkę numer jeden, kiedy Old Joey umrze, co powinno nastąpić niedługo. Pan Watson ma ławkę numer trzy, no to on dostanie ławkę numer dwa, jak ja zajmę ławkę numer jeden. Ale już mu zapowiedziałem, że będzie musiał długo czekać.

– A czy przypadkiem nie wie pan, czy Old Joey wciąż ma zielony tweedowy garnitur? – zagadnął Harry.

– Nigdy go nie zdejmuje – odparł pan Stephenson. – Przywiązał się do niego, można powiedzieć – dodał z chichotem. – On dostał garnitur, ja palto, a pan Watson buty. Mówi, że trochę ciasne, ale nie narzeka. Żaden z nas nie chciał kapelusza.

– To gdzie znajdziemy ławkę numer jeden? – zapytała Emma.

– Tam, gdzie była zawsze, na podium dla orkiestry, pod

dachem. Joey mówi, że to jego pałac. Ale on jest trochę słaby na umyśle z racji tego, że wciąż cierpi na nerwicę frontową.

Pan Stephenson znowu odwrócił się tyłem, z racji tego, że uznał, iż zapracował na otrzymaną półkoronówkę.

Harry i Emma bez trudu znaleźli podium dla orkiestry i Old Joeya, który był tam jedynym lokatorem. Siedział prosto, jakby kij połknął, na środku ławki numer jeden niczym na tronie. Emma nie musiała widzieć wyblakłych brązowych plam, żeby poznać stary tweedowy garnitur ojca, ale zastanawiała się, czy uda się nakłonić Old Joeya, aby się z nim rozstał.

– Czego tu chcecie? – podejrzliwie zapytał Old Joey, kiedy weszli po stopniach do jego królestwa. – Niech się wam nawet nie śni, że zagarniecie moją ławkę, bo jak wciąż przypominam panu Stephensonowi, posiadanie to dziewięćdziesiąt procent prawa własności.

– Nie, Old Joeyu – powiedziała łagodnie Emma – my nie chcemy twojej ławki, ale jesteśmy ciekawi, czy nie chciałbyś nowego garnituru.

– Nie, dziękuję, panienko, jestem zadowolony z tego, co go mam. Jest mi w nim ciepło i nie potrzeba mi innego.

– Ale my dalibyśmy ci nowy garnitur, tak samo ciepły – rzekł Harry.

– Old Joey nie zrobił nic złego. – Starzec odwrócił się ku niemu.

Harry ujrzał rząd medali na jego piersi: Gwiazdę Mons, medal za długoletnią służbę, Medal Zwycięstwa oraz pojedynczą belkę wszytą na rękawie.

– Potrzebuję waszej pomocy, kapralu – powiedział.

Old Joey stanął na baczność, zasalutował i rzekł:

– Tak jest, panie kapitanie, na pana rozkaz chłopcy ruszą do ataku.

Harry poczuł wstyd.

Emma i Harry powrócili nazajutrz z paltem w jodełkę, nowym garniturem z tweedu i parą butów dla Old Joeya. Pan Stephenson paradował w parku w nowej marynarce i popielatych spodniach z flaneli, a pan Watson, mieszkaniec ławki numer trzy, nie mógł się nacieszyć sportową dwurzędową marynarką i spodniami z diagonalu, ale ponieważ nie potrzebował jeszcze jednej pary butów, poprosił Emmę, żeby je dała panu Stephensonowi. Resztę garderoby sir Hugona Emma wręczyła wdzięcznej pannie Penhaligon.

Harry opuścił park, dzierżąc splamiony krwią, tweedowy garnitur sir Hugona w kolorze przytłumionej zieleni.

Profesor Inchcape studiował przez pewien czas plamy krwi pod mikroskopem, po czym stwierdził:

– Muszę przeprowadzić jeszcze kilka testów, zanim wydam ostateczną ocenę, ale jestem całkiem pewien, że będę w stanie ustalić grupę krwi na podstawie tych próbek.

– Co za ulga! – rzekł Harry. – Ale kiedy może pan znać wynik?

– Przypuszczam, że za dwa, najpóźniej za trzy dni – odparł profesor. – Zaraz zatelefonuję do pana, sir Harry.

– Miejmy nadzieję, że zatelefonuje pan do pana Cliftona.

– Zadzwoniłem do biura lorda kanclerza – oznajmił lord Harvey – z informacją, że na próbkach z odzieży Hugona będą przeprowadzone badania grupy krwi. Jestem pewien, że jeżeli wyjdzie dodatnie Rh, wówczas lord kanclerz zwróci się do lordów sędziów, żeby zrewidowali swój werdykt w świetle nowych dowodów.

– Ale co będzie, jeśli wynik okaże się inny niż ten, jakiego się spodziewamy? – zapytał Harry.

– Lord kanclerz zaplanuje debatę w kalendarzu parlamentarnym wkrótce potem, jak parlament zgromadzi się ponownie po wyborach powszechnych. Miejmy jednak nadzieję, że dzięki ustaleniom profesora Inchcape'a nie będzie to konieczne. Przy okazji, czy Giles wie o twoich zamiarach?

– Nie, ale zobaczę się z nim po południu, więc będę mógł przekazać mu ostatnie nowiny.

– Tylko mi nie mów, że cię namówił na agitację wyborczą.

– Obawiam się, że tak, chociaż dobrze wie, że w wyborach oddam głos na torysów. Ale zapewniłem go, że moja matka i wujek Stan go poprą.

– Nie mów dziennikarzom, że nie będziesz na niego głosował, bo oni będą szukać każdej okazji, żeby was poróżnić. Serdeczni przyjaciele to nie jest coś, w czym gustują.

– Miejmy więc nadzieję, że badanie profesora przyniesie właściwy wynik i że wreszcie skończy się ta udręka.

– Oby tak było – westchnął lord Harvey.

William Warwick był o krok od rozwiązania zagadki zbrodni, kiedy zadzwonił telefon. Harry nadal miał broń w ręku, gdy przemierzał pokój i podnosił słuchawkę.

– Tu profesor Inchcape. Czy mogę zamienić słowo z sir Harrym?

W jednej okrutnej chwili fikcję zastąpił fakt. Harry'emu nie trzeba było mówić, jaki jest wynik testu.

– Przy telefonie – rzekł.

– Obawiam się, że nie mam dobrej wiadomości – powiedział profesor. – Okazało się, że sir Hugo miał ujemne Rh, więc nie można na tej podstawie wykluczyć możliwości, że jest pańskim ojcem.

Harry zatelefonował do Ashcombe Hall.

– Harvey przy telefonie – odezwał się dobrze mu znany głos.

– Mówi Harry. Obawiam się, że będzie pan musiał zadzwonić do lorda kanclerza i powiadomić go, że debata parlamentarna się odbędzie.

45

Giles był tak zaabsorbowany zabiegami o wybór do Izby Gmin jako poseł z okręgu Bristol Docklands, a Harry tak pochłonięty publikacją książki *William Warwick i sprawa niewidomego świadka*, że gdy lord Harvey zaprosił ich obu do swojego wiejskiego domu na niedzielny lunch, uznali, że to będzie spotkanie rodzinne. Kiedy jednak przybyli do Ashcombe Hall, nie było śladu innych członków rodziny.

Lawson nie zaprowadził ich do salonu ani choćby do pokoju stołowego, lecz do gabinetu lorda, gdzie zastali gospodarza siedzącego za biurkiem, przed którym stały dwa skórzane fotele. Lord Harvey nie tracił czasu na rozmowę towarzyską.

– Otrzymałem informację z biura lorda kanclerza, że czwartek szóstego września zarezerwowano w kalendarzu parlamentarnym na debatę, która zdecyduje, kto z was odziedziczy tytuł rodowy. Mamy dwa miesiące, żeby się przygotować. Ja rozpocznę debatę wystąpieniem z przedniej ławy – oznajmił lord Harvey – i spodziewam się, że moim oponentem będzie lord Preston.

– Co on zamierza osiągnąć? – spytał Harry.

– Chce podważyć system dziedziczenia i trzeba mu oddać sprawiedliwość, że wcale tego nie ukrywa.

– Może gdybym się z nim spotkał – rzucił Harry – i przedstawił mu swoje poglądy…

– Jego nie obchodzisz ani ty, ani twoje poglądy – wpadł mu w słowo lord Harvey. – On po prostu wykorzystuje tę debatę jako platformę do przedstawienia swoich znanych opinii na temat zasady dziedziczenia.

– Ale na pewno gdybym do niego napisał…

– Już to zrobiłem – odezwał się Giles – i chociaż jesteśmy obaj w tej samej partii, nie zadał sobie trudu, żeby odpisać.

– Według niego ta sprawa jest o wiele poważniejsza niż jakikolwiek przypadek indywidualny – rzekł lord Harvey.

– Czy takie nieprzejednane stanowisko nie spotka się z nieprzychylnym przyjęciem przez ichmościów lordów?

– Niekoniecznie – odparł lord Harvey. – Reg Preston był agitatorem związków zawodowych, zanim Ramsay MacDonald powołał go do Izby Lordów. Zawsze był budzącym respekt mówcą, a od kiedy zasiadł z nami na czerwonych ławach, stał się kimś, kogo nie należy nie doceniać.

– Czy masz pojęcie, jak Izba się podzieli? – spytał Giles.

– Rządowi whipowie* powiedzieli mi, że to będzie wyrównany pojedynek. Parowie laburzystowscy wypowiedzą się za Regiem, bo nie mogą sobie pozwolić, żeby widziano, że popierają zasadę dziedziczenia.

– A torysi? – rzucił pytanie Harry.

– Większość mnie poprze, choćby dlatego, że nie będą chcieli, aby zasadzie dziedziczenia zadano cios na ich własnym podwórku, chociaż jest paru niezdecydowanych, nad którymi muszę popracować.

– A co z liberałami? – zainteresował się Giles.

– Jeden Bóg wie, chociaż ogłosili, że głosowanie będzie bez dyscypliny partyjnej.

– To znaczy? – spytał Harry.

– Nie będzie whipa – wyjaśnił Giles. – Każdy deputowany sam zdecyduje, do którego korytarza ma się udać.

– I na koniec są jeszcze posłowie niezależni – kontynuował lord Harvey. – Wysłuchają argumentów obydwu stron, a potem postąpią wedle swoich sumień. Zatem dowiemy się, jak będą głosować, dopiero po ogłoszeniu podziału Izby.

---

* Whip (ang.) – dosłownie: bat, bicz, w parlamencie brytyjskim tradycyjna funkcja deputowanego, który jest odpowiedzialny za dyscyplinę partyjną we frakcji parlamentarnej, a zwłaszcza za dopilnowanie, żeby posłowie byli obecni podczas debat parlamentarnych i uczestniczyli w głosowaniu (przyp. tłum.).

– Co więc możemy zrobić, żeby pomóc? – spytał Harry.

– Ty, Harry, jako pisarz, i ty, Giles, jako polityk, możecie na początek pomóc mi w przygotowaniu mowy. Każdy wasz pomysł będzie mile widziany. Zacznijmy od opracowania wstępnej wersji przy lunchu.

Gdy w trójkę zmierzali do pokoju jadalnego, ani Giles, ani Harry nie uznali, że warto wspomnieć gospodarzowi o tak błahych sprawach, jak zbliżające się wybory powszechne czy data publikacji książki.

– Kiedy wyjdzie twoja książka? – spytał Giles, kiedy późnym popołudniem wracali samochodem z Ashcombe Hall.

– Dwudziestego lipca – rzekł Harry. – Czyli dopiero po wyborach. Wydawcy chcą, żebym objechał kraj i odbył kilka spotkań autorskich połączonych z podpisywaniem książki, a także udzielił kilku wywiadów.

– Uważaj – przestrzegł go Giles – bo dziennikarze nie będą cię pytać o książkę, tylko o opinię, kto powinien odziedziczyć tytuł.

– Ile razy mam im powtarzać, że mnie interesuje tylko Emma i poświęcę wszystko, żeby móc spędzić z nią resztę życia? – powiedział Harry, starając się ukryć irytację. – Możesz mieć tytuł, możesz mieć majątek, możesz mieć wszystko, co do niego przynależy, żebym tylko ja mógł mieć Emmę.

Powieść *William Warwick i sprawa niewidomego świadka* została dobrze przyjęta przez krytykę, ale okazało się, że Giles miał rację. Zainteresowania gazet nie budził ambitny młody posterunkowy z Bristolu, tylko alter ego autora, Giles Barrington i jego szanse na odzyskanie rodowego tytułu. Ilekroć Harry mówił dziennikarzom, że nie zależy mu na tytule, tym bardziej utwierdzali się w przekonaniu, że jest akurat na odwrót.

W tej, zdaniem dziennikarzy, walce o dziedzictwo Barringtonów wszystkie gazety z wyjątkiem „Daily Telegraph" były za przystojnym, odważnym, popularnym, bystrym absolwentem państwowego liceum, zawdzięczającym wszystko samemu sobie, który, jak wielokrotnie przypominały swoim czytelnikom, wychowywał się w ubogiej dzielnicy Bristolu.

Harry przy każdej sposobności przypominał dziennikarzom, że Giles był jego rówieśnikiem w tym samym Liceum Bristolskim, teraz jest laburzystowskim członkiem parlamentu reprezentującym okręg Bristol Docklands, zdobył Krzyż Wojenny pod Tobrukiem, na pierwszym roku studiów znalazł się w reprezentacji krykieta Uniwersytetu Oksfordzkiego i z pewnością nie ponosi odpowiedzialności za to, w jakiej kołysce się urodził. To lojalne poparcie przyjaciela tylko przysparzało popularności Harry'emu, zarówno u dziennikarzy, jak i u publiczności.

Mimo że Giles został wybrany do Izby Gmin ponad trzema tysiącami głosów i zajął już miejsce na zielonych ławach, wiedział, że to debata, która się odbędzie na czerwonych ławach na drugim końcu korytarza za miesiąc z okładem, zadecyduje o przyszłości jego i Harry'ego.

46

Harry'ego zwykle budził głos ptaków ćwierkających w koronach drzew otaczających Barrington Hall i Sebastian wpadający bez zapowiedzi do biblioteki albo głos Emmy przybywającej na śniadanie po porannej przejażdżce konnej.

Ale dziś było inaczej.

Zbudziły go światła uliczne, ruch uliczny i Big Ben wydzwaniający nieustępliwie co kwadrans, co przypominało mu, ile zostało godzin do chwili, gdy lord Harvey wstanie i zapoczątkuje debatę, a potem ludzie nigdy przez niego niewidziani oddadzą głosy, które zdecydują o jego i Gilesa przyszłości, na tysiąc lat.

Długo się kąpał, bo było za wcześnie, żeby zejść na śniadanie. Gdy się ubrał, zatelefonował do Barrington Hall, gdzie od kamerdynera usłyszał, że panna Barrington już wyjechała na stację. Harry był zaintrygowany. Dlaczego Emma złapała poranny pociąg, skoro nie zamierzali się spotkać przed lunchem? Kiedy Harry wkroczył do pokoju śniadaniowego tuż po siódmej, zdziwił się na widok Gilesa, który już wstał i czytał poranne gazety.

– Czy twój dziadek też już wstał? – zadał pytanie Harry.

– Na długo przed nami, jak podejrzewam. Kiedy zszedłem na dół zaraz po szóstej, w jego gabinecie paliło się światło. Kiedy ten koszmar będzie za nami, musimy go nakłonić, żeby spędził kilka dni w Zamku Mulgelrie na dobrze zasłużonym odpoczynku.

– Dobry pomysł – zgodził się Harry, opadłszy na najbliższe krzesło po to, żeby po chwili błyskawicznie się podnieść, kiedy lord Harvey wszedł do pokoju.

– Czas na śniadanie, chłopaki. Niemądrze iść na szubienicę z pustym żołądkiem.

Wbrew radzie lorda Harveya żaden z nich nie jadł dużo, zastanawiając się nad czekającym ich dniem. Lord Harvey przećwiczył kilka kluczowych zwrotów, Harry zaś i Giles poddali jeszcze ostatnie pomysły, co trzeba dodać, a co ująć.

– Chciałbym móc powiedzieć ich lordowskim mościom, ile wnieśliście do mojego wystąpienia – rzekł stary człowiek, włączywszy parę zdań do swojej mowy. – No, chłopaki, gotowi? Bagnet na broń i ruszać do ataku.

Oboje byli spięci.

– Miałam nadzieję, że zechce mi pan pomóc – powiedziała Emma, nie będąc w stanie spojrzeć mu w oczy.

– Chętnie to zrobię, panienko, jeżeli tylko będę mógł – powiedział.

Emma podniosła wzrok na mężczyznę, który chociaż starannie się ogolił i dziś rano wyglansował buty, miał na sobie koszulę z wystrzępionym kołnierzykiem, a spodnie znoszonego garnituru luźno na nim wisiały.

– Kiedy umarł mój ojciec – Emmie nie mogły przejść przez usta słowa „został zabity" – policja znalazła w jego biurze niemowlę, dziewczynkę. Czy pan wie, co się z nią stało?

– Nie – odparł mężczyzna – ale ponieważ policja nie mogła skontaktować się z jej rodziną, to została umieszczona w przytułku kościelnym albo oddana do adopcji.

– Czy nie wie pan, do jakiego sierocińca mogła trafić? – spytała Emma.

– Nie, ale zawsze mogę spróbować się dowiedzieć, jeżeli...

– Ile mój ojciec był panu winny?

– Trzydzieści siedem funtów i jedenaście szylingów – odparł prywatny detektyw i wyjął plik rachunków z wewnętrznej kieszeni marynarki.

Emma machnęła ręką, otworzyła torebkę i wyjęła dwa szeleszczące pięciofuntowe banknoty.

– Wyrównam dług, kiedy się znów spotkamy.

– Dziękuję, panno Barrington – powiedział Mitchell, podnosząc się, sądził bowiem, że spotkanie jest skończone. – Dam pani znać, jak będę miał wiadomości.

– Jeszcze jedno pytanie – rzuciła Emma, spoglądając na niego. – Czy zna pan imię dziewczynki?
– Jessica Smith – odpowiedział.
– Dlaczego Smith?
– Tak nazywają dziecko, którego nikt nie chce.

Lord Harvey zamknął się w swoim biurze na trzecim piętrze Queen's Tower na całe przedpołudnie. Nie wyszedł stamtąd, nawet żeby dołączyć do Harry'ego, Gilesa i Emmy podczas lunchu, woląc wzmocnić się kanapką i szklaneczką mocnej whisky, kiedy jeszcze raz przeglądał swoją mowę.

Giles i Harry siedzieli na zielonych ławach w głównym hallu Izby Gmin i mile gawędzili, czekając na Emmę. Harry miał nadzieję, że wszyscy, którzy ich widzą, parowie, ludzie z gminu i dziennikarze, nie będą wątpić, że są najbliższymi przyjaciółmi.

Harry zerkał na zegarek, gdyż wiedział, że muszą być na galerii dla gości Izby Lordów, zanim lord kanclerz zasiądzie na swoim fotelu zwanym „workiem z wełną" o drugiej po południu.

Harry uśmiechnął się na widok Emmy, która pospiesznie wpadła do sali tuż przed pierwszą. Giles pomachał do siostry i obaj mężczyźni wstali, żeby się z nią przywitać.

– Co robiłaś?– zapytał Harry, zanim jeszcze się pochylił, żeby ją pocałować.

– Powiem ci przy lunchu – obiecała Emma, biorąc ich obu pod ręce – ale najpierw chcę usłyszeć wasze nowiny.

– Wszyscy są zgodni, że szanse są wyrównane – powiedział Giles, prowadząc ich do jadalni dla gości. – Ale już niedługo wszyscy poznamy swój los – dodał złowieszczo.

Izba Lordów była wypełniona na długo przedtem, nim Big Ben wydzwonił dwa uderzenia, i gdy lord kanclerz Wielkiej Brytanii wszedł na salę, na ławach nie było ani jednego wolnego miejsca. Kilku posłów stało nawet w barze Izby. Lord Harvey spojrzał na drugą stronę sali i zobaczył śmiejącego się do niego Rega Prestona niczym lwa, który właśnie wypatrzył swój lunch.

Lordowie wstali jak jeden mąż, kiedy lord kanclerz zajął swoje siedzisko. Ukłonił się zgromadzonym, a oni odwzajemnili mu ukłon, po czym usiedli na swoich miejscach.

Lord kanclerz otworzył czerwoną skórzaną teczkę ze złotymi frędzlami.

– Milordowie, zgromadziliśmy się, aby zawyrokować, czy pan Giles Barrington czy też pan Harry Clifton jest uprawniony do dziedziczenia tytułu, majątku i parafernaliów zmarłego sir Hugona Barringtona, baroneta, obrońcy pokoju.

Lord Harvey spojrzał w górę i zobaczył Harry'ego, Emmę i Gilesa siedzących w pierwszym rzędzie galerii gości. Wnuczka powitała go serdecznym uśmiechem, a z ruchu jej warg odczytał słowa: „Powodzenia, dziadziu".

– Wzywam lorda Harveya, żeby rozpoczął debatę – powiedział lord kanclerz, po czym zasiadł w fotelu.

Lord Harvey wstał z przedniej ławy i aby się uspokoić, mocno uchwycił się mównicy, a jego koledzy siedzący za nim na ławach powitali szlachetnego i szanownego kolegę okrzykami: „Słuchamy, słuchamy!". Lord Harvey objął spojrzeniem Izbę, świadom, że za chwilę wygłosi najważniejszą mowę w życiu.

– Milordowie – zaczął – staję tu dzisiaj przed wami, występując w imieniu mojego krewnego, pana Gilesa Barringtona, członka drugiej Izby, w sprawie jego uprawnionego roszczenia do tytułu Barringtonów i wszelkich posiadłości rodowych. Milordowie, pozwólcie, że zapoznam was z okolicznościami, jakie sprawiły, że ta sprawa została waszym lordowskim mościom przedłożona do rozważenia. W tysiąc osiemset siedemdziesiątym siódmym roku Joshua Barrington otrzymał tytuł baroneta od królowej Wiktorii za zasługi dla żeglugi handlowej, w tym Linii Żeglugowej Barringtona, floty pełnomorskich statków, których portem macierzystym do dziś dnia jest Bristol. Joshua był piątym dzieckiem w dziewięcioosobowej rodzinie, opuścił szkołę w wieku siedmiu lat, nie umiejąc pisać ani czytać, i został praktykantem w Towarzystwie Żeglugowym Coldwater, gdzie wszyscy, którzy mieli z nim do czynienia, prędko poznali, że to nie jest zwyczajne dziecko. Jako trzydziestolatek miał już dyplom magistra, a w wieku czterdziestu dwóch lat znalazł się w zarządzie Towarzystwa, które przeżywało ciężkie czasy. Podczas następnych dziesięciu lat właściwie sam ocalił firmę, a przez kolejne dwadzieścia dwa lata był jej prezesem. Jednakże, milordowie, powinniście wiedzieć trochę więcej o sir Joshui jako człowieku, żeby zrozumieć, dlaczego zgromadziliśmy się tu dzisiaj, bo z pewnością nie byłoby to jego życzeniem. Sir Joshua był człowiekiem bogobojnym, dla którego jego słowo było święte. Uścisk dłoni wystarczał mu na przypieczętowanie umowy. Gdzie są dzisiaj tacy ludzie, milordowie?

– Racja, racja – rozbrzmiało w Izbie.

– Ale jak wielu ludziom odnoszącym sukcesy, sir Joshui trochę więcej czasu niż innym zajęło pogodzenie się z własną śmiertelnością.

Stwierdzenie to przyjęto wybuchami śmiechu.

– Kiedy więc przyszedł czas na spisanie ostatniej woli, Joshua wypełnił już był kontrakt ze Stwórcą, dożywając siedemdziesięciu lat. Przystąpił jednak do zadania ze zwykłą werwą i wyobraźnią. W tym celu zaprosił sir Isaiaha Waldergrave'a, wiodącego radcę królewskiego w kraju, adwokata, który jak wasza lordowska mość – rzekł, zwracając się do przewodniczącego Izby – pod koniec swojej kariery prawniczej został lordem wysokim kanclerzem. Wspominam o tym, milordowie, żeby podkreślić, iż testament sir Joshui ma wagę prawną i moc, co nie pozwala zakwestionować go sukcesorom. W testamencie tym pozostawił wszystko swojemu pierworodnemu synowi i najbliższemu krewnemu, Walterowi Barringtonowi, mojemu najstarszemu i najdroższemu przyjacielowi. Obejmowało to tytuł, firmę żeglugową, posiadłości oraz, żeby przytoczyć dokładne sformułowanie testamentu „wszystko, co do tego przynależy". Ta debata, milordowie, nie dotyczy ważności testamentu sir Joshui, tylko tego, kto sobie może rościć prawo do jego dziedzictwa. W tym miejscu, milordowie, proszę, abyście wzięli pod uwagę rzecz, która nigdy by nie przyszła do głowy bogobojnemu sir Joshui; możliwość, że jakiś jego potomek mógłby spłodzić nieślubnego syna. Hugo Barrington został następnym w linii, kiedy jego starszy brat Nicholas zginął, walcząc za swój kraj pod Ypres w 1918 roku. Hugo przejął tytuł w 1942 roku po śmierci ojca, sir Waltera. Kiedy nastąpi podział Izby, milordowie, będziecie musieli zdecydować pomiędzy moim wnukiem, panem Gilesem Barringtonem – który jest prawowitym synem zrodzonym ze związku małżeńskiego nieżyjącego sir Hugona Barringtona i mojej jedynej córki Elizabeth Harvey – a panem Harrym Cliftonem, który, według mnie, jest prawowitym synem pani Maisie Clifton i nieżyjącego Arthura Cliftona. Czy mogę w tym miejscu, o milordowie, prosić o waszą pobłażliwość i przez chwilę mówić o moim wnuku, Gilesie Barringtonie? Uczył się w Liceum Bristolskim, a potem został przyjęty do Kolegium Brasenose w Oksfordzie. Jednakże nie ukończył studiów, zdecydował rozstać się z życiem studenckim, żeby wstąpić do Pułku z Wessex wkrótce po wybuchu wojny. Służąc jako młody porucznik pod Tobrukiem, zdobył Krzyż Wojenny, broniąc tego miejsca przed Afrika Korps Rommla. Potem został wzięty do niewoli i umieszczony w obozie jenieckim w Weinsbergu w Niemczech, skąd uciekł, i ponownie służył w swoim pułku do chwili zakończenia działań wojennych. W wyborach powszechnych kandydował i uzyskał mandat jako deputowany z okręgu Bristol Docklands.

– Racja, racja! – zabrzmiały głosy z ław po przeciwnej stronie.

– Po śmierci ojca odziedziczył tytuł, co nie podlegało dyskusji, gdyż rozgłoszono, że Harry Clifton zginął na morzu niedługo po wypowiedzeniu wojny. Jest ironią losu, milordowie, że to moja wnuczka Emma, dzięki swej gorliwości i determinacji, odkryła, że Harry żyje, i mimowolnie uruchomiła serię wydarzeń, które doprowadziły do tego, że, milordowie, zgromadziliście się dzisiaj w tej Izbie.

Lord Harvey spojrzał na galerię i obdarzył wnuczkę ciepłym uśmiechem.

– Milordowie, nie ulega wątpliwości, że Harry Clifton urodził się przed Gilesem Barringtonem. Jednakże pozwolę sobie zasugerować, że nie ma żadnego pewnego ani rozstrzygającego dowodu, że Harry Clifton jest owocem związku pomiędzy Hugonem Barringtonem i panną Maisie Tancock, późniejszą panią Arthurową Clifton. Pani Clifton nie przeczy, że odbyła stosunek seksualny z Hugonem Barringtonem raz w 1919 roku, ale tylko ten jeden raz. Kilka tygodni później poślubiła pana Arthura Cliftona, a potem przyszło na świat dziecko, które w metryce urodzenia zostało zapisane jako Harry Arthur Clifton. Zatem, milordowie, z jednej strony jest Giles Barrington, prawowity potomek sir Hugona Barringtona. Z drugiej zaś Harry Clifton, który, być może, mógłby być potomkiem sir Hugona, podczas gdy nie ma żadnej wątpliwości, że Giles Barrington nim jest. Czy chcecie podjąć to ryzyko, milordowie? Jeżeli tak, to pozwólcie, że dodam jeszcze jeden argument pozwalający może milordom zdecydować, do którego korytarza mają się udać po zakończeniu debaty. Harry Clifton, który dziś po południu siedzi na galerii dla gości, wielokrotnie wyraził swoje stanowisko. Absolutnie nie ma ochoty wziąć na siebie brzemienia – to jego słowo – tytułu i zdecydowanie by wolał, aby go odziedziczył jego bliski przyjaciel, Giles Barrington.

Kilku parów podniosło wzrok na galerię, gdzie zobaczyli Gilesa i Emmę Barringtonów siedzących po bokach Harry'ego Cliftona, który potakiwał skinieniem głowy. Lord Harvey nie kontynuował mowy, dopóki nie skupił uwagi wszystkich w Izbie.

– Tak więc, milordowie, kiedy oddacie swoje głosy dziś wieczorem, zalecam wam, abyście wzięli pod uwagę życzenia Harry'ego Cliftona, a także intencje sir Joshui Barringtona, i rozstrzygnęli wątpliwości na korzyść mojego wnuka Gilesa Barringtona. Jestem wdzięczny Izbie za pobłażliwość.

Lord Harvey usiadł na ławie, nagrodzony głośnymi okrzykami i wymachiwaniem programami obrad przez zgromadzonych. Harry był pewien jego zwycięstwa.

Kiedy w Izbie zapanował spokój, lord kanclerz wstał i powiedział:

– Wzywam lorda Prestona do odpowiedzi.

Harry spojrzał w dół i przyglądał się, jak mężczyzna, którego nigdy nie widział, wolno podnosi się z ław opozycji. Lord Preston nie mógł mieć więcej niż metr pięćdziesiąt pięć centymetrów wzrostu, jego krępa, muskularna postać i ogorzała twarz nie pozostawiały wątpliwości, że przez całe życie był robotnikiem, a jego wojownicza mina świadczyła, że to człowiek nieustraszony.

Reg Preston przez chwilę lustrował wzrokiem ławy opozycji niczym żołnierz, który wychyla głowę z okopu, żeby przyjrzeć się bliżej wrogowi.

– Milordowie, chciałbym na początku pogratulować lordowi Harveyowi świetnej i poruszającej mowy. Sugeruję, że ta świetność jest jej słabością i nosi w sobie zalążek upadku. Wystąpienie szlachetnego lorda było naprawdę poruszające, ale w miarę rozwoju przypominało mowę adwokata, który aż za dobrze wie, że broni kiepskiej sprawy.

Po tych słowach Prestona w Izbie zapadła cisza, do jakiej nie pobudziło zgromadzonych wystąpienie lorda Harveya.

– Rozważmy, milordowie, pewne fakty, tak poręcznie przedstawione przez szlachetnego i zacnego lorda Harveya. Nikt nie przeczy, że młody Hugo Barrington odbył stosunek seksualny z Maisie Tancock na około sześć tygodni przed jej wyjściem za mąż za Arthura Cliftona. Ani że dziewięć miesięcy później, prawie co do dnia, urodził się jej syn, którego dogodnie zapisano w świadectwie urodzenia jako Harry'ego Arthura Cliftona. Cóż, to rozwiązało pewien mały kłopot, prawda, milordowie? Gdyby nie ten niewygodny fakt, że jeśli pani Clifton poczęła dziecko w dniu ślubu, to urodziło się ono siedem miesięcy i dwanaście dni później. Milordowie, byłbym pierwszym, który by zaakceptował taką możliwość, ale jako miłośnik zakładów, mając do wyboru dziewięć miesięcy oraz siedem miesięcy plus dwanaście dni, wiem, jak bym obstawiał, i bukmacherzy też przewidywaliby wygraną.

Na ławach laburzystów kilka osób się roześmiało.

– I powinienem dodać, milordowie, że niemowlę ważyło ponad cztery kilogramy. Nie wygląda mi to na wcześniaka.

Teraz śmiech był głośniejszy.

– Zastanówmy się teraz nad czymś jeszcze, co musiało umknąć bystremu umysłowi lorda Harveya. Hugo Barrington, podobnie jak jego ojciec i dziadek, miał wadę dziedziczną zwaną daltonizmem, którą ma też jego syn Giles. Jak również Harry Clifton. Szanse na wygraną rosną, milordowie.

Znowu rozległ się śmiech i po obu stronach Izby wszczęły się przyciszone rozmowy. Lord Harvey spoglądał ponuro, oczekując kolejnego ciosu.

– Zwiększmy stawkę, milordowie. To wielki doktor Milne ze Szpitala Świętego Tomasza odkrył, że jeżeli oboje rodzice mają grupę krwi z ujemnym czynnikiem Rh, to ich dzieci też będą miały ujemny Rh. Sir Hugo Barrington miał ujemny Rh. Pani Clifton ma ujemny Rh. I oto niespodzianka – Harry Clifton też się chlubi ujemnym Rh, grupą krwi, którą podziela z nim tylko dwanaście procent Brytyjczyków. Bukmacherzy już wypłacają pieniądze, bo jedyny rywal w wyścigu nawet nie stanął na starcie.

Izba śmiała się jeszcze głośniej, a lord Harvey jeszcze mocniej się zgarbił, zły, że nie powiedział, iż Arthur Clifton też miał ujemny Rh.

– Pozwólcie mi teraz, milordowie, poruszyć jedną sprawę, co do której całym sercem zgadzam się z lordem Harveyem. Nikt nie ma prawa kwestionować testamentu sir Joshui Barringtona, skoro ma tak świetny prawny certyfikat. Zatem musimy tylko zdecydować, co naprawdę znaczą słowa „pierworodny" i „najbliższy krewny". Większość z was w tej Izbie dobrze wie, jakie są moje poglądy na zasadę dziedziczenia. – Preston się uśmiechnął i dodał: – Uważam ją za bezzasadną.

Tym razem śmiech dobiegł tylko z jednej strony Izby, podczas gdy siedzący na ławie po przeciwnej stronie zachowali kamienne milczenie.

– Milordowie, jeżeli zdecydujecie się zlekceważyć precedens prawny i manipulować przy historycznej tradycji wyłącznie dla własnej wygody, ściągniecie niesławę na ideę dziedziczności i z czasem cała ta budowla zwali się na wasze lordowskie głowy – powiedział, wskazując palcem ławy przeciwnej strony. – Zwróćmy teraz uwagę na dwóch młodych ludzi uwikłanych w przykry spór, który nie oni wywołali. Harry Clifton, mówią nam, wolałby, żeby jego przyjaciel Giles Barrington odziedziczył tytuł. To nader przyzwoicie z jego strony. Ale przecież nie ulega kwestii, że Harry Clifton jest przyzwoitym człowiekiem. Jednakże, milordowie, gdybyśmy poszli dalej tą drogą, to w przyszłości każdy dziedziczny par w kraju mógłby decydować, którego z potomków wybrałby na swojego następcę, i ta droga, milordowie, okazałaby się ślepą uliczką.

Izba pogrążyła się w ciszy i lord Preston mógł zniżyć głos niemal do szeptu.

– Czy ten przyzwoity młodzieniec, Harry Clifton, miał jakiś ukryty motyw, kiedy oznajmił światu, że chce, aby jego przyjaciel Giles Barrington został uznany za pierworodnego?

Wszyscy utkwili wzrok w lordzie Prestonie.

– Widzicie, milordowie, Kościół anglikański nie pozwoli Harry'emu Cliftonowi poślubić kobiety, którą kocha, siostry Gilesa Barringtona, Emmy Barrington, ponieważ nie żywi wątpliwości, że mają oni tego samego ojca.

Harry nigdy w życiu nikogo tak bardzo nie nienawidził.

– Widzę, milordowie, że ławy biskupie są dzisiaj pełne – ciągnął Preston, zwracając się ku duchownym. – Fascynujące będzie dla mnie odkrycie, jaki jest pogląd kręgów kościelnych w tej kwestii, ponieważ nie mogą kombinować na obie strony.

Kilku biskupów wyglądało na zaniepokojonych.

– A skoro jestem przy rodowodzie Harry'ego Cliftona, pozwolę sobie stwierdzić, że jako kandydat na tej liście jest absolutnie równy Gilesowi Barringtonowi. Wychowany w biednej dzielnicy Bristolu, na przekór wszelkiemu prawdopodobieństwu dostaje się do Liceum Bristolskiego, a pięć lat później otrzymuje stypendium Kolegium Brasenose w Oksfordzie. Młody Harry nawet nie czekał na wypowiedzenie wojny, tylko opuścił uniwersytet, żeby wstąpić do wojska, jednak nie zdążył, gdyż jego statek został storpedowany przez niemiecki U-boot, co sprawiło, że lord Harvey i rodzina Barringtonów uznali, że zginął na morzu. Wszyscy, którzy czytali przejmujące słowa pana Cliftona w jego książce *Dziennik więźnia*, wiedzą, jak trafił do armii Stanów Zjednoczonych, gdzie uhonorowano go Srebrną Gwiazdą, a potem został ciężko ranny w wybuchu niemieckiej miny lądowej zaledwie kilka tygodni przed ogłoszeniem pokoju. Jednak Niemcom nie udało się tak łatwo unicestwić Harry'ego Cliftona i my też nie powinniśmy tego uczynić.

Z ław deputowanych laburzystowskich podniósł się krzyk i lord Preston czekał, aż w Izbie znowu zapanuje cisza.

– Na koniec, milordowie, powinniśmy zadać sobie pytanie, dlaczego tu dziś jesteśmy. Powiem wam dlaczego. Ponieważ Giles Barrington odwołuje się od wyroku wydanego przez siedmiu wybitnych prawników tego kraju, o czym również lord Harvey nie wspomniał w swojej płynącej prosto z serca mowie. Ale ja przypomnę wam, że w swojej mądrości lordowie prawa wypowiedzieli się za tym, aby Harry Clifton odziedziczył tytuł baroneta. Jeżeli zamyślacie uchylić tę decyzję, milordowie, to zanim to uczynicie, musicie być przekonani, że popełnili oni fundamentalny błąd w osądzie. A zatem, milordowie – powiedział Preston, podsumowując swoją mowę – kiedy oddacie swój głos, żeby zdecydować, który z tych dwóch mężczyzn powinien odziedziczyć tytuł, nie opierajcie swojego sądu na tym, co dla was wygodne, ale na wysokim prawdopodobieństwie. Bo wtedy, że zacytuję lorda Harveya, rozstrzygniecie wątpliwości na korzyść nie Gilesa Barringtona, lecz Harry'ego Cliftona, jako że wszystko, jeśli nie jego rodowód, przemawia za nim. I pozwolę sobie zakończyć, milordowie, radą – powiedział, spoglądając wyzywająco na ławy po przeciwnej stronie – że kiedy po podziale Izby skierujecie się do korytarza do głosowania, powinniście zabrać tam swoje sumienia, a politykę zostawić w Izbie.

Lord Preston usiadł, nagrodzony owacją swoich deputowanych, podczas gdy na ławach torysowskich kilku parów z uznaniem skinęło głową.

Lord Harvey napisał karteczkę do swojego przeciwnika, gratulując mu poruszającej mowy, tym bardziej sugestywnej, że odzwierciedlającej jego wyraźne przekonania. Zgodnie z tradycją Izby obaj mówcy pozostali na swoich miejscach, żeby wysłuchać poglądów innych posłów.

Kilku deputowanych z obu stron Izby wystąpiło z niespodziewanymi opiniami, co tylko pogłębiło niepewność lorda Harveya co do wyniku głosowania. Autorem jednego z wystąpień wysłuchanych przez wszystkich w Izbie z nabożnym skupieniem był biskup Bristolu; cieszyło się ono wyraźną aprobatą jego szlachetnych duchownych przyjaciół, którzy siedzieli w ławach obok niego.

– Milordowie – przemówił biskup – jeżeli, wedle swoich przekonań, tego wieczoru zagłosujecie za tym, żeby Giles Barrington odziedziczył tytuł, moi szlachetni przyjaciele i ja nie będziemy mieli wyboru i wycofamy sprzeciw Kościoła wobec zawarcia legalnego małżeństwa między panem Harrym Cliftonem i panną Emmą Barrington. Ponieważ, milordowie, jeżeli zdecydujecie, że Harry nie jest synem Hugona Barringtona, nie może być żadnych zastrzeżeń wobec takiego związku.

– Ale jak oni będą głosować? – lord Harvey spytał szeptem kolegę, który siedział obok niego na przedniej ławie.

– Moi koledzy i ja po ogłoszeniu podziału Izby nie oddamy głosów w żadnym korytarzu, nie czujemy się bowiem kompetentni, by wyrazić polityczną albo prawną opinię na ten temat.

– A co z opinią moralną? – zapytał lord Preston tak głośno, żeby go słyszano na ławach duchowieństwa.

Lord Harvey w końcu usłyszał coś, z czym obaj się zgadzali.

Kolejny głos, który zaskoczył Izbę, należał do lorda Hughesa, posła niezależnego i byłego przewodniczącego Brytyjskiego Towarzystwa Lekarskiego.

– Milordowie, powinienem poinformować Izbę, że ostatnie badania medyczne prowadzone w Szpitalu Moorfields dowiodły, że daltonizm może być przekazywany tylko przez linię żeńską.

Lord kanclerz otworzył czerwoną teczkę i wprowadził poprawkę do swoich notatek.

– Przeto argument lorda Prestona, że skoro sir Hugo Barrington był daltonistą, to jest bardziej prawdopodobne, iż Harry Clifton jest jego synem, jest fałszywy i powinien zostać odrzucony, gdyż jest to czysty przypadek.

Kiedy Big Ben wydzwonił dziesięć razy, jeszcze kilku posłów domagało się uwagi lorda kanclerza. W swojej mądrości kanclerz uznał, że należy pozwolić, aby debata toczyła się naturalnym trybem. Ostatni mówca usiadł kilka minut po trzeciej rano.

Kiedy rozległ się dzwonek oznajmiający podział Izby, szeregi wyczerpanych, wymiętych posłów opuściły gromadnie Izbę i skierowały się do odpowiednich korytarzy, żeby oddać głos. Harry, który wciąż siedział na galerii, spostrzegł, że lord Harvey mocno śpi. Nikt nie pokwapił się z komentarzem. W końcu lord Harvey nie opuścił swojego miejsca przez całe trzynaście godzin.

– Miejmy nadzieję, że zbudzi się w porę, żeby zagłosować – rzucił Giles ze śmiechem, który zamarł mu na ustach, gdy jego dziadek osunął się głębiej na ławce.

Posłaniec parlamentarny szybko opuścił Izbę i wezwał karetkę, a dwóch woźnych wbiegło na salę i ostrożnie umieściło szlachetnego lorda na noszach.

Harry, Giles i Emma wypadli z galerii gości, zbiegli pędem ze schodów i dotarli do westybulu Izby Lordów w chwili, gdy woźni z noszami wychodzili z Izby. Cała trójka towarzyszyła lordowi Harveyowi w drodze do wyjścia z budynku i do czekającej karetki.

Gdy posłowie oddali głosy w wybranym korytarzu, niespiesznie wrócili do Izby. Nikt nie chciał odejść, póki nie zostaną ogłoszone wyniki. Deputowani z obu stron Izby byli zdziwieni, nie widząc lorda Harveya na jego miejscu na przedniej ławie.

W Izbie zaczęły krążyć pogłoski; lord Preston śmiertelnie zbladł, gdy usłyszał, co się stało.

Upłynęły dalsze minuty, zanim czterech dyżurujących whipów powróciło do Izby, żeby poinformować zgromadzonych o wyniku głosowania. Maszerowali centralnym przejściem krokiem gwardzistów i zatrzymali się przed lordem kanclerzem.

W Izbie nastała cisza jak makiem zasiał.

Główny whip podniósł w górę karteczkę z wynikami i głośno obwieścił:

– Za: dwieście siedemdziesiąt trzy głosy z prawej; przeciw: dwieście siedemdziesiąt trzy głosy z lewej.

W Izbie i na galerii powyżej rozpętało się pandemonium, gdyż i posłowie, i goście dopytywali się, co teraz nastąpi. Stare wygi zdawały sobie sprawę, że decydujący będzie głos lorda kanclerza. Siedział w swoim fotelu, nieprzenikniony i nieczuły na hałas i zgiełk, cierpliwie czekając, aż w Izbie zapanuje porządek.

Kiedy ucichł ostatni szept, lord kanclerz powoli podniósł się z fotela, poprawił opadającą na plecy perukę i schwycił za wyłogi czarnej, haftowanej złotem togi, zanim przemówił. Wszystkie oczy w Izbie skierowały się na niego. W wypełnionej do ostatka galerii nad Izbą ci, którzy mieli tyle szczęścia, że zdobyli bilety, wychylili się wyczekująco nad balustradę. W galerii dla wybitnych gości były trzy puste miejsca: tych trojga ludzi, których przyszłość spoczywała w ręku lorda kanclerza.

– Milordowie – zaczął. – Przysłuchiwałem się z zainteresowaniem każdemu wystąpieniu waszych lordowskich mości podczas tej długiej i fascynującej debaty. Rozważałem argumenty z taką swadą i pasją przedstawione z każdej strony Izby i mam pewien dylemat. Chciałbym podzielić się z wami moimi obawami. W zwykłych okolicznościach w obliczu remisu nie zawahałbym się poprzeć wcześniejszego werdyktu lordów prawa, kiedy wypowiedzieli się czterema głosami przeciw trzem za odziedziczeniem tytułu przez Harry'ego Cliftona. Zaiste, byłoby nieodpowiedzialnością z mojej strony tak nie postąpić. Jednakże wasze lordowskie moście może nie zdają sobie sprawy, że tuż po zarządzeniu podziału Izby lord Harvey, który przedłożył ten wniosek, zasłabł i nie mógł oddać głosu. Nikt z nas nie wątpi, który korytarz by wybrał, zapewniając sobie zwycięstwo choćby minimalną przewagą, a zatem tytuł przeszedłby na jego wnuka Gilesa Barringtona. Milordowie, jestem pewien, że Izba się zgodzi, iż w tych okolicznościach mój ostateczny werdykt będzie wymagał mądrości Salomona.

– Racja, racja! – dały się słyszeć przytłumione okrzyki z obydwu stron Izby.

– Jednakże – ciągnął lord kanclerz – muszę powiedzieć Izbie, że jeszcze nie zdecydowałem, którego z synów przetnę na pół, a któremu przywrócę prawa rodowe.

Te słowa powitał wybuch śmiechu, co rozładowało napięcie w Izbie.

– A zatem, milordowie – rzekł lord kanclerz, gdy znów skupił uwagę posłów – ogłoszę mój werdykt w sprawie Barrington przeciwko Cliftonowi o godzinie dziesiątej rano. – I już bez dalszych słów usiadł w fotelu.

Mistrz ceremonii trzykrotnie uderzył laską w podłogę, ale w zgiełku prawie nie było go słychać.

– Izba zgromadzi się ponownie o godzinie dziesiątej przed południem – huknął – kiedy lord kanclerz ogłosi swój werdykt w sprawie Barrington przeciwko Cliftonowi. Odraczam obrady.

Lord kanclerz podniósł się z miejsca, ukłonił się zgromadzonym, a ichmościowie lordowie odpowiedzieli mu ukłonem.

Mistrz ceremonii ponownie uderzył trzy razy laską w podłogę.

– Ogłaszam przerwę!